van Dale

NEDERLANDS·ENGLISH

BEELD
WOORD
&BOEK

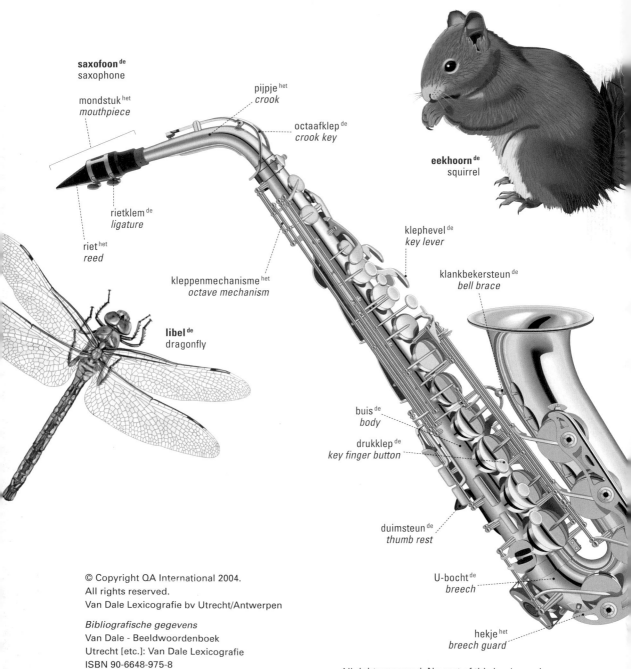

saxofoon de
saxophone

mondstuk het
mouthpiece

pijpje het
crook

octaafklep de
crook key

rietklem de
ligature

riet het
reed

kleppenmechanisme het
octave mechanism

libel de
dragonfly

eekhoorn de
squirrel

klephevel de
key lever

klankbekersteun de
bell brace

buis de
body

drukklep de
key finger button

duimsteun de
thumb rest

U-bocht de
breech

hekje het
breech guard

Bibliografische gegevens
Van Dale - Beeldwoordenboek
Utrecht [etc.]: Van Dale Lexicografie
ISBN 90-6648-975-8
NUR 627
D/2004/0108/717
R.8975801

Oorspronkelijke titel: The New Visual Dictionary
uitgegeven door: QA International
329, rue de la Commune Ouest, 3e étage
Montréal (Québec) H2Y 2E1 Canada
Tel. : + 1 514.499.3000
Fax : + 1 514.499.3010
www.qa-international.com

NEDERLANDS·ENGLISH

BEELD WOORD &BOEK

door
Jean-Claude Corbeil
Ariane Archambault

vertaalwerk
Femke van Doorn – apostrophe[']
Mariska Albers – Confuse a Cat

Van Dale Lexicografie bv
Utrecht/Antwerpen

ONDERWERPEN

ZONNESTELSEL | SOLAR SYSTEM

Het zonnestelsel is ons eigen kleine stukje universum. Het bestaat uit één ster, de zon, en alle hemellichamen die in een baan om de zon heen draaien: negen planeten, meer dan honderd natuurlijke satellieten, duizenden asteroïden en miljoenen kometen. Ten slotte cirkelen er rondom onze ster miljarden kiezels, stofdeeltjes en gassen.

PLANETEN EN MANEN
PLANETS AND MOONS

Deimos
Deimos

Phobos
Phobos

maan
Moon

Venus
Venus

Mercurius
Mercury

aarde
Earth

Mars
Mars

Callisto
Callisto

Ganymedes
Ganymede

Europa
Europa

Io
Io

Jupiter
Jupiter

PLANEETBANEN
ORBITS OF THE PLANETS

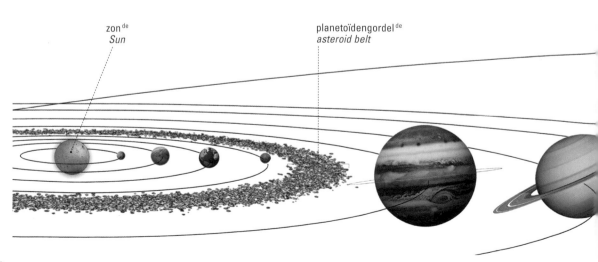

zon ^{de}
Sun

planetoïdengordel ^{de}
asteroid belt

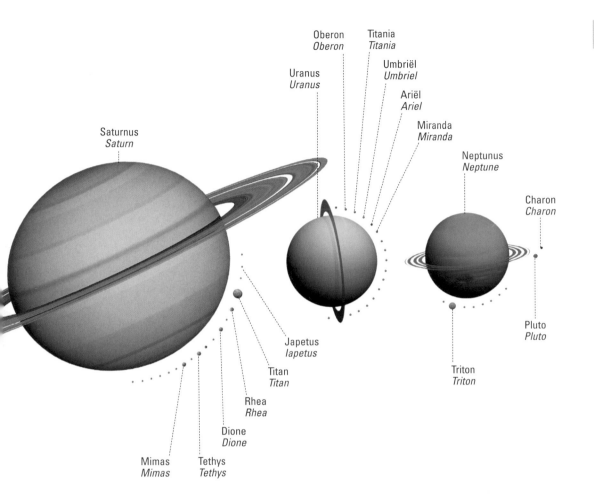

Oberon
Oberon

Titania
Titania

Umbriël
Umbriel

Uranus
Uranus

Ariël
Ariel

Miranda
Miranda

Saturnus
Saturn

Neptunus
Neptune

Charon
Charon

Japetus
Iapetus

Titan
Titan

Triton
Triton

Pluto
Pluto

Rhea
Rhea

Dione
Dione

Mimas
Mimas

Tethys
Tethys

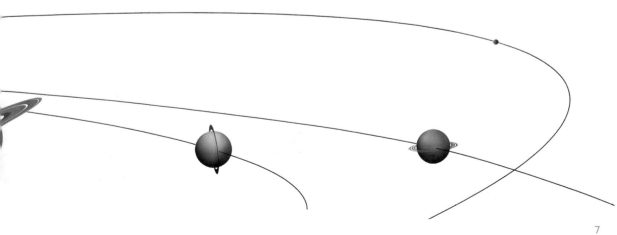

ZON
SUN

structuur van de zon
structure of the Sun

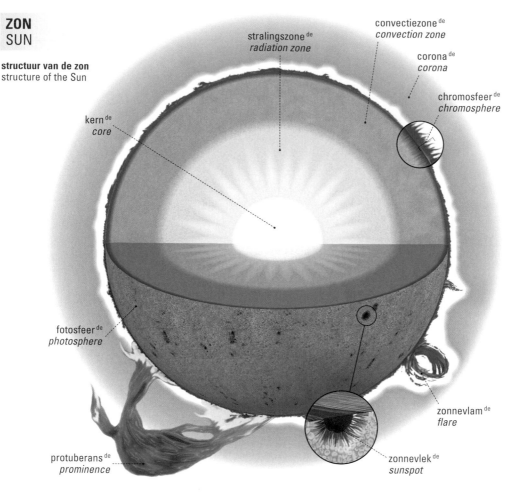

stralingszone ^{de}
radiation zone

convectiezone ^{de}
convection zone

corona ^{de}
corona

chromosfeer ^{de}
chromosphere

kern ^{de}
core

fotosfeer ^{de}
photosphere

zonnevlam ^{de}
flare

protuberans ^{de}
prominence

zonnevlek ^{de}
sunspot

zonsverduistering ^{de}
solar eclipse

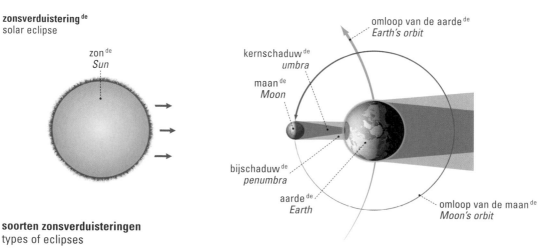

omloop van de aarde ^{de}
Earth's orbit

zon ^{de}
Sun

kernschaduw ^{de}
umbra

maan ^{de}
Moon

bijschaduw ^{de}
penumbra

aarde ^{de}
Earth

omloop van de maan ^{de}
Moon's orbit

soorten zonsverduisteringen
types of eclipses

ringvormige verduistering ^{de}
annular eclipse

gedeeltelijke verduistering ^{de}
partial eclipse

totale verduistering ^{de}
total eclipse

MAAN
MOON

klif^{het}
cliff

baai^{de}
bay

krater^{de}
crater

maanoppervlak^{het}
lunar features

lacus^{het}
lake

oceanus^{de}
ocean

ringberg^{de}
cirque

wal^{de}
wall

gebergte^{het}
mountain range

mare^{de}
sea

hoogland^{het}
highland

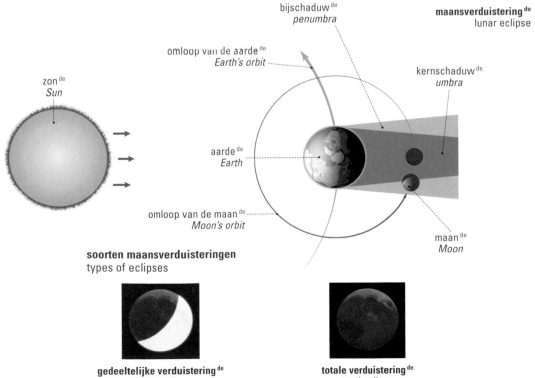

bijschaduw^{de}
penumbra

maansverduistering^{de}
lunar eclipse

omloop van de aarde^{de}
Earth's orbit

kernschaduw^{de}
umbra

zon^{de}
Sun

aarde^{de}
Earth

omloop van de maan^{de}
Moon's orbit

maan^{de}
Moon

soorten maansverduisteringen
types of eclipses

gedeeltelijke verduistering^{de}
partial eclipse

totale verduistering^{de}
total eclipse

9

maanfasen
phases of the Moon

nieuwe maan^{de}
new moon

(nieuwe) maansikkel^{de}
new crescent

eerste kwartier^{het}
first quarter

wassende maan^{de}
waxing gibbous

volle maan^{de}
full moon

afnemende maan^{de}
waning gibbous

laatste kwartier^{het}
last quarter

(oude) maansikkel^{de}
old crescent

KOMEET
COMET

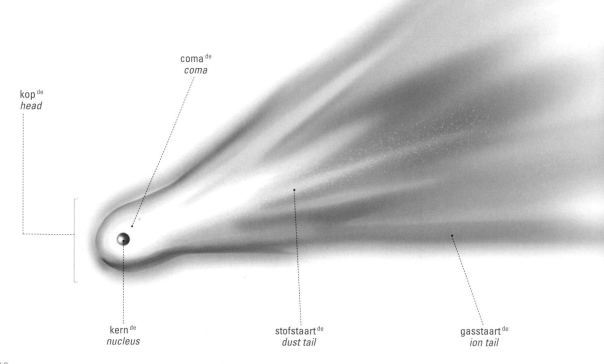

coma^{de}
coma

kop^{de}
head

kern^{de}
nucleus

stofstaart^{de}
dust tail

gasstaart^{de}
ion tail

Het universum bevat ongeveer 100 miljard melkweg-stelsels, die elk uit miljarden sterren, gassen en stofdeeltjes bestaan. Ons zonnestelsel ligt aan de rand van een melkwegstelsel dat "de melkweg" wordt genoemd. Vanaf de aarde gezien lijkt de melk-weg een lichtende band aan de sterrenhemel. De witachtige gloed is afkomstig van het licht van de 200 tot 300 miljard sterren die ertoe behoren.

MELKWEG
MILKY WAY

melkweg de **(bovenaanzicht)**
Milky Way (seen from above)

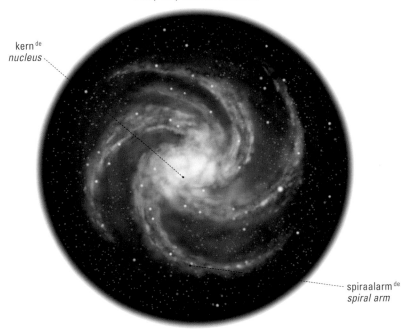

kern de
nucleus

spiraalarm de
spiral arm

melkweg de **(zijaanzicht)**
Milky Way (side view)

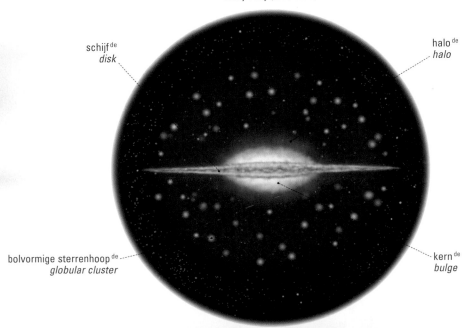

schijf de
disk

halo de
halo

bolvormige sterrenhoop de
globular cluster

kern de
bulge

De uitvinding van de lenzentelescoop en de spiegeltelescoop heeft ons beeld van het universum revolutionair veranderd. Deze instrumenten vangen licht uit de hemel op, concentreren het door middel van lenzen of spiegels en hebben ons zo de eerste vergrote en gedetailleerde beelden van hemellichamen opgeleverd. Tegenwoordig ontwikkelen specialisten steeds geavanceerdere telescopen.

ASTRONOMIE

LENZENTELESCOOP
REFRACTING TELESCOPE

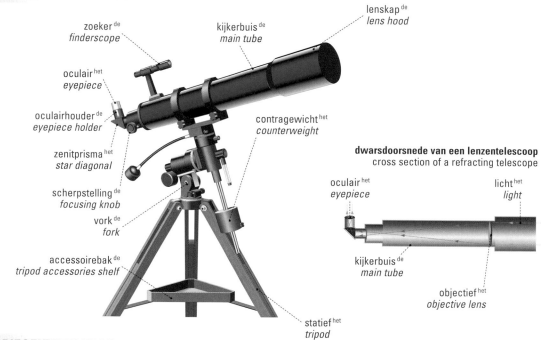

zoeker ^{de}
finderscope

kijkerbuis ^{de}
main tube

lenskap ^{de}
lens hood

oculair ^{het}
eyepiece

oculairhouder ^{de}
eyepiece holder

contragewicht ^{het}
counterweight

zenitprisma ^{het}
star diagonal

scherpstelling ^{de}
focusing knob

vork ^{de}
fork

accessoirebak ^{de}
tripod accessories shelf

statief ^{het}
tripod

dwarsdoorsnede van een lenzentelescoop
cross section of a refracting telescope

oculair ^{het}
eyepiece

licht ^{het}
light

kijkerbuis ^{de}
main tube

objectief ^{het}
objective lens

SPIEGELTELESCOOP
REFLECTING TELESCOPE

dwarsdoorsnede van een spiegeltelescoop
cross section of a reflecting telescope

steun ^{de}
support

oculair ^{het}
eyepiece

vangspiegel ^{de}
secondary mirror

licht ^{het}
light

buis ^{de}
main tube

holle hoofdspiegel ^{de}
concave primary mirror

zadel ^{het}
cradle

instelling declinatieas
declination setting scale

azimutregeling ^{de}
azimuth clamp

azimutfijnregeling ^{de}
azimuth fine adjustment

instelling uuras
right ascension setting scale

hoogteregeling ^{de}
altitude clamp

hoogtefijnregeling ^{de}
altitude fine adjustment

Ruimtesondes verkennen hemellichamen en gebieden in de ruimte die voor mensen onbereikbaar zijn. Deze ingenieuze robots, de moderne ontdekkingsreizigers, worden door de spaceshuttle of een lanceerraket in de ruimte gebracht. In tegenstelling tot een raket kan de spaceshuttle hergebruikt worden. Dit ruimtevaartuig transporteert onder andere modules naar het internationale ruimtestation.

RUIMTESONDES
SPACE PROBES

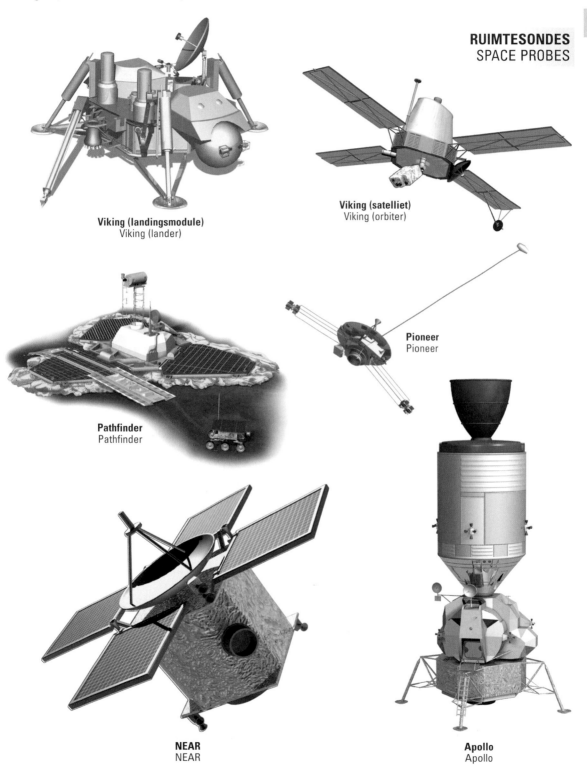

Viking (landingsmodule)
Viking (lander)

Viking (satelliet)
Viking (orbiter)

Pioneer
Pioneer

Pathfinder
Pathfinder

NEAR
NEAR

Apollo
Apollo

INTERNATIONAAL RUIMTESTATION
INTERNATIONAL SPACE STATION

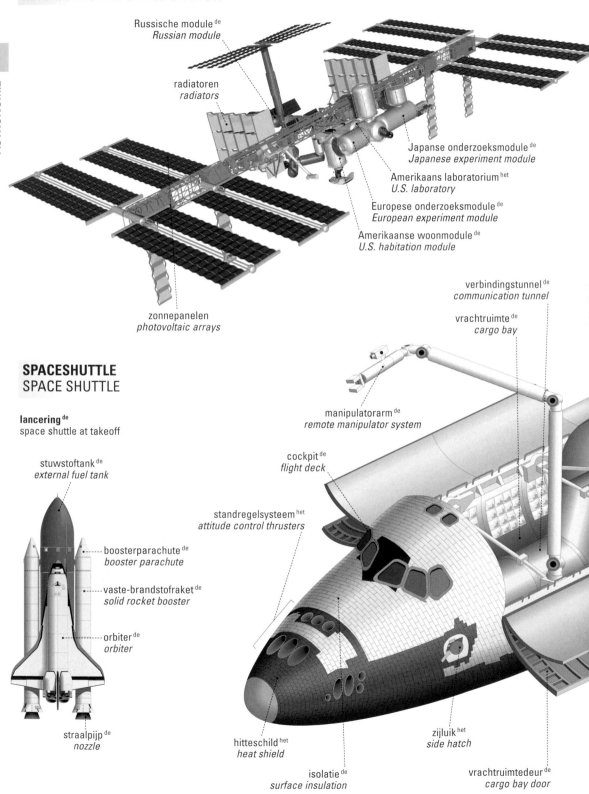

Russische module ^{de}
Russian module

radiatoren
radiators

Japanse onderzoeksmodule ^{de}
Japanese experiment module

Amerikaans laboratorium ^{het}
U.S. laboratory

Europese onderzoeksmodule ^{de}
European experiment module

Amerikaanse woonmodule ^{de}
U.S. habitation module

zonnepanelen
photovoltaic arrays

verbindingstunnel ^{de}
communication tunnel

vrachtruimte ^{de}
cargo bay

SPACESHUTTLE
SPACE SHUTTLE

lancering ^{de}
space shuttle at takeoff

stuwstoftank ^{de}
external fuel tank

boosterparachute ^{de}
booster parachute

vaste-brandstofraket ^{de}
solid rocket booster

orbiter ^{de}
orbiter

straalpijp ^{de}
nozzle

manipulatorarm ^{de}
remote manipulator system

cockpit ^{de}
flight deck

standregelsysteem ^{het}
attitude control thrusters

hitteschild ^{het}
heat shield

isolatie ^{de}
surface insulation

zijluik ^{het}
side hatch

vrachtruimtedeur ^{de}
cargo bay door

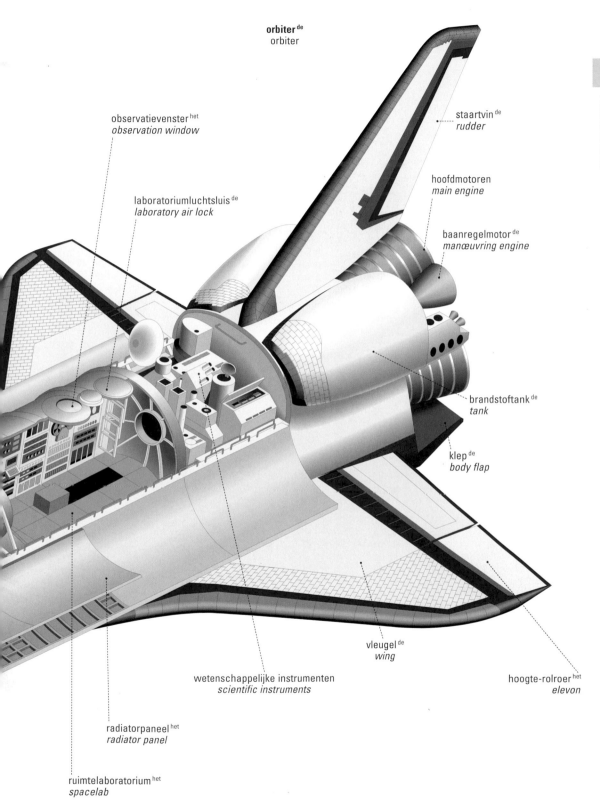

orbiter ^{de}
orbiter

staartvin ^{de}
rudder

observatievenster ^{het}
observation window

hoofdmotoren
main engine

laboratoriumluchtsluis ^{de}
laboratory air lock

baanregelmotor ^{de}
manœuvring engine

brandstoftank ^{de}
tank

klep ^{de}
body flap

vleugel ^{de}
wing

wetenschappelijke instrumenten
scientific instruments

hoogte-rolroer ^{het}
elevon

radiatorpaneel ^{het}
radiator panel

ruimtelaboratorium ^{het}
spacelab

LANCEERRAKET
SPACE LAUNCHER

doorsnede van een lanceerraket (Ariane V)
cross section of a space launcher (Ariane V)

lanceerraketten
examples of space launchers

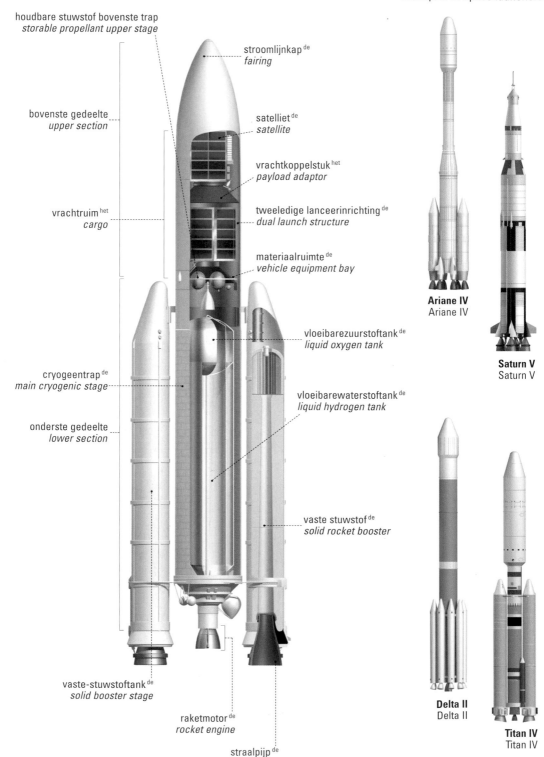

houdbare stuwstof bovenste trap
storable propellant upper stage

stroomlijnkap ^{de}
fairing

bovenste gedeelte
upper section

satelliet ^{de}
satellite

vrachtkoppelstuk ^{het}
payload adaptor

vrachtruim ^{het}
cargo

tweeledige lanceerinrichting ^{de}
dual launch structure

materiaalruimte ^{de}
vehicle equipment bay

vloeibarezuurstoftank ^{de}
liquid oxygen tank

cryogeentrap ^{de}
main cryogenic stage

vloeibarewaterstoftank ^{de}
liquid hydrogen tank

onderste gedeelte
lower section

vaste stuwstof ^{de}
solid rocket booster

vaste-stuwstoftank ^{de}
solid booster stage

raketmotor ^{de}
rocket engine

straalpijp ^{de}
nozzle

Ariane IV
Ariane IV

Saturn V
Saturn V

Delta II
Delta II

Titan IV
Titan IV

RUIMTEPAK
SPACESUIT

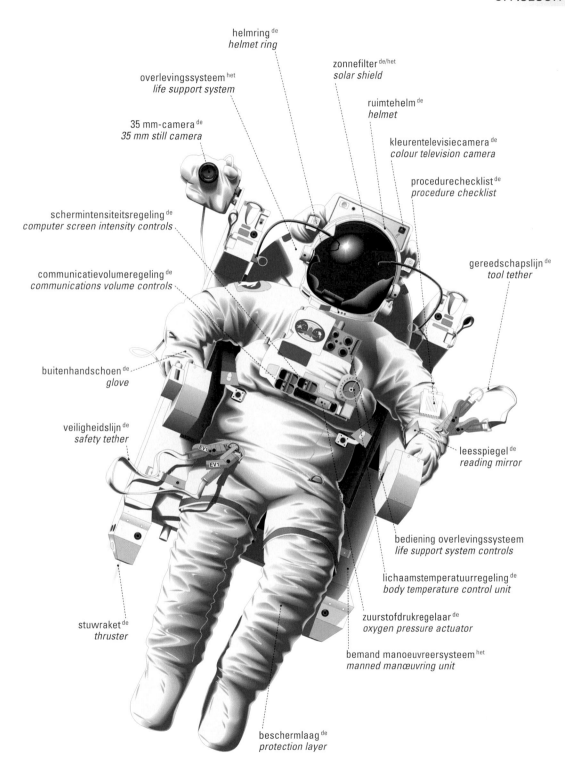

helmring ^{de}
helmet ring

zonnefilter ^{de/het}
solar shield

overlevingssysteem ^{het}
life support system

ruimtehelm ^{de}
helmet

35 mm-camera ^{de}
35 mm still camera

kleurentelevisiecamera ^{de}
colour television camera

procedurechecklist ^{de}
procedure checklist

schermintensiteitsregeling ^{de}
computer screen intensity controls

gereedschapslijn ^{de}
tool tether

communicatievolumeregeling ^{de}
communications volume controls

buitenhandschoen ^{de}
glove

veiligheidslijn ^{de}
safety tether

leesspiegel ^{de}
reading mirror

bediening overlevingssysteem
life support system controls

lichaamstemperatuurregeling ^{de}
body temperature control unit

stuwraket ^{de}
thruster

zuurstofdrukregelaar ^{de}
oxygen pressure actuator

bemand manoeuvreersysteem ^{het}
manned manœuvring unit

beschermlaag ^{de}
protection layer

Onze wereld is onderverdeeld in zeven continenten: grote stukken land die omgeven zijn door water. Europa en Azië vormen samen de landmassa Eurazië. Hoewel de twee gebieden niet door water gescheiden worden, beschouwt men ze om histori-sche redenen wel als twee aparte continenten. Samen beslaan de zeven continenten ongeveer een derde van het aardoppervlak. Met uitzondering van Antarctica zijn alle continenten bewoond.

PLANISFEER
PLANISPHERE

Noordpool^{de}
Arctic

Noordelijke IJszee
Arctic Ocean

Noord-Amerika
North America

Atlantische Oceaan^{de}
Atlantic Ocean

Stille Oceaan
Pacific Ocean

Midden-Amerika
Central America

Caribische Zee^{de}
Caribbean Sea

Zuid-Amerika
South America

Eurazië
Eurasia

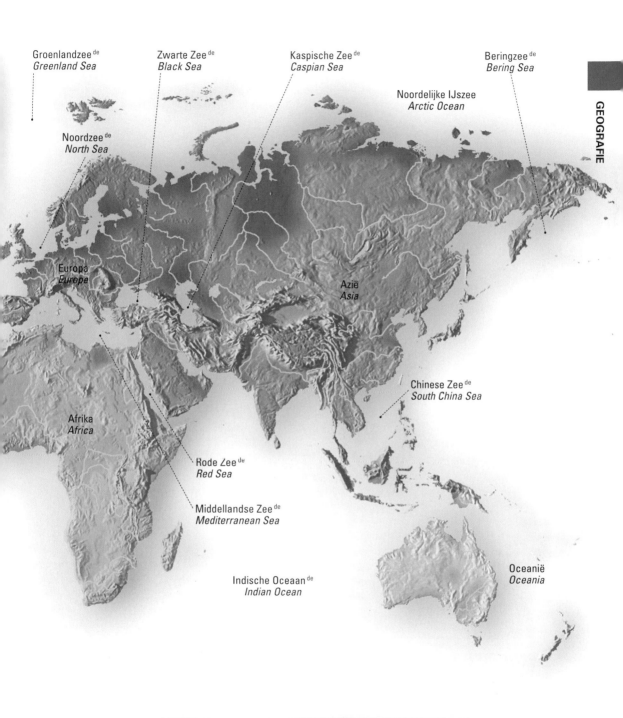

Groenlandzee^{de}
Greenland Sea

Zwarte Zee^{de}
Black Sea

Kaspische Zee^{de}
Caspian Sea

Beringzee^{de}
Bering Sea

Noordelijke IJszee
Arctic Ocean

Noordzee^{de}
North Sea

Europa
Europe

Azië
Asia

Chinese Zee^{de}
South China Sea

Afrika
Africa

Rode Zee^{de}
Red Sea

Middellandse Zee^{de}
Mediterranean Sea

Oceanië
Oceania

Indische Oceaan^{de}
Indian Ocean

Zuidpool^{de}
Antarctica

GEOGRAFIE

Om het aardoppervlak af te beelden, stellen cartografen geografische kaarten op die de verschillende kenmerken van een bepaald gebied gedetailleerd weergeven. Voor het maken van de kaarten is veel onderzoek en informatie nodig. Cartografen kiezen daarbij ook een projectiemethode waarmee ze de driedimensionale werkelijkheid in het platte vlak kunnen overbrengen.

COÖRDINATENSTELSEL VAN DE AARDE
EARTH'S COORDINATES AND GRID SYSTEMS

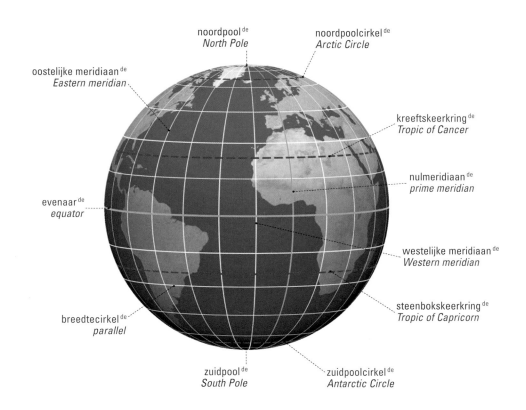

noordpool^{de}
North Pole

noordpoolcirkel^{de}
Arctic Circle

oostelijke meridiaan^{de}
Eastern meridian

kreeftskeerkring^{de}
Tropic of Cancer

nulmeridiaan^{de}
prime meridian

evenaar^{de}
equator

westelijke meridiaan^{de}
Western meridian

steenbokskeerkring^{de}
Tropic of Capricorn

breedtecirkel^{de}
parallel

zuidpool^{de}
South Pole

zuidpoolcirkel^{de}
Antarctic Circle

noordelijk halfrond^{het}
Northern hemisphere

zuidelijk halfrond^{het}
Southern hemisphere

westelijk halfrond^{het}
Western hemisphere

oostelijk halfrond^{het}
Eastern hemisphere

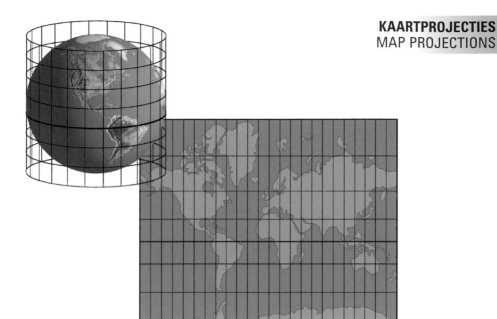

cilinderprojectie de
cylindrical projection

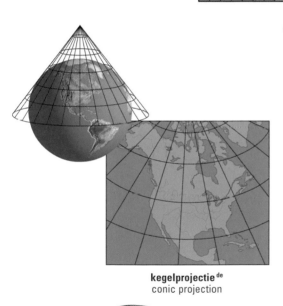

kegelprojectie de
conic projection

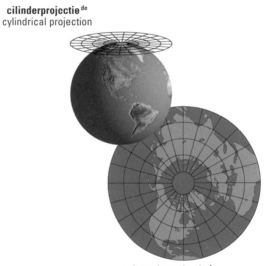

azimutale projectie de
plane projection

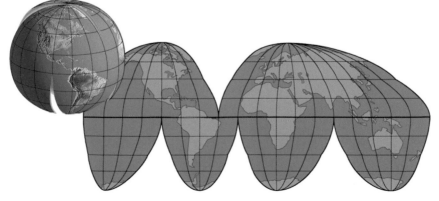

onderbroken projectie de
interrupted projection

LANDKAARTEN
MAPS

reliëfkaart de
physical map

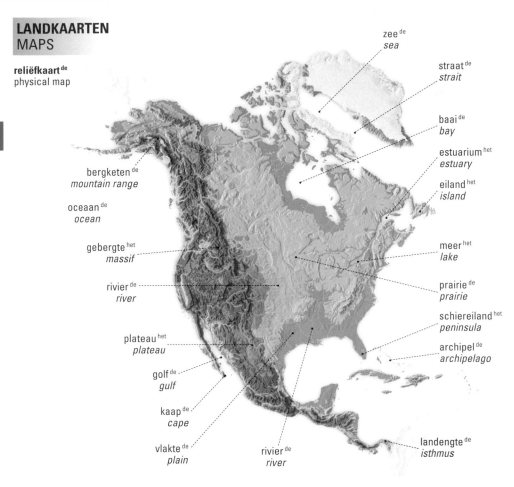

zee de
sea

straat de
strait

baai de
bay

estuarium het
estuary

eiland het
island

bergketen de
mountain range

oceaan de
ocean

gebergte het
massif

rivier de
river

plateau het
plateau

golf de
gulf

kaap de
cape

vlakte de
plain

rivier de
river

meer het
lake

prairie de
prairie

schiereiland het
peninsula

archipel de
archipelago

landengte de
isthmus

staatkundige kaart de
political map

binnengrens de
internal boundary

internationale grens de
frontier

land het
country

provincie de
province

stad de
city

hoofdstad de
capital

staat de
state

wegenkaart ^{de}
road map

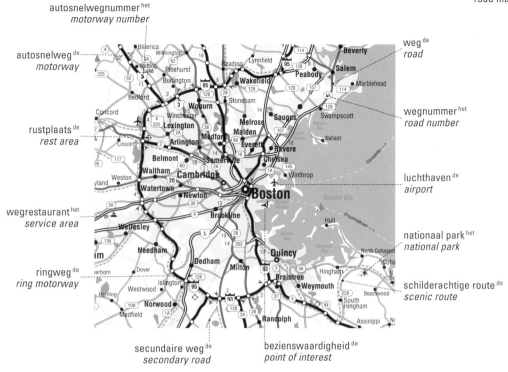

autosnelwegnummer ^{het}
motorway number

autosnelweg ^{de}
motorway

rustplaats ^{de}
rest area

wegrestaurant ^{het}
service area

ringweg ^{de}
ring motorway

secundaire weg ^{de}
secondary road

bezienswaardigheid ^{de}
point of interest

weg ^{de}
road

wegnummer ^{het}
road number

luchthaven ^{de}
airport

nationaal park ^{het}
national park

schilderachtige route ^{de}
scenic route

GEOGRAFIE

KOMPASROOS
COMPASS CARD

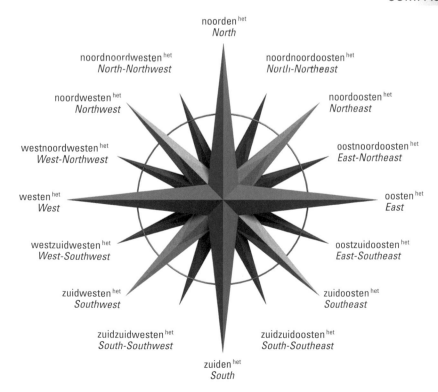

noorden ^{het}
North

noordnoordwesten ^{het}
North-Northwest

noordnoordoosten ^{het}
North-Northeast

noordwesten ^{het}
Northwest

noordoosten ^{het}
Northeast

westnoordwesten ^{het}
West-Northwest

oostnoordoosten ^{het}
East-Northeast

westen ^{het}
West

oosten ^{het}
East

westzuidwesten ^{het}
West-Southwest

oostzuidoosten ^{het}
East-Southeast

zuidwesten ^{het}
Southwest

zuidoosten ^{het}
Southeast

zuidzuidwesten ^{het}
South-Southwest

zuidzuidoosten ^{het}
South-Southeast

zuiden ^{het}
South

GEOLOGIE

Het is onmogelijk om het binnenste van de aarde te onderzoeken, maar door de bewegingen van onderaardse seismische golven te bestuderen, hebben geologen de structuur ervan ontdekt. Seismische golven zijn de trillingen die optreden tijdens aardbevingen. De voortbeweging van deze golven kan verschillen, afhankelijk van het gesteente en het materiaal dat ze tegenkomen. Men heeft vastgesteld dat de aarde uit drie belangrijke lagen bestaat: de korst, de mantel en de kern.

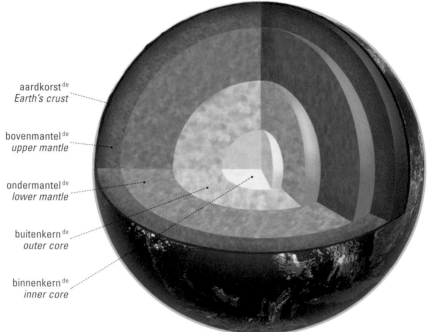

aardkorst^{de}
Earth's crust

bovenmantel^{de}
upper mantle

ondermantel^{de}
lower mantle

buitenkern^{de}
outer core

binnenkern^{de}
inner core

doorsnede van de aardkorst
section of the Earth's crust

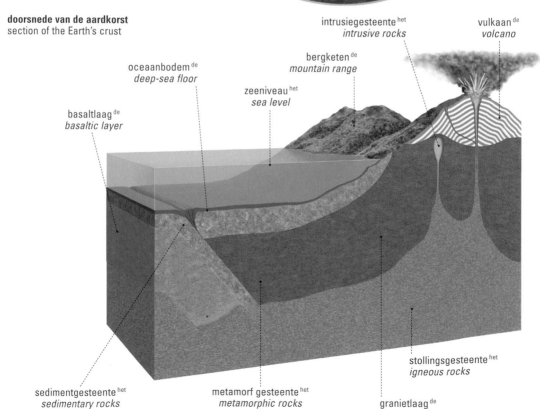

intrusiegesteente^{het}
intrusive rocks

vulkaan^{de}
volcano

bergketen^{de}
mountain range

oceaanbodem^{de}
deep-sea floor

zeeniveau^{het}
sea level

basaltlaag^{de}
basaltic layer

stollingsgesteente^{het}
igneous rocks

sedimentgesteente^{het}
sedimentary rocks

metamorf gesteente^{het}
metamorphic rocks

granietlaag^{de}
granitic layer

De aardkorst bestaat uit gesteente van uiteenlopende oorsprong, samengesteld uit verschillende soorten mineralen. Graniet is bijvoorbeeld een zeer harde steensoort die diverse mineralen bevat, waaronder kwarts. De ongeveer 3500 verschillende mineralen onderscheiden zich onder andere door hun kleur en hardheid. Veel mineralen, zoals goud en diamant, zijn vanwege hun waarde zeer gewild.

GEOLOGIE

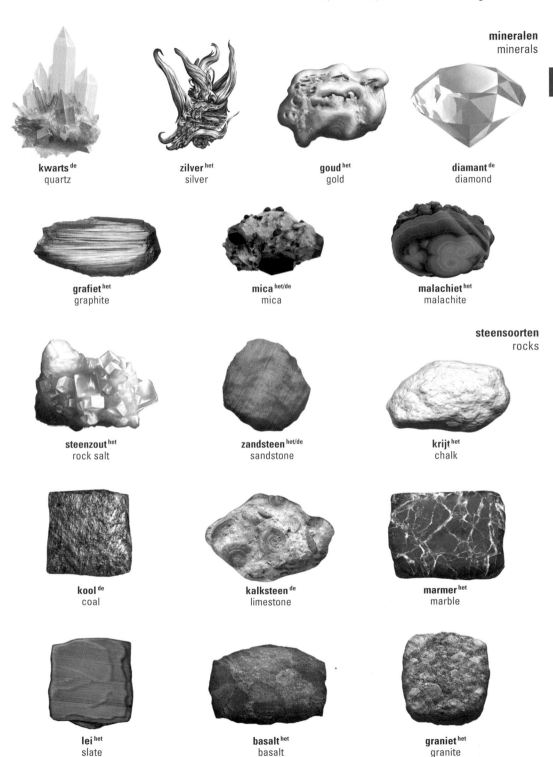

mineralen
minerals

kwarts de
quartz

zilver het
silver

goud het
gold

diamant de
diamond

grafiet het
graphite

mica het/de
mica

malachiet het
malachite

steensoorten
rocks

steenzout het
rock salt

zandsteen het/de
sandstone

krijt het
chalk

kool de
coal

kalksteen de
limestone

marmer het
marble

lei het
slate

basalt het
basalt

graniet het
granite

GEOLOGIE

Vulkanen en aardbevingen zijn spectaculaire geologische verschijnselen die aantonen dat de aarde voortdurend actief is. De aardkorst bestaat uit ongeveer twaalf verschillende delen, tektonische platen genaamd, die men kan vergelijken met de stukjes van een legpuzzel. Waar twee bewegende platen samenkomen, ontstaan regelmatig aardbevingen. De meeste actieve vulkanen liggen aan de rand van zo'n plaat.

AARDBEVING
EARTHQUAKE

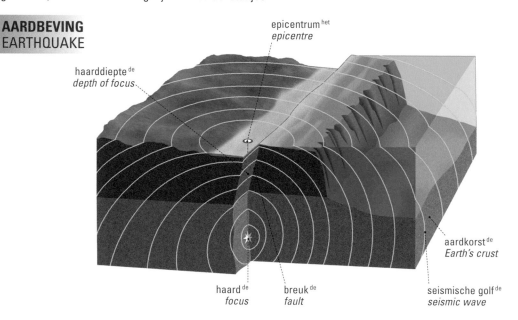

epicentrum het
epicentre

haarddiepte de
depth of focus

aardkorst de
Earth's crust

haard de
focus

breuk de
fault

seismische golf de
seismic wave

seismografen
seismographs

verticaalseismograaf de
vertical seismograph

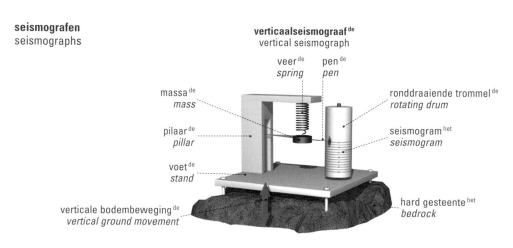

veer de
spring

pen de
pen

massa de
mass

ronddraaiende trommel de
rotating drum

pilaar de
pillar

seismogram het
seismogram

voet de
stand

verticale bodembeweging de
vertical ground movement

hard gesteente het
bedrock

horizontaalseismograaf de
horizontal seismograph

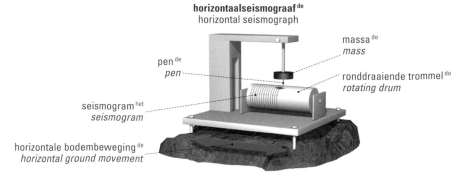

massa de
mass

pen de
pen

ronddraaiende trommel de
rotating drum

seismogram het
seismogram

horizontale bodembeweging de
horizontal ground movement

GEOLOGIE

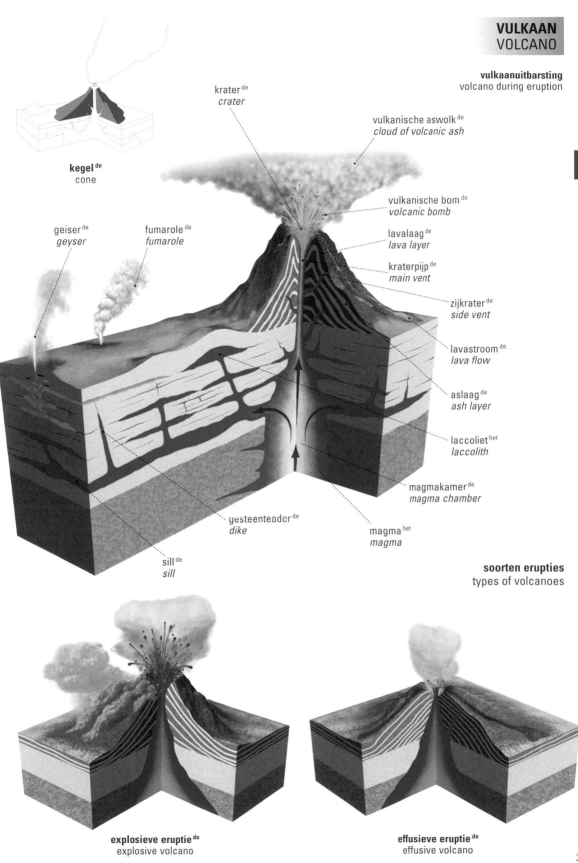

kegel de
cone

vulkaanuitbarsting
volcano during eruption

krater de
crater

vulkanische aswolk de
cloud of volcanic ash

vulkanische bom de
volcanic bomb

lavalaag de
lava layer

kraterpijp de
main vent

zijkrater de
side vent

lavastroom de
lava flow

aslaag de
ash layer

laccoliet het
laccolith

magmakamer de
magma chamber

magma het
magma

geiser de
geyser

fumarole de
fumarole

gesteenteader de
dike

sill de
sill

soorten erupties
types of volcanoes

explosieve eruptie de
explosive volcano

effusieve eruptie de
effusive volcano

27

Sinds het ontstaan van de aarde hebben zich nieuwe oceanen gevormd en zijn andere oceanen verdwenen. Bergketens zijn opgerezen uit het aardoppervlak en uiteindelijk weer afgeplat. Het landschap om ons heen lijkt onveranderlijk, maar het maakt een constante ontwikkeling door. Veranderingen kunnen zich plotseling voordoen, zoals bij een aardbeving, of langzaam, bijvoorbeeld wanneer zeewater geleidelijk de vorm van een kustlijn wijzigt.

BERG
MOUNTAIN

GEOLOGIE

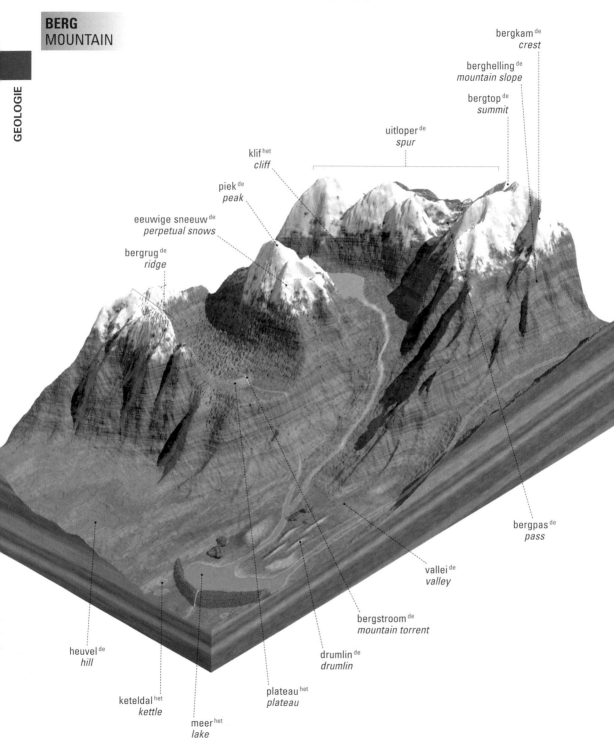

bergkam de
crest

berghelling de
mountain slope

bergtop de
summit

uitloper de
spur

klif het
cliff

piek de
peak

eeuwige sneeuw de
perpetual snows

bergrug de
ridge

bergpas de
pass

vallei de
valley

bergstroom de
mountain torrent

heuvel de
hill

drumlin de
drumlin

keteldal het
kettle

plateau het
plateau

meer het
lake

GLETSJER
GLACIER

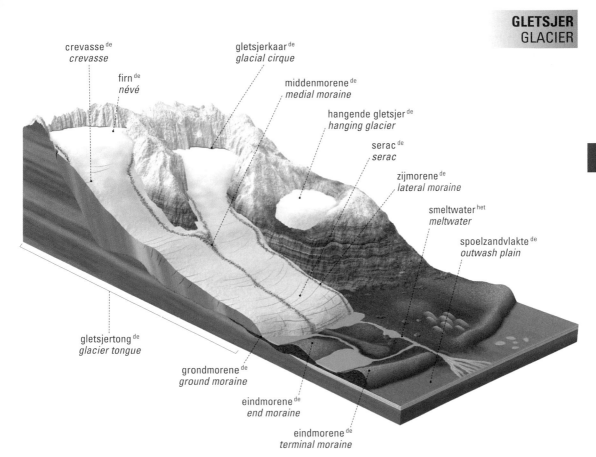

crevasse ^{de}
crevasse

firn ^{de}
névé

gletsjerkaar ^{de}
glacial cirque

middenmorene ^{de}
medial moraine

hangende gletsjer ^{de}
hanging glacier

serac ^{de}
serac

zijmorene ^{de}
lateral moraine

smeltwater ^{het}
meltwater

spoelzandvlakte ^{de}
outwash plain

gletsjertong ^{de}
glacier tongue

grondmorene ^{de}
ground moraine

eindmorene ^{de}
end moraine

eindmorene ^{de}
terminal moraine

WOESTIJN
DESERT

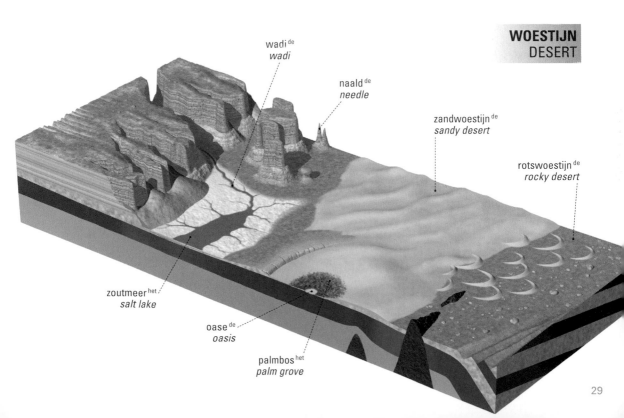

wadi ^{de}
wadi

naald ^{de}
needle

zandwoestijn ^{de}
sandy desert

rotswoestijn ^{de}
rocky desert

zoutmeer ^{het}
salt lake

oase ^{de}
oasis

palmbos ^{het}
palm grove

GEOLOGIE

WATERLOOP
WATERCOURSE

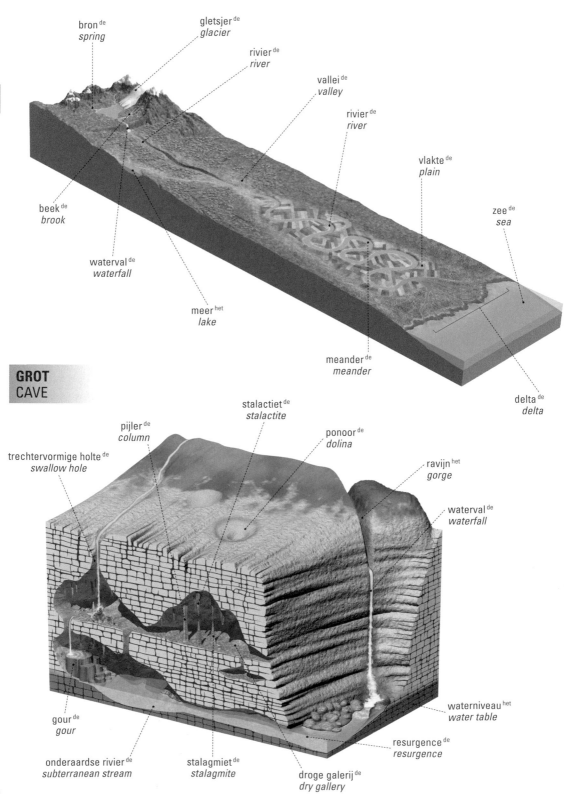

bron ^{de}
spring

gletsjer ^{de}
glacier

rivier ^{de}
river

vallei ^{de}
valley

rivier ^{de}
river

vlakte ^{de}
plain

zee ^{de}
sea

beek ^{de}
brook

waterval ^{de}
waterfall

meer ^{het}
lake

meander ^{de}
meander

delta ^{de}
delta

GROT
CAVE

trechtervormige holte ^{de}
swallow hole

pijler ^{de}
column

stalactiet ^{de}
stalactite

ponoor ^{de}
dolina

ravijn ^{het}
gorge

waterval ^{de}
waterfall

gour ^{de}
gour

onderaardse rivier ^{de}
subterranean stream

stalagmiet ^{de}
stalagmite

droge galerij ^{de}
dry gallery

resurgence ^{de}
resurgence

waterniveau ^{het}
water table

KENMERKEN VAN EEN ZEEKUST
COMMON COASTAL FEATURES

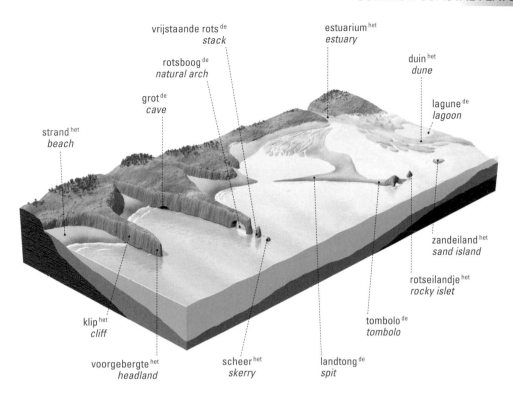

vrijstaande rots^{de}
stack

estuarium^{het}
estuary

duin^{het}
dune

rotsboog^{de}
natural arch

lagune^{de}
lagoon

grot^{de}
cave

strand^{het}
beach

zandeiland^{het}
sand island

rotseilandje^{het}
rocky islet

klip^{het}
cliff

tombolo^{de}
tombolo

voorgebergte^{het}
headland

scheer^{het}
skerry

landtong^{de}
spit

soorten kustlijnen
examples of shorelines

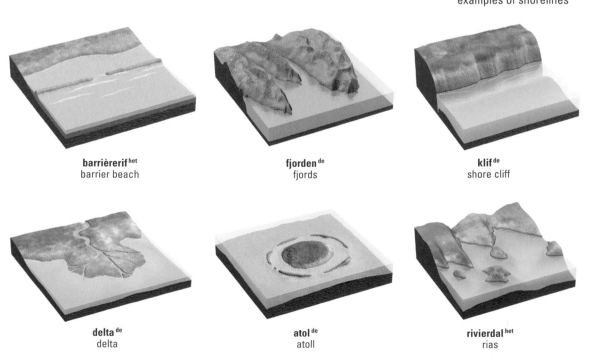

barrièrerif^{het}
barrier beach

fjorden^{de}
fjords

klif^{de}
shore cliff

delta^{de}
delta

atol^{de}
atoll

rivierdal^{het}
rias

De aardatmosfeer is het gasvormige omhulsel rond onze planeet. De atmosfeer bestaat uit een serie opeenvolgende lagen, die elk een rol spelen bij het in stand houden van het leven op de aarde. De laag die het dichtst om de aarde ligt, de troposfeer, bevat bijvoorbeeld de lucht die we inademen. In deze laag ontstaan ook de meeste meteorologisch verschijnselen, zoals winden en tornado's.

PROFIEL VAN DE AARDATMOSFEER
PROFILE OF THE EARTH'S ATMOSPHERE

METEOROLOGIE

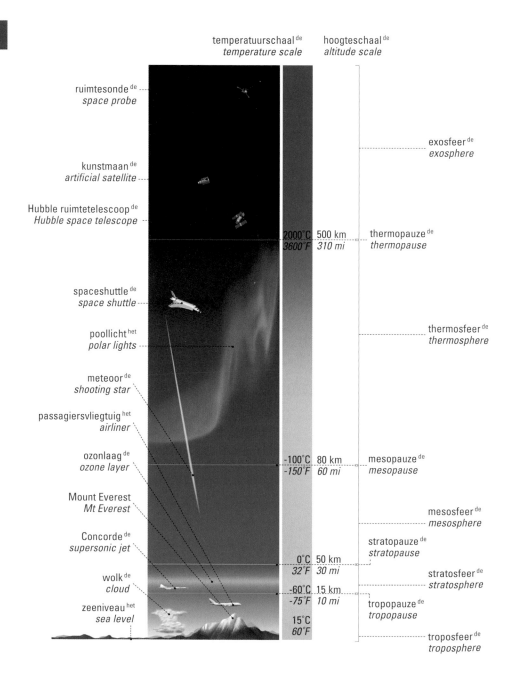

temperatuurschaal de
temperature scale

hoogteschaal de
altitude scale

ruimtesonde de
space probe

exosfeer de
exosphere

kunstmaan de
artificial satellite

Hubble ruimtetelescoop de
Hubble space telescope

2000°C 500 km
3600°F 310 mi

thermopauze de
thermopause

spaceshuttle de
space shuttle

poollicht het
polar lights

thermosfeer de
thermosphere

meteoor de
shooting star

passagiersvliegtuig het
airliner

ozonlaag de
ozone layer

-100°C 80 km
-150°F 60 mi

mesopauze de
mesopause

Mount Everest
Mt Everest

mesosfeer de
mesosphere

Concorde de
supersonic jet

stratopauze de
stratopause

0°C 50 km
32°F 30 mi

wolk de
cloud

stratosfeer de
stratosphere

-60°C 15 km
-75°F 10 mi

zeeniveau het
sea level

tropopauze de
tropopause

15°C
60°F

troposfeer de
troposphere

Een klimaat is het geheel van meteorologische omstandigheden die bij een bepaalde streek horen. Vooral de hoeveelheid zonne-energie die een streek ontvangt, is bepalend voor het klimaat. De aarde draait enigszins gekanteld om de zon heen, waar-door de ene keer de noordelijke en de andere keer de zuidelijke helft meer zon ontvangt, afhankelijk van de tijd van het jaar. Dit zorgt ervoor dat er seizoenen zijn, die aan weerszijden van de evenaar tegengesteld zijn.

SEIZOENEN
SEASONS OF THE YEAR

METEOROLOGIE

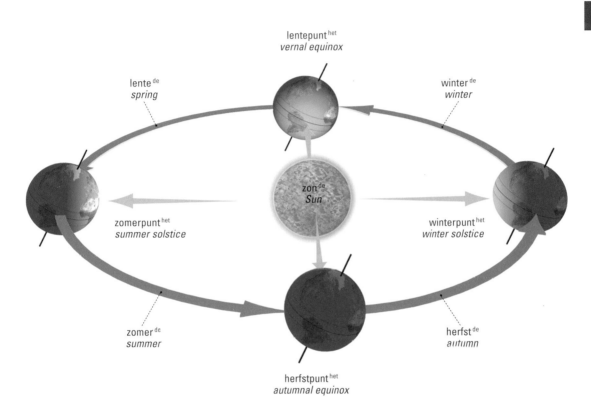

seizoenen^{het}

lentepunt^{het}
vernal equinox

lente^{de}
spring

winter^{de}
winter

zon^{de}
Sun

zomerpunt^{het}
summer solstice

winterpunt^{het}
winter solstice

zomer^{de}
summer

herfst^{de}
autumn

herfstpunt^{het}
autumnal equinox

seizoenen in de koude en gematigde klimaten
seasons in the cold temperate climates

lente^{de}
spring

zomer^{de}
summer

herfst^{de}
autumn

winter^{de}
winter

DE WERELD IN KLIMATEN
CLIMATES OF THE WORLD

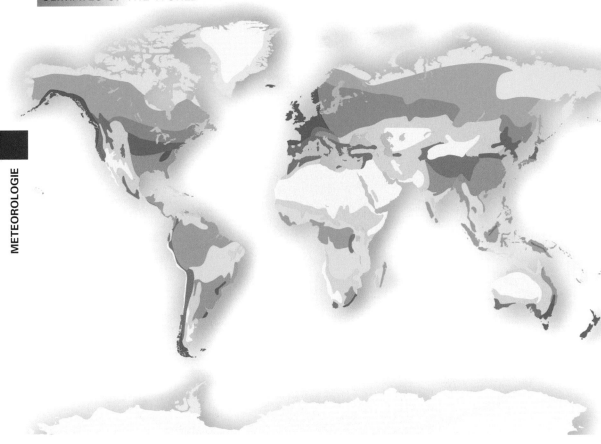

gematigd klimaat
cold temperate climates

vochtig landklimaat met hete zomer [het]
humid continental - hot summer

vochtig landklimaat met warme zomer [het]
humid continental - warm summer

subarctisch klimaat [het]
subarctic

tropisch klimaat
tropical climates

tropisch regenwoud [het]
tropical rain forest

savanneklimaat [het]
tropical wet-and-dry (savanna)

droog klimaat
dry climates

steppeklimaat [het]
steppe

woestijnklimaat [het]
desert

subtropisch klimaat
warm temperate climates

vochtig subtropisch klimaat [het]
humid subtropical

mediterraan-subtropisch klimaat [het]
Mediterranean subtropical

zeeklimaat [het]
marine

poolklimaat
polar climates

toendraklimaat [het]
polar tundra

poolkapklimaat [het]
polar ice cap

hooglandklimaat
highland climates

hooglandklimaat [het]
highland

Stormen gaan vaak gepaard met neerslag. Dat kan vloeibare neerslag zijn, zoals regen, of vaste, zoals sneeuw. Sommige atmosferische storingen, zoals orkanen en tornado's, onderscheiden zich door hevige winden en kunnen aanzienlijke schade veroorzaken. Helaas zijn de meest verwoestende van deze stormen, tornado's, moeilijk te voorspellen omdat er weinig bekend is over hoe ze ontstaan.

WOLKEN
CLOUDS

METEOROLOGIE

hoge bewolking
high clouds

cirrostratus ^{de}
cirrostratus

cirrocumulus ^{de}
cirrocumulus

cirrus ^{de}
cirrus

middelhoge bewolking
middle clouds

altostratus ^{de}
altostratus

altocumulus ^{de}
altocumulus

lage bewolking
low clouds

stratocumulus ^{de}
stratocumulus

nimbostratus ^{de}
nimbostratus

cumulus ^{de}
cumulus

stratus ^{de}
stratus

cumulonimbus ^{de}
cumulonimbus

wolken met verticale ontwikkeling
clouds with vertical development

METEOROLOGIE

VORMEN VAN NEERSLAG
PRECIPITATIONS

motregen ^{de}
drizzle

regen ^{de}
rain

zware regen ^{de}
heavy rain

dauw ^{de}
dew

nevel ^{de}
mist

hagel ^{de}
sleet

sneeuw ^{de}
snow

ijzel ^{de}
freezing rain

mist ^{de}
fog

ONWEER
THUNDERSTORM

bliksem ^{de}
lightning

wolk ^{de}
cloud

regen ^{de}
rain

regenboog ^{de}
rainbow

TROPISCHE ORKAAN
TROPICAL CYCLONE

windrichting ^{de}
prevailing wind

hogedrukgebied ^{het}
high pressure area

oogwand ^{de}
eye wall

convectiecel ^{de}
convective cell

oog ^{het}
eye

dalende koude lucht ^{de}
subsiding cold air

zware regenval ^{de}
heavy rainfall

spiraalvormige wolkenband ^{de}
spiral cloud band

opstijgende warme lucht ^{de}
rising warm air

lagedrukgebied ^{het}
low pressure area

TORNADO
TORNADO

omhooggezogen materiaal ^{het}
debris

slurf ^{de}
funnel cloud

onweerswolk ^{de}
wall cloud

Wereldwijd zijn er ongeveer 12.000 weerstations. Ze zijn uitgerust met instrumenten die dagelijks diverse factoren meten, zoals windsnelheid en windrichting, temperatuur en regenval. Alle waarnemingen worden vervolgens naar de Wereld Meteorologische Organisatie gestuurd. Met behulp van deze gegevens, die in computermodellen worden ingevoerd, kunnen meteorologen vrij nauwkeurige weersvoorspellingen doen.

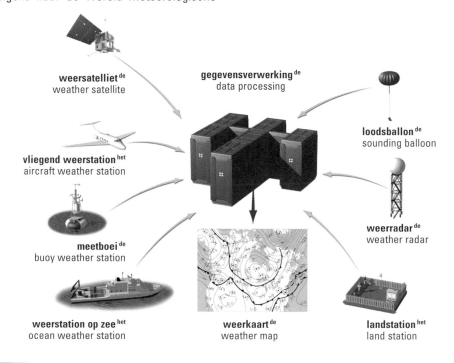

weersatelliet de
weather satellite

gegevensverwerking de
data processing

loodsballon de
sounding balloon

vliegend weerstation het
aircraft weather station

meetboei de
buoy weather station

weerradar de
weather radar

weerstation op zee het
ocean weather station

weerkaart de
weather map

landstation het
land station

WEERSTATION
METEOROLOGICAL STATION

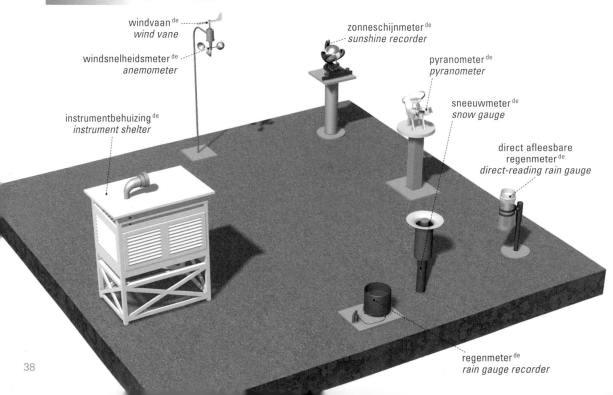

windvaan de
wind vane

zonneschijnmeter de
sunshine recorder

windsnelheidsmeter de
anemometer

pyranometer de
pyranometer

instrumentbehuizing de
instrument shelter

sneeuwmeter de
snow gauge

direct afleesbare
regenmeter de
direct-reading rain gauge

regenmeter de
rain gauge recorder

METEOROLOGIE

METEOROLOGISCHE MEETINSTRUMENTEN
METEOROLOGICAL MEASURING INSTRUMENTS

het meten van de neerslag
measurement of rainfall

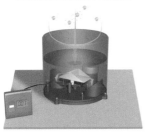

regenmeter de
rain gauge recorder

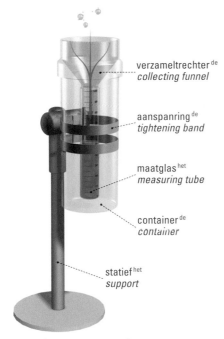

verzameltrechter de
collecting funnel

aanspanring de
tightening band

maatglas het
measuring tube

container de
container

statief het
support

direct afleesbare regenmeter de
direct-reading rain gauge

het meten van de luchtdruk
measurement of air pressure

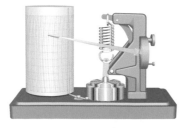

barograaf de
barograph

het meten van de temperatuur
measurement of temperature

maximumthermometer de
maximum thermometer

minimumthermometer de
minimum thermometer

het meten van de windrichting
measurement of wind direction

windvaan de
wind vane

het meten van de windsnelheid
measurement of wind strength

windsnelheidsmeter de
anemometer

het meten van de luchtvochtigheid
measurement of humidity

hygrograaf de
hygrograph

De vele diverse leefmilieus op aarde worden bewoond door levende organismen. Buiten de zeer dunne laag aarde, lucht en water die we de biosfeer noemen, is echter geen leven mogelijk. Dit bewoonbare gedeelte van de aarde vormt een complexe wereld waar alle soorten in een zeer nauwe relatie met hun omgeving leven. Alle organismen onttrekken de energie die ze nodig hebben om te overleven aan voedsel. Deze voedingsprocessen vormen de schakels van de voedselketen.

VEGETATIE EN BIOSFEER
VEGETATION AND BIOSPHERE

vegetatiezones
vegetation regions

MILIEU

hoogte en vegetatie
elevation zones and vegetation

tropisch regenwoud het
tropical rain forest

toendra de
tundra

gematigd bos het
temperate forest

savanne de
savanna

boreaal bos het
boreal forest

woestijn de
desert

grasland het
grassland

maquis de/het
maquis

gletsjer de
glacier

toendra de
tundra

naaldbos het
coniferous forest

gemengd bos het
mixed forest

loofbos het
deciduous forest

tropisch regenwoud het
tropical forest

samenstelling van de biosfeer
structure of the biosphere

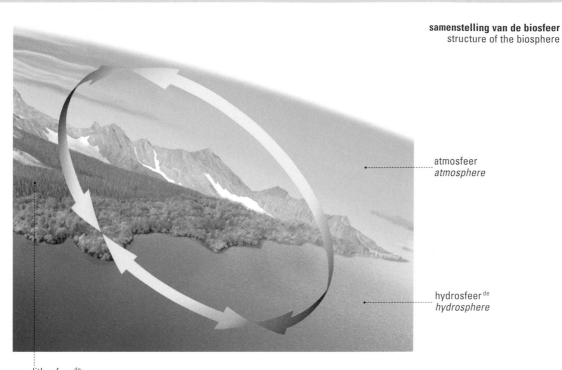

atmosfeer
atmosphere

hydrosfeer^{de}
hydrosphere

lithosfeer^{de}
lithosphere

VOEDSELKETEN
FOOD CHAIN

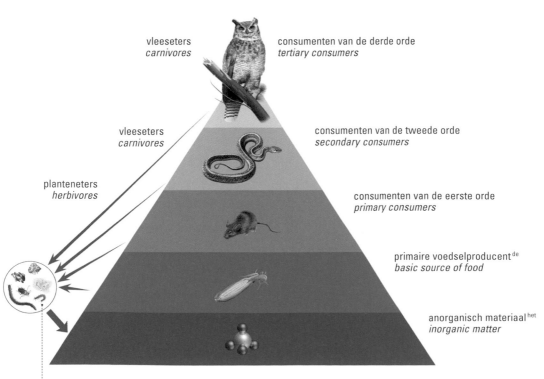

vleeseters
carnivores

consumenten van de derde orde
tertiary consumers

vleeseters
carnivores

consumenten van de tweede orde
secondary consumers

planteneters
herbivores

consumenten van de eerste orde
primary consumers

primaire voedselproducent^{de}
basic source of food

anorganisch materiaal^{het}
inorganic matter

afbrekende organismen
decomposers

De warmte van de zon veroorzaakt een continue wateruitwisseling tussen de oceaan en de atmosfeer. Waterdamp, gecondenseerd tot wolken, valt naar de aarde als regen of sneeuw. Het neergekomen water dringt door in de bodem, stroomt naar meren en rivieren en keert uiteindelijk terug naar de oceaan. Een deel van het water verdampt boven de oceaan en stijgt opnieuw op naar de atmosfeer. Dit proces wordt de waterkringloop genoemd.

MILIEU

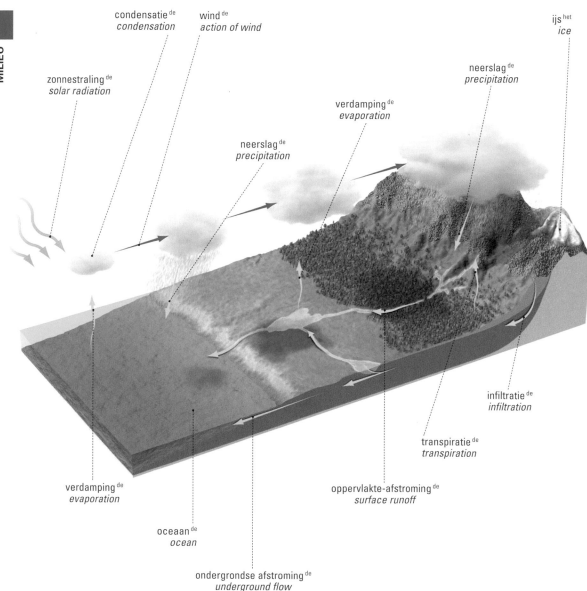

condensatie ^{de}
condensation

wind ^{de}
action of wind

ijs ^{het}
ice

zonnestraling ^{de}
solar radiation

neerslag ^{de}
precipitation

verdamping ^{de}
evaporation

neerslag ^{de}
precipitation

infiltratie ^{de}
infiltration

transpiratie ^{de}
transpiration

verdamping ^{de}
evaporation

oppervlakte-afstroming ^{de}
surface runoff

oceaan ^{de}
ocean

ondergrondse afstroming ^{de}
underground flow

Een deel van de straling van de zon wordt door het aardoppervlak geabsorbeerd en in de vorm van warmte teruggezonden naar de atmosfeer. Bepaalde gassen in de atmosfeer zijn in staat deze warmte vast te houden. Dankzij dit natuurlijke verschijnsel, het "broeikaseffect" genoemd, is de temperatuur op aarde geschikt voor leven. De afgelopen 150 jaar is de hoeveelheid broeikasgassen in de atmosfeer door menselijke activiteit echter toegenomen, wat een opwarming van de aarde tot gevolg heeft.

MILIEU

natuurlijk broeikaseffecthet
natural greenhouse effect

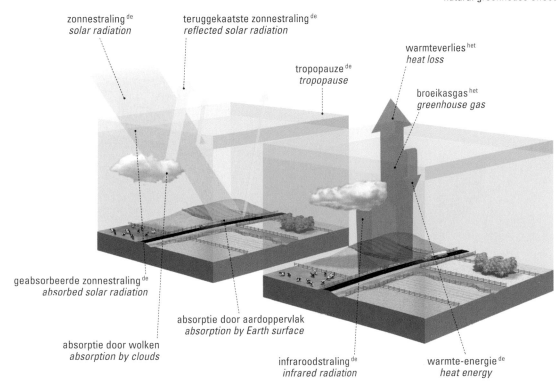

zonnestraling de
solar radiation

teruggekaatste zonnestraling de
reflected solar radiation

tropopauze de
tropopause

warmteverlies het
heat loss

broeikasgas het
greenhouse gas

geabsorbeerde zonnestraling de
absorbed solar radiation

absorptie door aardoppervlak
absorption by Earth surface

absorptie door wolken
absorption by clouds

infraroodstraling de
infrared radiation

warmte-energie de
heat energy

versterkt broeikaseffecthet
enhanced greenhouse effect

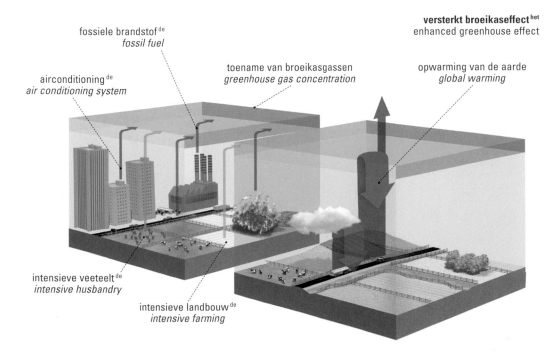

fossiele brandstof de
fossil fuel

toename van broeikasgassen
greenhouse gas concentration

opwarming van de aarde
global warming

airconditioning de
air conditioning system

intensieve veeteelt de
intensive husbandry

intensieve landbouw de
intensive farming

De industrie loost grote hoeveelheden chemisch afval in het milieu. Een deel daarvan is uiterst giftig. Warmtekrachtcentrales en motorvoertuigen zijn ook milieuvervuilers. Gelukkig beseffen steeds meer mensen dat natuurlijke grondstoffen niet onuitputtelijk zijn en dat als we doorgaan met het vervuilen van de lucht, de aarde en het water, de toekomst van onze planeet niet zeker is.

BODEMVERONTREINIGING
LAND POLLUTION

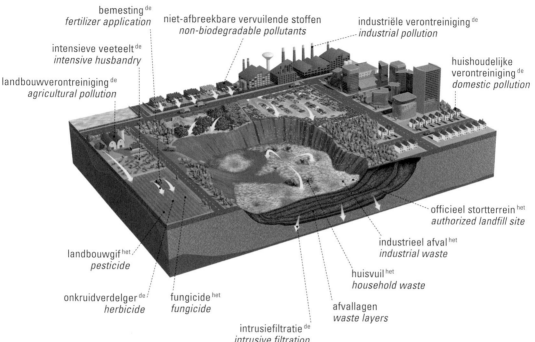

bemesting de
fertilizer application

niet-afbreekbare vervuilende stoffen
non-biodegradable pollutants

industriële verontreiniging de
industrial pollution

intensieve veeteelt de
intensive husbandry

huishoudelijke verontreiniging de
domestic pollution

landbouwverontreiniging de
agricultural pollution

officieel stortterrein het
authorized landfill site

industrieel afval het
industrial waste

landbouwgif het
pesticide

huisvuil het
household waste

onkruidverdelger de
herbicide

fungicide het
fungicide

afvallagen
waste layers

intrusiefiltratie de
intrusive filtration

LUCHTVERONTREINIGING
AIR POLLUTION

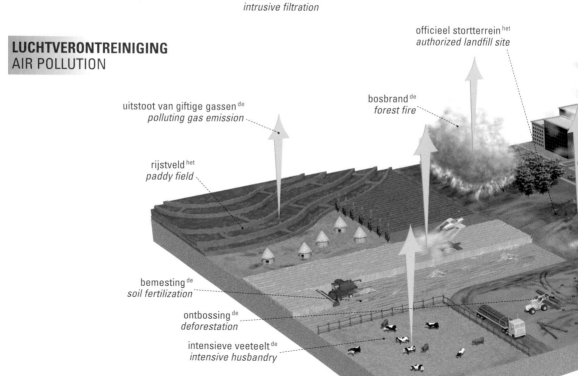

officieel stortterrein het
authorized landfill site

uitstoot van giftige gassen de
polluting gas emission

bosbrand de
forest fire

rijstveld het
paddy field

bemesting de
soil fertilization

ontbossing de
deforestation

intensieve veeteelt de
intensive husbandry

MILIEU

44

WATERVERONTREINIGING
WATER POLLUTION

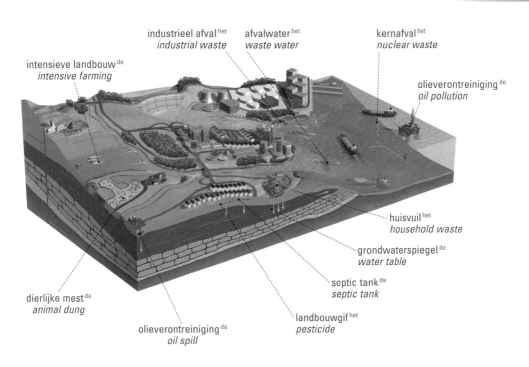

industrieel afval ^{het}
industrial waste

afvalwater ^{het}
waste water

kernafval ^{het}
nuclear waste

intensieve landbouw ^{de}
intensive farming

olieverontreiniging ^{de}
oil pollution

huisvuil ^{het}
household waste

grondwaterspiegel ^{de}
water table

septic tank ^{de}
septic tank

dierlijke mest ^{de}
animal dung

olieverontreiniging ^{de}
oil spill

landbouwgif ^{het}
pesticide

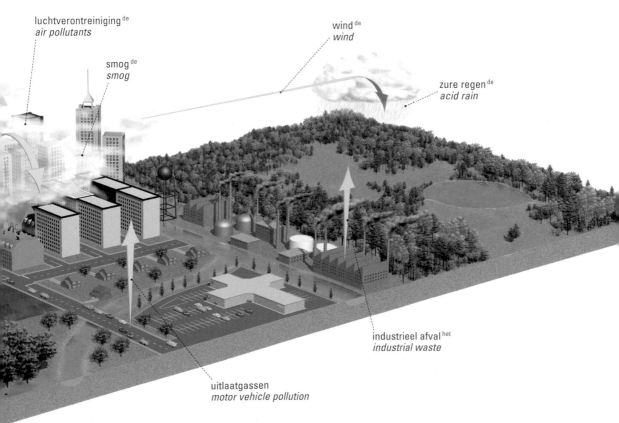

luchtverontreiniging ^{de}
air pollutants

wind ^{de}
wind

zure regen ^{de}
acid rain

smog ^{de}
smog

industrieel afval ^{het}
industrial waste

uitlaatgassen
motor vehicle pollution

Een groot deel van het huisvuil dat in geïndustrialiseerde landen wordt geproduceerd, kan gerecycled worden. In steeds meer steden doet men moeite om afval te sorteren. Het afval wordt naar sorteerbedrijven gebracht waar werknemers en machines de recyclebare materialen zoals glas, metaal, plastic en papier van elkaar scheiden. Deze materialen worden vervolgens schoongemaakt en verwerkt.

sorteerbedrijf het
sorting plant

niet-recyclebaar restafval het
non-reusable residue waste

sortering papier/karton het
paper/paperboard sorting

scheiding papier/karton
paper/paperboard separation

plasticsortering de
plastics sorting

storting de
burial

glassortering de
glass sorting

verbranding de
incineration

sortering met de hand
manual sorting

pletmachine de
crusher

balenpers de
baling

gescheiden inzameling de
separate collection

lopende band de
conveyor belt

metaalsortering de
metal sorting

recycling de
recycling

magnetische scheiding de
magnetic separation

metaalpers de
compacting

optische sortering de
optical sorting

versnipperaar de
shredding

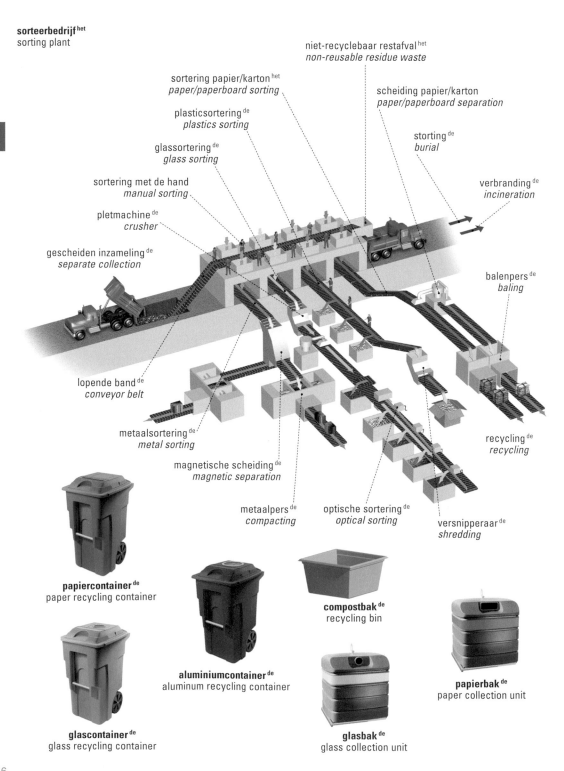

papiercontainer de
paper recycling container

compostbak de
recycling bin

aluminiumcontainer de
aluminum recycling container

papierbak de
paper collection unit

glascontainer de
glass recycling container

glasbak de
glass collection unit

Hoewel alle plantaardige organismen uit plantencellen bestaan, hebben ze niet allemaal dezelfde structuur. De eenvoudigste organismen, zoals algen, korstmossen, mossen, varens en paddestoelen, hebben geen bladeren, bloemen of zaden. Paddestoelen hebben zelfs geen bladgroen, het pigment dat planten hun groene kleur geeft. Biologen beschouwen paddestoelen daarom als een apart rijk.

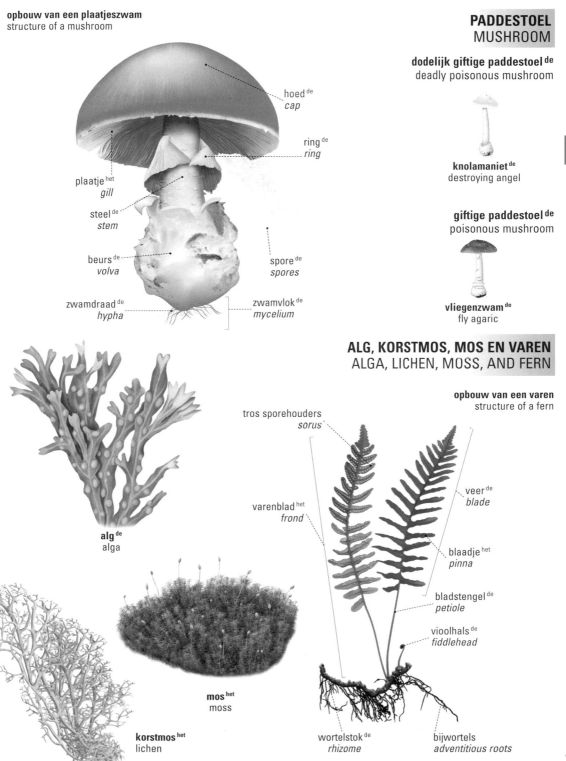

opbouw van een plaatjeszwam
structure of a mushroom

hoed ^{de}
cap

ring ^{de}
ring

plaatje ^{het}
gill

steel ^{de}
stem

beurs ^{de}
volva

spore ^{de}
spores

zwamdraad ^{de}
hypha

zwamvlok ^{de}
mycelium

PADDESTOEL
MUSHROOM

dodelijk giftige paddestoel ^{de}
deadly poisonous mushroom

knolamaniet ^{de}
destroying angel

giftige paddestoel ^{de}
poisonous mushroom

vliegenzwam ^{de}
fly agaric

ALG, KORSTMOS, MOS EN VAREN
ALGA, LICHEN, MOSS, AND FERN

opbouw van een varen
structure of a fern

tros sporehouders
sorus

varenblad ^{het}
frond

veer ^{de}
blade

blaadje ^{het}
pinna

bladstengel ^{de}
petiole

vioolhals ^{de}
fiddlehead

alg ^{de}
alga

mos ^{het}
moss

korstmos ^{het}
lichen

wortelstok ^{de}
rhizome

bijwortels
adventitious roots

Bij bloeiende planten wordt de voortplanting deels zeker gesteld door het zaad, dat een heel klein plantenembryo bevat. Dankzij de voedingsstoffen in het zaad kan het embryo zich tijdens de kieming ontwik- kelen en snel uitgroeien tot een nieuwe, zelfstandige plant. De meeste bekende planten behoren tot deze zeer gevarieerde groep van meer dan 235.000 soorten.

STRUCTUUR VAN EEN PLANT EN KIEMING
STRUCTURE OF A PLANT AND GERMINATION

structuur van een plant
structure of a plant

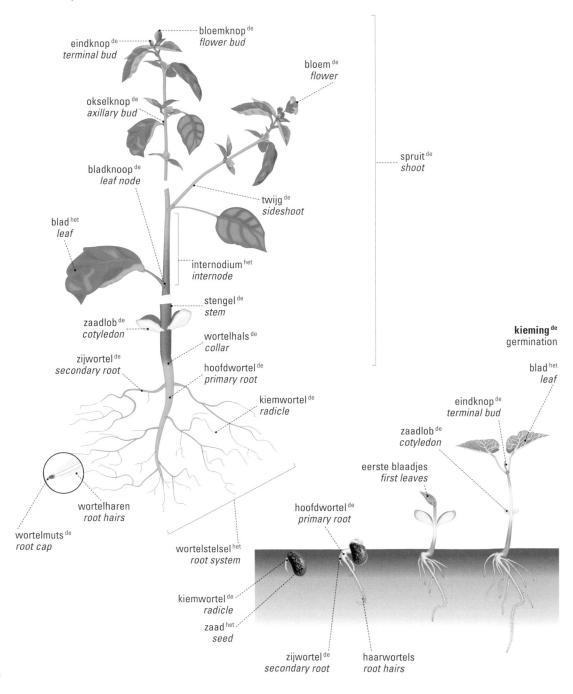

eindknop^{de}
terminal bud

bloemknop^{de}
flower bud

bloem^{de}
flower

okselknop^{de}
axillary bud

bladknoop^{de}
leaf node

spruit^{de}
shoot

twijg^{de}
sideshoot

blad^{het}
leaf

internodium^{het}
internode

stengel^{de}
stem

zaadlob^{de}
cotyledon

wortelhals^{de}
collar

kieming^{de}
germination

zijwortel^{de}
secondary root

hoofdwortel^{de}
primary root

blad^{het}
leaf

kiemwortel^{de}
radicle

eindknop^{de}
terminal bud

zaadlob^{de}
cotyledon

eerste blaadjes
first leaves

wortelharen
root hairs

hoofdwortel^{de}
primary root

wortelmuts^{de}
root cap

wortelstelsel^{het}
root system

kiemwortel^{de}
radicle

zaad^{het}
seed

zijwortel^{de}
secondary root

haarwortels
root hairs

HET PLANTENRIJK

48

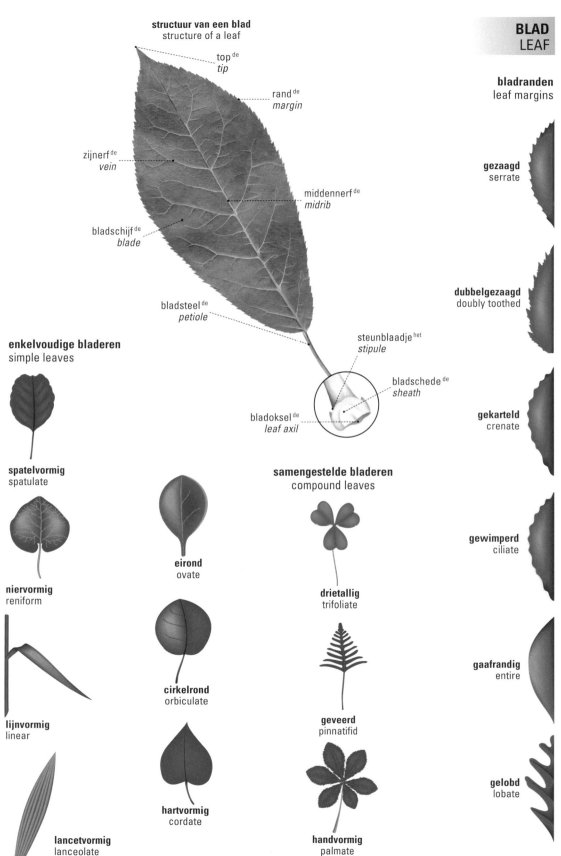

structuur van een blad
structure of a leaf

top ^{de}
tip

rand ^{de}
margin

zijnerf ^{de}
vein

middennerf ^{de}
midrib

bladschijf ^{de}
blade

bladsteel ^{de}
petiole

steunblaadje ^{het}
stipule

bladschede ^{de}
sheath

bladoksel ^{de}
leaf axil

BLAD
LEAF

bladranden
leaf margins

gezaagd
serrate

dubbelgezaagd
doubly toothed

gekarteld
crenate

gewimperd
ciliate

gaafrandig
entire

gelobd
lobate

HET PLANTENRIJK

enkelvoudige bladeren
simple leaves

spatelvormig
spatulate

niervormig
reniform

lijnvormig
linear

lancetvormig
lanceolate

eirond
ovate

cirkelrond
orbiculate

hartvormig
cordate

samengestelde bladeren
compound leaves

drietallig
trifoliate

geveerd
pinnatifid

handvormig
palmate

HET PLANTENRIJK

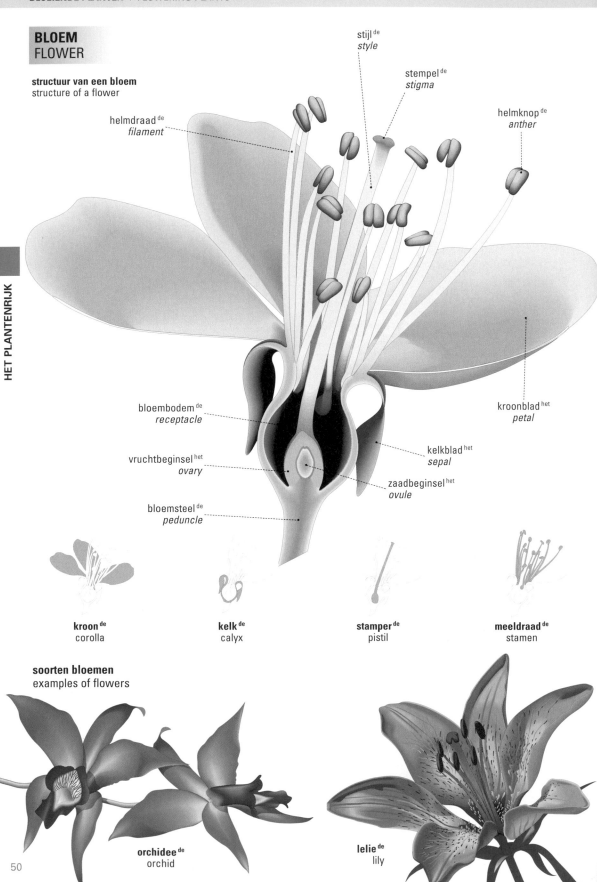

BLOEM
FLOWER

structuur van een bloem
structure of a flower

stijl ^{de}
style

stempel ^{de}
stigma

helmknop ^{de}
anther

helmdraad ^{de}
filament

kroonblad ^{het}
petal

bloembodem ^{de}
receptacle

kelkblad ^{het}
sepal

vruchtbeginsel ^{het}
ovary

zaadbeginsel ^{het}
ovule

bloemsteel ^{de}
peduncle

kroon ^{de}
corolla

kelk ^{de}
calyx

stamper ^{de}
pistil

meeldraad ^{de}
stamen

soorten bloemen
examples of flowers

orchidee ^{de}
orchid

lelie ^{de}
lily

narcis ^{de}
daffodil

tulp ^{de}
tulip

sleutelbloem ^{de}
primrose

begonia ^{de}
begonia

madelief ^{de}
daisy

boterbloem ^{de}
buttercup

viooltje ^{het}
violet

distel ^{de}
thistle

lelietje-van-dalen ^{het}
lily of the valley

klaproos ^{de}
poppy

paardenbloem ^{de}
dandelion

anjer ^{de}
carnation

zonnebloem ^{de}
sunflower

krokus ^{de}
crocus

roos ^{de}
rose

HET PLANTENRIJK

51

Bomen zijn planten die een aanzienlijke omvang kunnen bereiken. Er zijn twee hoofdcategorieën: loofbomen, die vrij brede bladeren krijgen, en naaldbomen, met smalle, naald- of schubvormige bladeren. Naaldbomen worden "groenblijvers" genoemd omdat ze, op enkele uitzonderingen na, hun naalden het hele jaar door behouden. Loofbomen, daarentegen, verliezen over het algemeen elk jaar vóór de winter hun bladeren.

OPBOUW VAN EEN BOOM
STRUCTURE OF A TREE

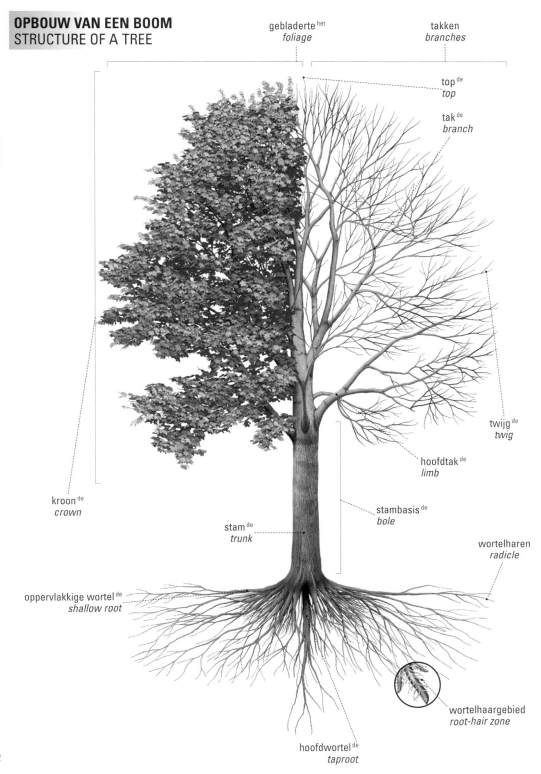

gebladerte het
foliage

takken
branches

top de
top

tak de
branch

twijg de
twig

hoofdtak de
limb

kroon de
crown

stambasis de
bole

stam de
trunk

wortelharen
radicle

oppervlakkige wortel de
shallow root

wortelhaargebied
root-hair zone

hoofdwortel de
taproot

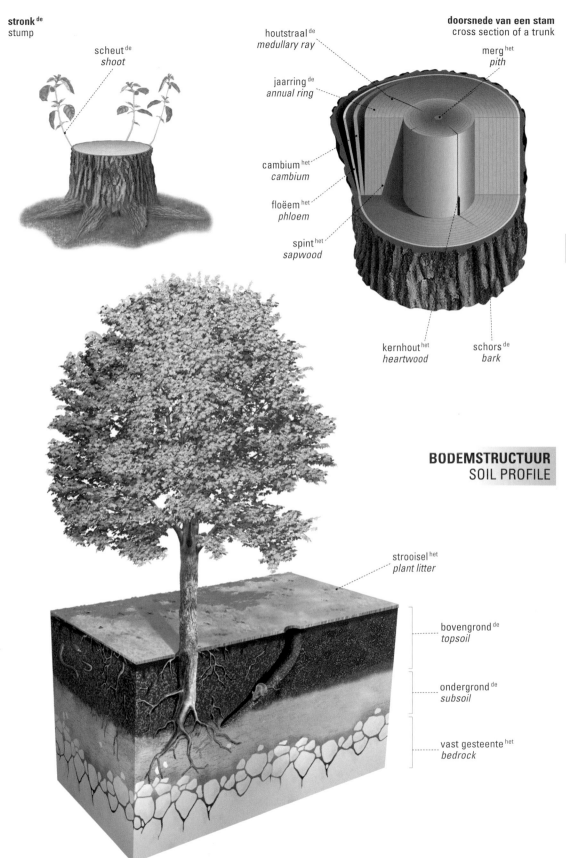

stronk^{de}
stump

scheut^{de}
shoot

houtstraal^{de}
medullary ray

doorsnede van een stam
cross section of a trunk

merg^{het}
pith

jaarring^{de}
annual ring

cambium^{het}
cambium

floëem^{het}
phloem

spint^{het}
sapwood

kernhout^{het}
heartwood

schors^{de}
bark

BODEMSTRUCTUUR
SOIL PROFILE

strooisel^{het}
plant litter

bovengrond^{de}
topsoil

ondergrond^{de}
subsoil

vast gesteente^{het}
bedrock

HET PLANTENRIJK

53

SOORTEN LOOFBOMEN
EXAMPLES OF BROADLEAVED TREES

esdoornde
maple

wilgde
willow

eikde
oak

palmde
palm tree

walnootde
walnut

populierde
poplar

beukde
beech

berkde
birch

54

tak de
branch

pijnboompitten
pine seeds

dennenappel de
cone

Libanonceder de
cedar of Lebanon

lariks de
larch

spar de
spruce

zilverspar de
fir

pijnboom de
pine

HET PLANTENRIJK

55

Alle dieren bestaan uit dierlijke cellen, zij het uit één enkele cel, zoals de amoebe of het pantoffeldiertje, of uit miljarden cellen, zoals de blauwe vinvis. Naast eencellige organismen, die tot een apart rijk behoren, onderscheiden we twee hoofdgroepen: de gewervelde dieren, met een wervelkolom, en de ongewervelde dieren, zonder wervelkolom. Van de ongewervelde dieren zijn de sponsen het minst en de stekelhuidigen het hoogst ontwikkeld.

DIERLIJKE CEL
ANIMAL CELL

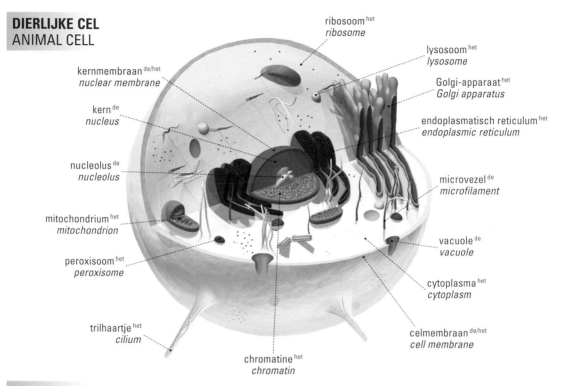

ribosoom ^{het}
ribosome

lysosoom ^{het}
lysosome

kernmembraan ^{de/het}
nuclear membrane

Golgi-apparaat ^{het}
Golgi apparatus

kern ^{de}
nucleus

endoplasmatisch reticulum ^{het}
endoplasmic reticulum

nucleolus ^{de}
nucleolus

microvezel ^{de}
microfilament

mitochondrium ^{het}
mitochondrion

vacuole ^{de}
vacuole

peroxisoom ^{het}
peroxisome

cytoplasma ^{het}
cytoplasm

trilhaartje ^{het}
cilium

celmembraan ^{de/het}
cell membrane

chromatine ^{het}
chromatin

EENCELLIGE ORGANISMEN, SPONSEN EN STEKELHUIDIGEN
UNICELLULARS, SPONGE, AND ECHINODERMS

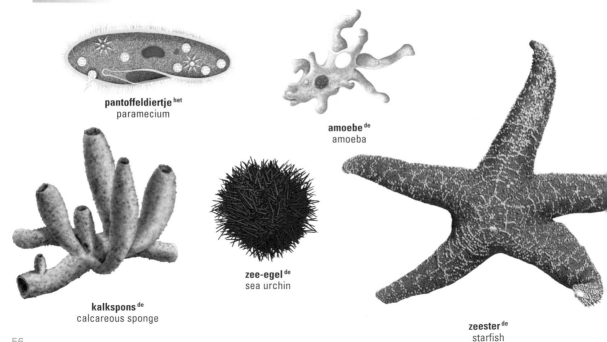

pantoffeldiertje ^{het}
paramecium

amoebe ^{de}
amoeba

zee-egel ^{de}
sea urchin

kalkspons ^{de}
calcareous sponge

zeester ^{de}
starfish

Weekdieren of mollusken zijn genoemd naar het Latijnse woord "molluscus", dat "zacht" betekent. Weekdieren hebben geen skelet, maar meestal wel een schelp. De meeste van de 100.000 soorten zijn waterdieren, die ademen met behulp van kieuwen.

Landweekdieren, zoals huisjes- en naaktslakken hebben longen. Sommige van deze ongewervelde dieren zijn zowel mannelijk als vrouwelijk en worden hermafodrieten genoemd.

SLAK
SNAIL

bouw van een slak
morphology of a snail

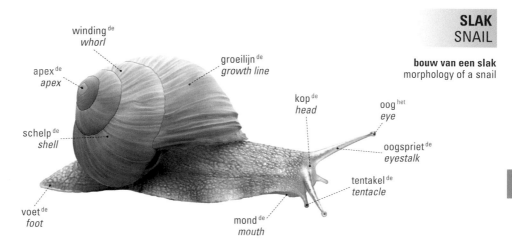

winding ^{de} → *whorl*

apex ^{de} → *apex*

groeilijn ^{de} → *growth line*

kop ^{de} → *head*

oog ^{het} → *eye*

schelp ^{de} → *shell*

oogspriet ^{de} → *eyestalk*

tentakel ^{de} → *tentacle*

voet ^{de} → *foot*

mond ^{de} → *mouth*

SOORTEN WEEKDIEREN
EXAMPLES OF MOLLUSCS

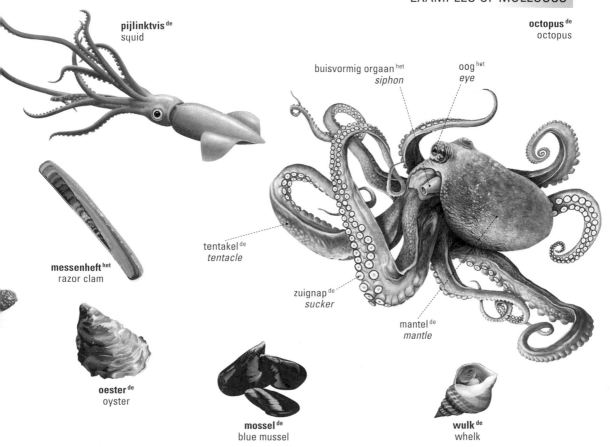

pijlinktvis ^{de}
squid

octopus ^{de}
octopus

buisvormig orgaan ^{het}
siphon

oog ^{het}
eye

tentakel ^{de}
tentacle

messenheft ^{het}
razor clam

zuignap ^{de}
sucker

mantel ^{de}
mantle

oester ^{de}
oyster

mossel ^{de}
blue mussel

wulk ^{de}
whelk

Schaaldieren behoren, evenals insecten en spinnen, tot de geleedpotigen, een groep ongewervelde dieren met gelede poten. Vóór de poten waarmee schaaldieren lopen of zwemmen, bevinden zich scharen waarmee ze hun voedsel kunnen oppakken.

De 30.000 soorten schaaldieren onderscheiden zich onder andere door twee paar voelsprieten, tien poten en een lichaam dat beschermd wordt door een rugschild.

HET DIERENRIJK

KREEFT
LOBSTER

bouw van een kreeft
morphology of a lobster

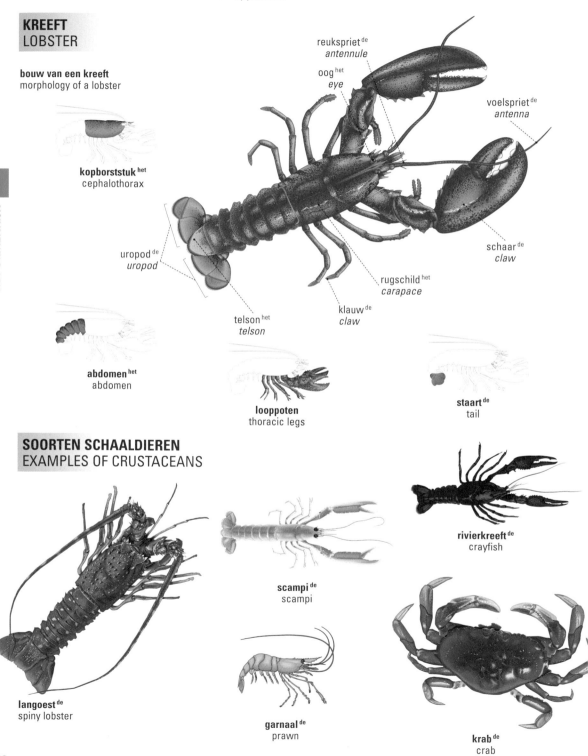

kopborststuk het
cephalothorax

reukspriet de
antennule

oog het
eye

voelspriet de
antenna

schaar de
claw

uropod de
uropod

rugschild het
carapace

klauw de
claw

telson het
telson

abdomen het
abdomen

looppoten
thoracic legs

staart de
tail

SOORTEN SCHAALDIEREN
EXAMPLES OF CRUSTACEANS

rivierkreeft de
crayfish

scampi de
scampi

langoest de
spiny lobster

garnaal de
prawn

krab de
crab

De bekendste spinachtigen zijn de spinnen, een belangrijke groep ongewervelden die meer dan 50.000 soorten omvat. Alle dieren die tot deze groep behoren hebben vóór hun mond een paar kaakklauwen waarmee ze hun prooi vasthouden. In tegenstelling tot insecten en schaaldieren hebben spinnen geen voelsprieten. Een ander kenmerk is dat ze vier paar poten bezitten.

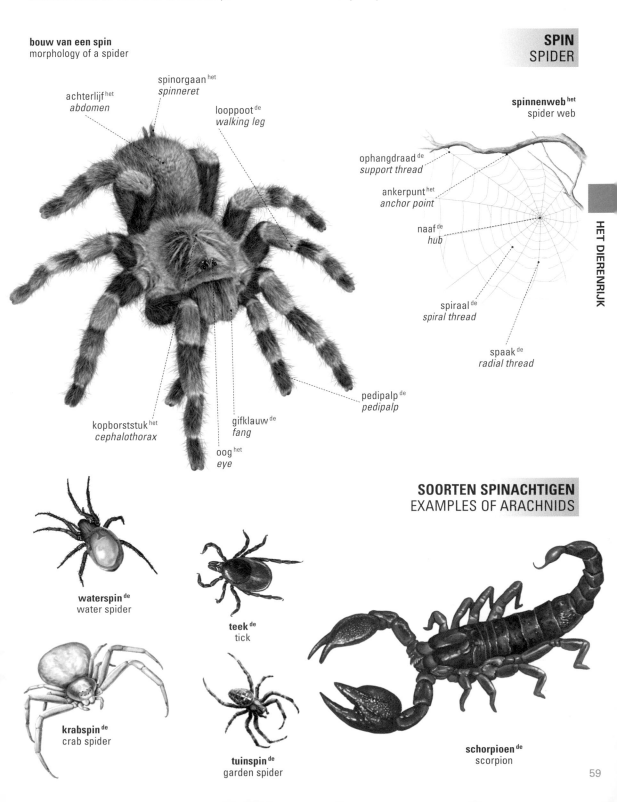

bouw van een spin
morphology of a spider

achterlijf ^{het}
abdomen

spinorgaan ^{het}
spinneret

looppoot ^{de}
walking leg

kopborststuk ^{het}
cephalothorax

gifklauw ^{de}
fang

oog ^{het}
eye

pedipalp ^{de}
pedipalp

SPIN
SPIDER

spinnenweb ^{het}
spider web

ophangdraad ^{de}
support thread

ankerpunt ^{het}
anchor point

naaf ^{de}
hub

spiraal ^{de}
spiral thread

spaak ^{de}
radial thread

SOORTEN SPINACHTIGEN
EXAMPLES OF ARACHNIDS

waterspin ^{de}
water spider

teek ^{de}
tick

krabspin ^{de}
crab spider

tuinspin ^{de}
garden spider

schorpioen ^{de}
scorpion

HET DIERENRIJK

59

Insecten vormen niet alleen de grootste, maar ook de meest gevarieerde groep landdieren. Tegenwoordig zijn er meer dan één miljoen soorten en ze komen in elke omgeving voor. Insecten onder-scheiden zich van andere geleedpotigen doordat ze maar liefst zes poten en, in de meeste gevallen, vleugels hebben. Het zijn de enige ongewervelde dieren die kunnen vliegen.

HONINGBIJ
HONEYBEE

bouw van een honingbij (werkster)
morphology of a honeybee (worker)

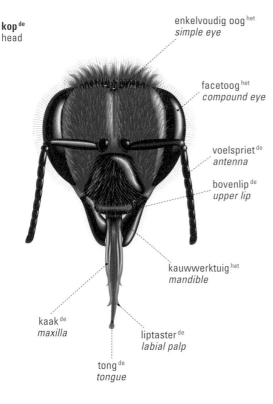

kop^{de}
head

enkelvoudig oog^{het}
simple eye

facetoog^{het}
compound eye

voelspriet^{de}
antenna

bovenlip^{de}
upper lip

kauwwerktuig^{het}
mandible

kaak^{de}
maxilla

liptaster^{de}
labial palp

tong^{de}
tongue

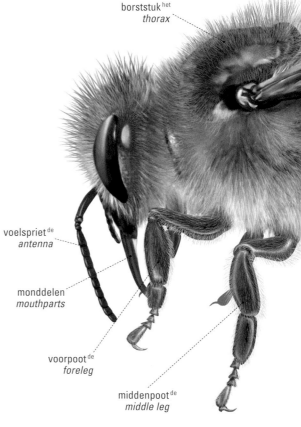

borststuk^{het}
thorax

voelspriet^{de}
antenna

monddelen
mouthparts

voorpoot^{de}
foreleg

middenpoot^{de}
middle leg

kasten
castes

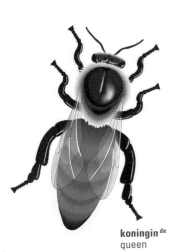

koningin^{de}
queen

werkster^{de}
worker

dar^{de}
drone

HET DIERENRIJK

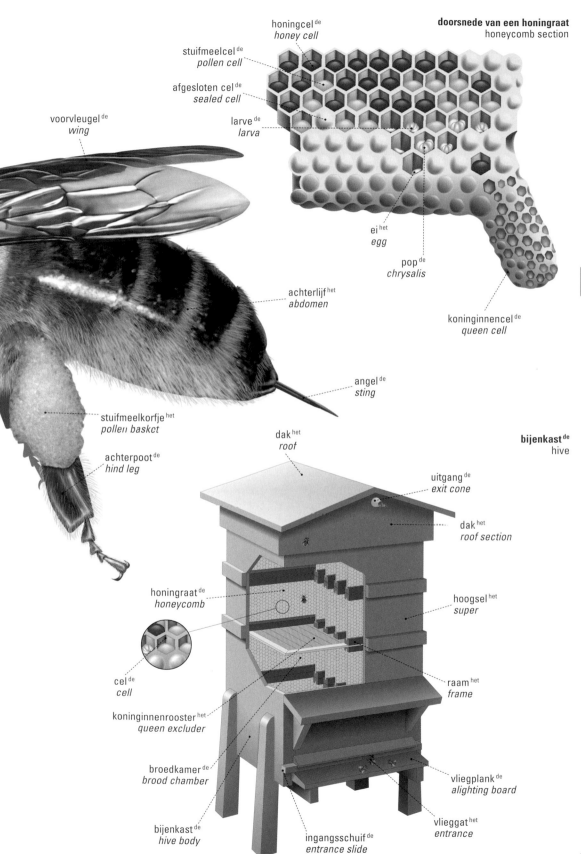

doorsnede van een honingraat
honeycomb section

honingcel^{de}
honey cell

stuifmeelcel^{de}
pollen cell

afgesloten cel^{de}
sealed cell

larve^{de}
larva

voorvleugel^{de}
wing

ei^{het}
egg

pop^{de}
chrysalis

achterlijf^{het}
abdomen

koninginnencel^{de}
queen cell

angel^{de}
sting

stuifmeelkorfje^{het}
pollen basket

dak^{het}
roof

bijenkast^{de}
hive

achterpoot^{de}
hind leg

uitgang^{de}
exit cone

dak^{het}
roof section

honingraat^{de}
honeycomb

hoogsel^{het}
super

cel^{de}
cell

raam^{het}
frame

koninginnenrooster^{het}
queen excluder

broedkamer^{de}
brood chamber

vliegplank^{de}
alighting board

bijenkast^{de}
hive body

ingangsschuif^{de}
entrance slide

vlieggat^{het}
entrance

HET DIERENRIJK

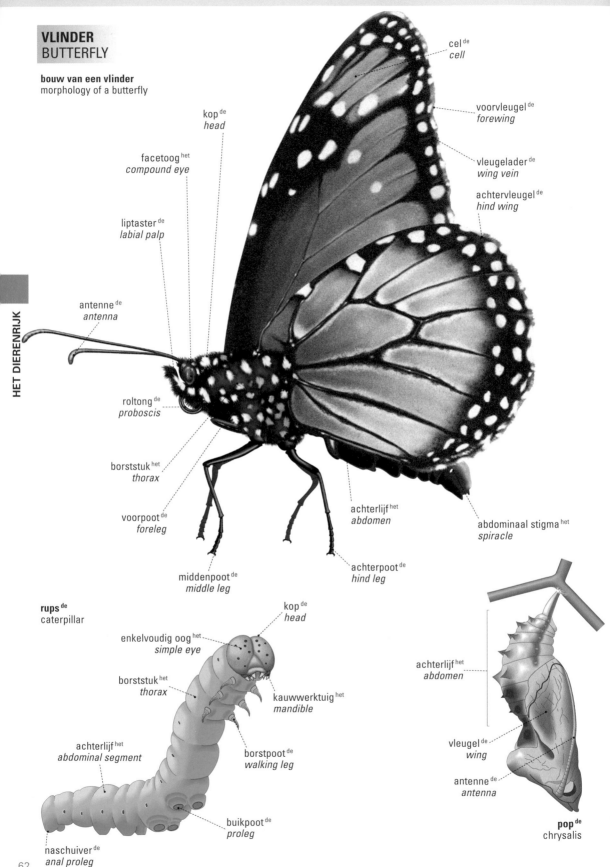

VLINDER
BUTTERFLY

bouw van een vlinder
morphology of a butterfly

cel ^{de}
cell

voorvleugel ^{de}
forewing

vleugelader ^{de}
wing vein

achtervleugel ^{de}
hind wing

kop ^{de}
head

facetoog ^{het}
compound eye

liptaster ^{de}
labial palp

antenne ^{de}
antenna

roltong ^{de}
proboscis

borststuk ^{het}
thorax

voorpoot ^{de}
foreleg

middenpoot ^{de}
middle leg

achterpoot ^{de}
hind leg

achterlijf ^{het}
abdomen

abdominaal stigma ^{het}
spiracle

rups ^{de}
caterpillar

kop ^{de}
head

enkelvoudig oog ^{het}
simple eye

borststuk ^{het}
thorax

kauwwerktuig ^{het}
mandible

achterlijf ^{het}
abdominal segment

borstpoot ^{de}
walking leg

buikpoot ^{de}
proleg

naschuiver ^{de}
anal proleg

achterlijf ^{het}
abdomen

vleugel ^{de}
wing

antenne ^{de}
antenna

pop ^{de}
chrysalis

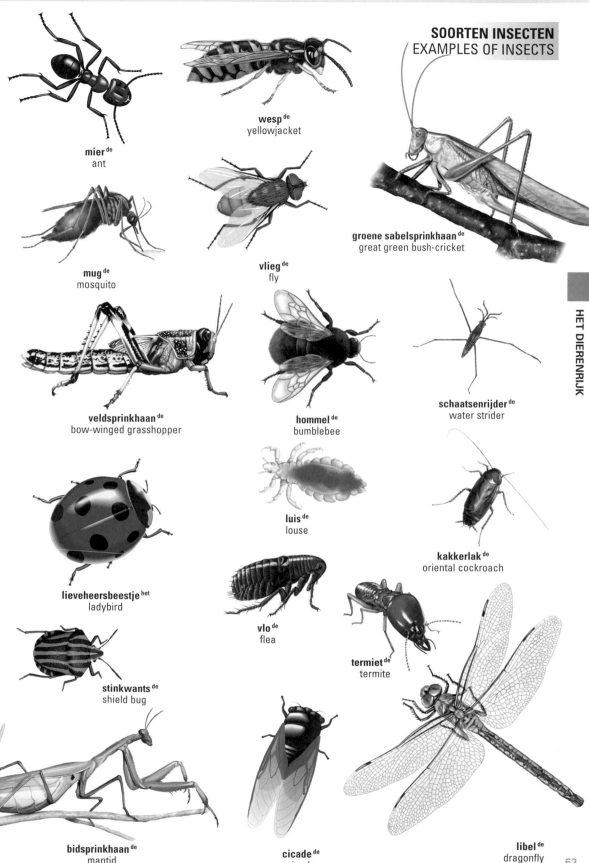

SOORTEN INSECTEN
EXAMPLES OF INSECTS

mier^{de}
ant

wesp^{de}
yellowjacket

mug^{de}
mosquito

vlieg^{de}
fly

groene sabelsprinkhaan^{de}
great green bush-cricket

veldsprinkhaan^{de}
bow-winged grasshopper

hommel^{de}
bumblebee

schaatsenrijder^{de}
water strider

luis^{de}
louse

lieveheersbeestje^{het}
ladybird

vlo^{de}
flea

kakkerlak^{de}
oriental cockroach

stinkwants^{de}
shield bug

termiet^{de}
termite

bidsprinkhaan^{de}
mantid

cicade^{de}
cicada

libel^{de}
dragonfly

HET DIERENRIJK

63

Vissen zijn de oudste gewervelde dieren. De meeste moderne soorten zijn onderverdeeld in twee groepen: beenvissen en kraakbeenvissen. Deze tweede groep, waarvan het skelet uit kraakbeen bestaat, omvat vooral roggen en haaien. Alle vissengroepen, zowel de been- als kraakbeenvissen, zijn perfect aangepast aan een leven onder water, met een taps toelopend lichaam, vinnen en kieuwen.

HAAI
SHARK

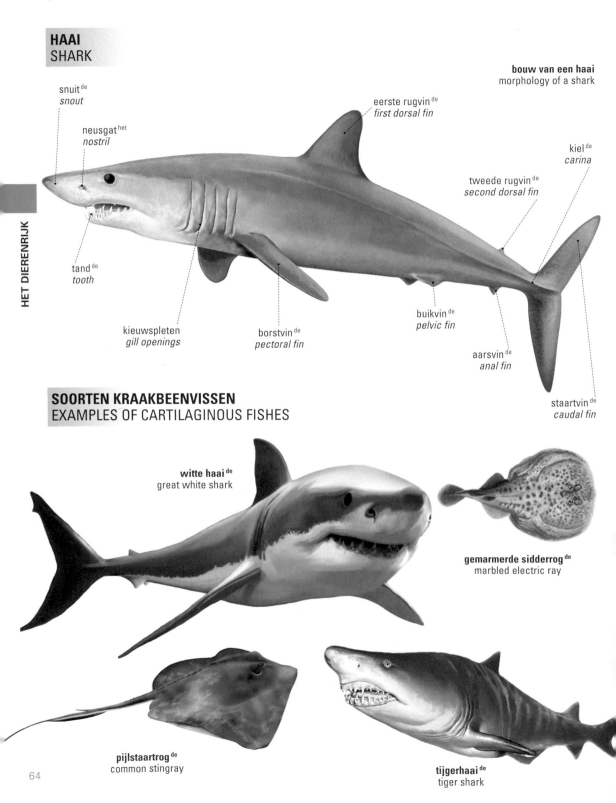

bouw van een haai
morphology of a shark

snuit^{de}
snout

neusgat^{het}
nostril

eerste rugvin^{de}
first dorsal fin

kiel^{de}
carina

tweede rugvin^{de}
second dorsal fin

tand^{de}
tooth

buikvin^{de}
pelvic fin

kieuwspleten
gill openings

borstvin^{de}
pectoral fin

aarsvin^{de}
anal fin

staartvin^{de}
caudal fin

SOORTEN KRAAKBEENVISSEN
EXAMPLES OF CARTILAGINOUS FISHES

witte haai^{de}
great white shark

gemarmerde sidderrog^{de}
marbled electric ray

pijlstaartrog^{de}
common stingray

tijgerhaai^{de}
tiger shark

HET DIERENRIJK

Zoals de naam al doet vermoeden, bestaat het skelet van beenvissen geheel of gedeeltelijk uit been. De hoger ontwikkelde beenvissen verschenen 150 miljoen jaar na de kraakbeenvissen op aarde en omvatten tegenwoordig meer dan 20.000 zeer uiteenlopende soorten, van de paling en het zeepaard tot de sardine en de stekelbaars. Ze komen in de meeste wateren op de aarde voor.

bouw van een baars
morphology of a perch

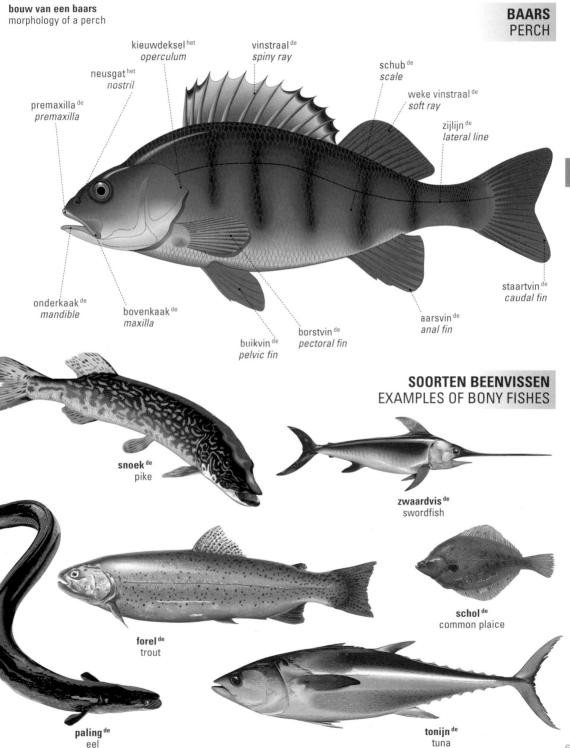

kieuwdeksel ^{het}
operculum

vinstraal ^{de}
spiny ray

schub ^{de}
scale

weke vinstraal ^{de}
soft ray

zijlijn ^{de}
lateral line

neusgat ^{het}
nostril

premaxilla ^{de}
premaxilla

staartvin ^{de}
caudal fin

onderkaak ^{de}
mandible

bovenkaak ^{de}
maxilla

buikvin ^{de}
pelvic fin

borstvin ^{de}
pectoral fin

aarsvin ^{de}
anal fin

SOORTEN BEENVISSEN
EXAMPLES OF BONY FISHES

snoek ^{de}
pike

zwaardvis ^{de}
swordfish

forel ^{de}
trout

schol ^{de}
common plaice

paling ^{de}
eel

tonijn ^{de}
tuna

HET DIERENRIJK

Amfibieën kenmerken zich door hun vermogen om zowel in het water als op het land te leven. Het waren de eerste gewervelde dieren die dankzij hun poten en longen van het water naar het vaste land verhuisden, zonder hun zwemvaardigheden te verliezen. De meeste van de 3000 bekende soorten leeft in vochtige omgevingen op het land of in zoet water.

HET DIERENRIJK

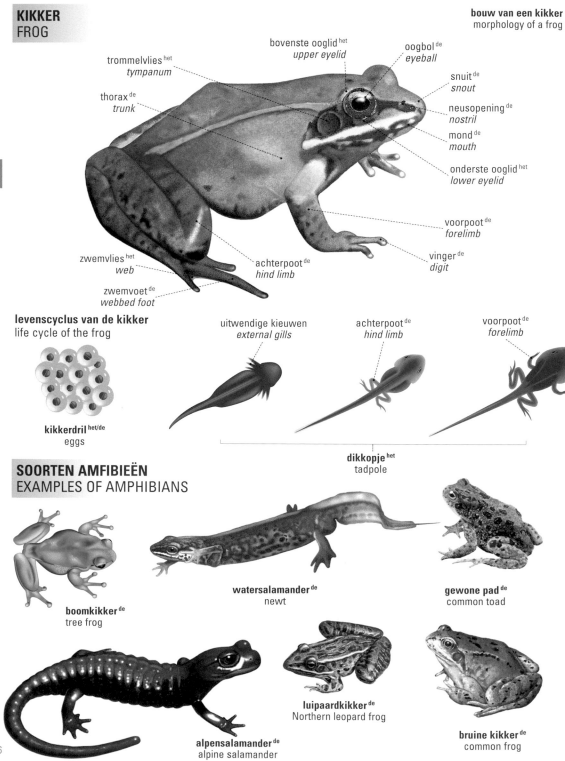

KIKKER
FROG

bouw van een kikker
morphology of a frog

bovenste ooglid het
upper eyelid

oogbol de
eyeball

trommelvlies het
tympanum

snuit de
snout

thorax de
trunk

neusopening de
nostril

mond de
mouth

onderste ooglid het
lower eyelid

voorpoot de
forelimb

vinger de
digit

zwemvlies het
web

achterpoot de
hind limb

zwemvoet de
webbed foot

levenscyclus van de kikker
life cycle of the frog

uitwendige kieuwen
external gills

achterpoot de
hind limb

voorpoot de
forelimb

kikkerdril het/de
eggs

dikkopje het
tadpole

SOORTEN AMFIBIEËN
EXAMPLES OF AMPHIBIANS

boomkikker de
tree frog

watersalamander de
newt

gewone pad de
common toad

alpensalamander de
alpine salamander

luipaardkikker de
Northern leopard frog

bruine kikker de
common frog

Reptielen waren de eerste gewervelde dieren die volledig aangepast waren aan een leven op het land. Hun schild of geschubde huid voorkomt waterverlies en ze hebben goedontwikkelde longen. Deze koudbloedige dieren danken hun populariteit aan bepaalde reptielenfamilies die al lange tijd uitgestorven zijn: de dinosaurussen. Momenteel zijn er zo'n 6500 reptielsoorten bekend, die vooral in tropische gebieden voorkomen.

bouw van een schildpad
morphology of a turtle

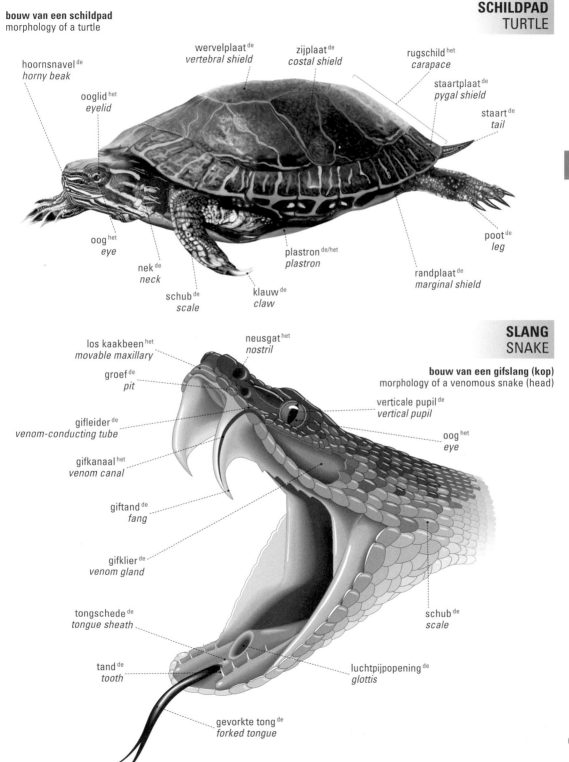

SCHILDPAD
TURTLE

hoornsnavel ^{de}
horny beak

wervelplaat ^{de}
vertebral shield

zijplaat ^{de}
costal shield

rugschild ^{het}
carapace

ooglid ^{het}
eyelid

staartplaat ^{de}
pygal shield

staart ^{de}
tail

oog ^{het}
eye

nek ^{de}
neck

schub ^{de}
scale

klauw ^{de}
claw

plastron ^{de/het}
plastron

randplaat ^{de}
marginal shield

poot ^{de}
leg

SLANG
SNAKE

los kaakbeen ^{het}
movable maxillary

neusgat ^{het}
nostril

bouw van een gifslang (kop)
morphology of a venomous snake (head)

groef ^{de}
pit

verticale pupil ^{de}
vertical pupil

gifleider ^{de}
venom-conducting tube

oog ^{het}
eye

gifkanaal ^{het}
venom canal

giftand ^{de}
fang

gifklier ^{de}
venom gland

tongschede ^{de}
tongue sheath

schub ^{de}
scale

tand ^{de}
tooth

luchtpijpopening ^{de}
glottis

gevorkte tong ^{de}
forked tongue

HET DIERENRIJK

67

BELANGRIJKSTE SOORTEN REPTIELEN
EXAMPLES OF REPTILES

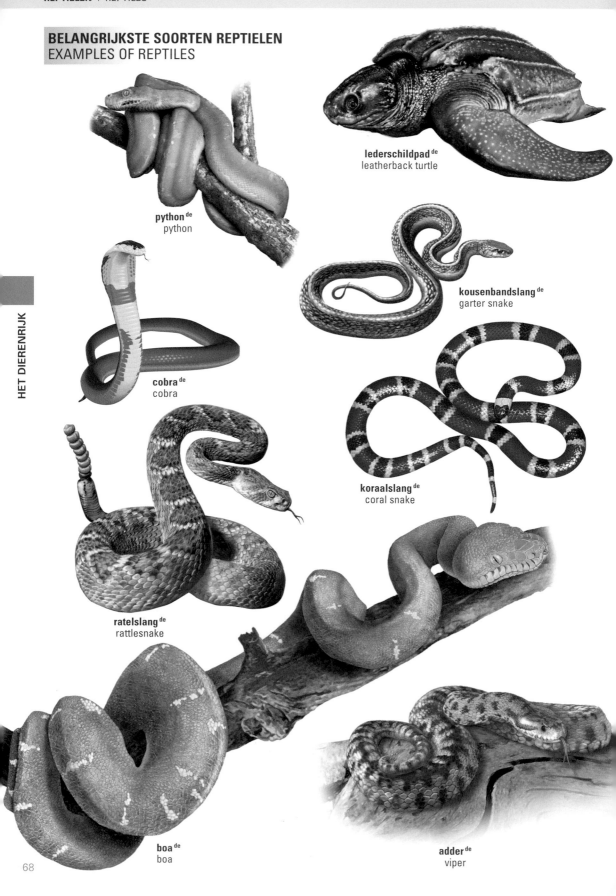

lederschildpad de
leatherback turtle

python de
python

kousenbandslang de
garter snake

cobra de
cobra

koraalslang de
coral snake

ratelslang de
rattlesnake

boa de
boa

adder de
viper

varaan^{de}
monitor lizard

kameleon^{de}
chameleon

hagedis^{de}
lizard

leguaan^{de}
iguana

alligator^{de}
alligator

kaaiman^{de}
caiman

krokodil^{de}
crocodile

DINOSAURUSSEN
DINOSAURS

stegosaurus ^{de}
stegosaurus

spinosaurus ^{de}
spinosaurus

allosaurus ^{de}
allosaurus

parasaurolophus ^{de}
parasauroloph

hadrosaurus ^{de}
hadrosaurus

diplodocus ^{de}
diplodocus

tyrannosaurus ^{de}
tyrannosaurus

pachycephalosaurus ^{de}
pachycephalosaurus

ankylosaurus ^{de}
ankylosaurus

deinonychus ^{de}
deinonychus

triceratops ^{de}
triceratops

brachiosaurus ^{de}
brachiosaurus

HET DIERENRIJK

71

Met uitzondering van de vleermuis, zijn vogels de enige gewervelde dieren die kunnen vliegen. Dankzij hun lichtgewicht skelet en gevederde vleugels zijn ze de beste vliegers van het dierenrijk. De wetenschappelijke classificatie van vogels is gebaseerd op kenmerken die soms moeilijk te zien zijn, zoals de structuur van de veren. De 10.000 onderkende soorten worden daarom vaak simpelweg ingedeeld in watervogels, waadvogels, en vogels die op het land leven.

HET DIERENRIJK

VOGEL
BIRD

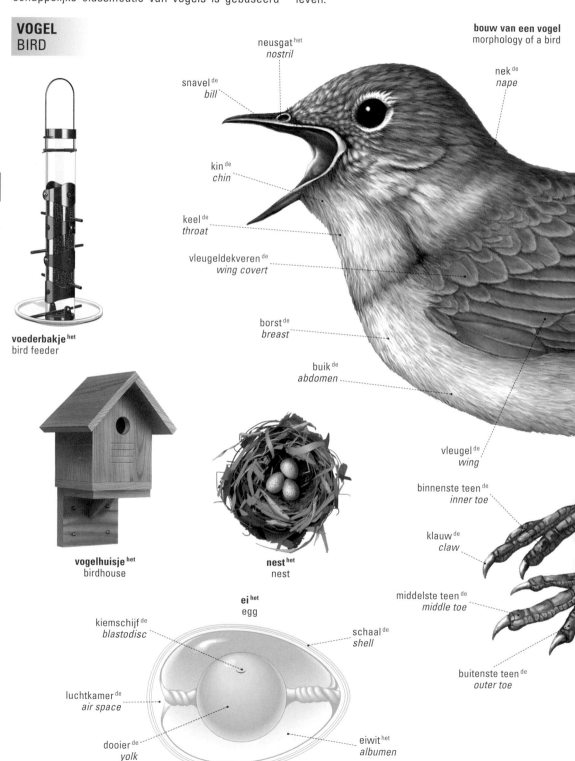

bouw van een vogel
morphology of a bird

neusgat het
nostril

nek de
nape

snavel de
bill

kin de
chin

keel de
throat

vleugeldekveren de
wing covert

borst de
breast

buik de
abdomen

vleugel de
wing

binnenste teen de
inner toe

klauw de
claw

middelste teen de
middle toe

buitenste teen de
outer toe

voederbakje het
bird feeder

vogelhuisje het
birdhouse

nest het
nest

ei het
egg

kiemschijf de
blastodisc

schaal de
shell

luchtkamer de
air space

dooier de
yolk

eiwit het
albumen

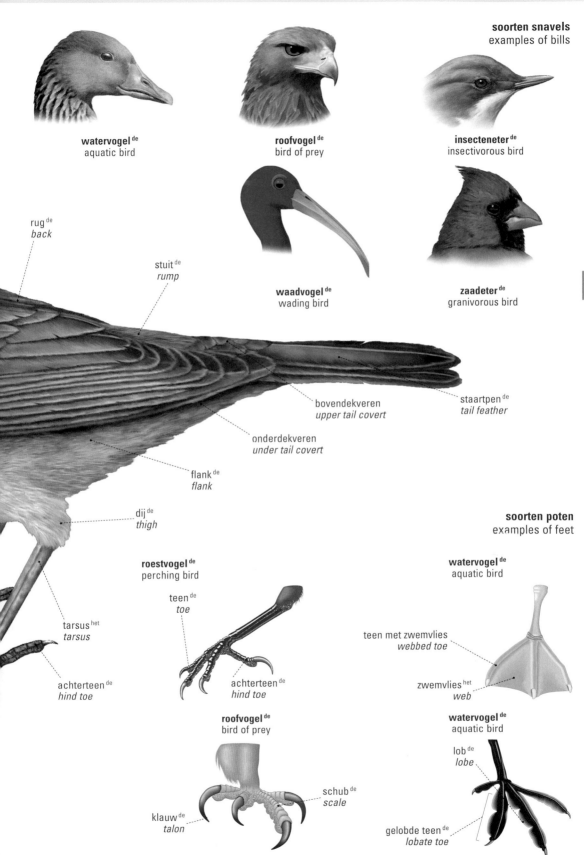

soorten snavels
examples of bills

watervogel ^{de}
aquatic bird

roofvogel ^{de}
bird of prey

insecteneter ^{de}
insectivorous bird

rug ^{de}
back

stuit ^{de}
rump

waadvogel ^{de}
wading bird

zaadeter ^{de}
granivorous bird

bovendekveren
upper tail covert

staartpen ^{de}
tail feather

onderdekveren
under tail covert

flank ^{de}
flank

dij ^{de}
thigh

soorten poten
examples of feet

roestvogel ^{de}
perching bird

watervogel ^{de}
aquatic bird

teen ^{de}
toe

teen met zwemvlies
webbed toe

tarsus ^{het}
tarsus

zwemvlies ^{het}
web

achterteen ^{de}
hind toe

achterteen ^{de}
hind toe

roofvogel ^{de}
bird of prey

watervogel ^{de}
aquatic bird

lob ^{de}
lobe

schub ^{de}
scale

klauw ^{de}
talon

gelobde teen ^{de}
lobate toe

73

SOORTEN LANDVOGELS
EXAMPLES OF TERRESTRIAL BIRDS

kardinaal ^{de}
cardinal

Vlaamse gaai ^{de}
jay

kolibrie ^{de}
hummingbird

Amerikaanse goudvink ^{de}
goldfinch

zwaluw ^{de}
swallow

vink ^{de}
finch

spreeuw ^{de}
starling

raaf ^{de}
raven

mus ^{de}
sparrow

oehoe ^{de}
great horned owl

duif ^{de}
pigeon

patrijs ^{de}
partridge

toekan ^{de}
toucan

adelaar ^{de}
eagle

ara ^{de}
macaw

valk ^{de}
falcon

pauw ^{de}
peacock

HET DIERENRIJK

74

haan de
rooster

kuiken het
chick

kalkoen de
turkey

kip de
hen

gans de
goose

struisvogel de
ostrich

SOORTEN WATER- EN WAADVOGELS
EXAMPLES OF AQUATIC AND SHOREBIRDS

pinguïn de
penguin

ooievaar de
stork

ijsvogel de
kingfisher

stern de
tern

flamingo de
flamingo

scholekster de
oystercatcher

eend de
duck

pelikaan de
pelican

75

ZOOGDIEREN | MAMMALS

De 4600 soorten zoogdieren zijn op het eerste gezicht herkenbaar aan hun behaarde huid. Alle wijfjes zogen hun jongen door middel van melkklieren, vanwaar de naam "zoogdier". Zoogdieren zijn de hoogst ontwikkelde gewervelde dieren. Samen met vogels zijn het de enige dieren die hun inwendige lichaamstemperatuur constant kunnen houden.

BUIDELDIEREN
MARSUPIAL MAMMALS

bouw van een kangoeroe
morphology of a kangaroo

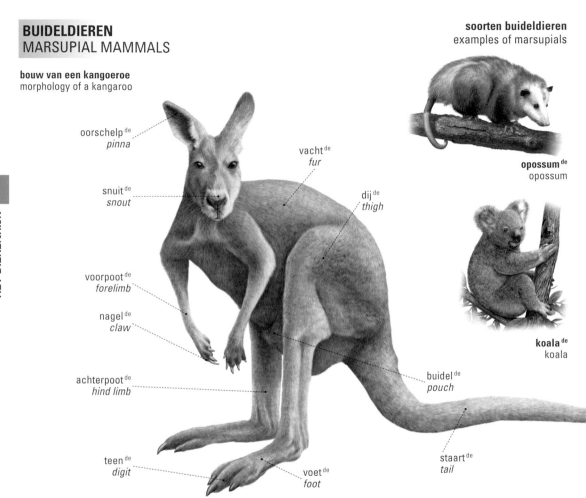

oorschelp ^{de}
pinna

snuit ^{de}
snout

voorpoot ^{de}
forelimb

nagel ^{de}
claw

achterpoot ^{de}
hind limb

teen ^{de}
digit

voet ^{de}
foot

vacht ^{de}
fur

dij ^{de}
thigh

buidel ^{de}
pouch

staart ^{de}
tail

soorten buideldieren
examples of marsupials

opossum ^{de}
opossum

koala ^{de}
koala

SOORTEN INSECTENETENDE ZOOGDIEREN
EXAMPLES OF INSECTIVOROUS MAMMALS

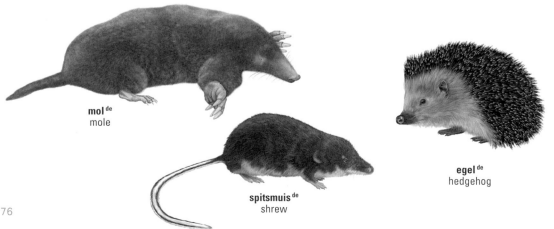

mol ^{de}
mole

spitsmuis ^{de}
shrew

egel ^{de}
hedgehog

KNAAGDIEREN
RODENTS

bouw van een rat
morphology of a rat

oorschelp de
pinna

vacht de
fur

snorhaar de
vibrissa

neus de
nose

teen de
digit

nagel de
claw

staart de
tail

soorten knaagdieren
examples of rodents

bever de
beaver

veldmuis de
field mouse

stekelvarken het
porcupine

eekhoorn de
squirrel

hamster de
hamster

aardeekhoorn de
chipmunk

bosmarmot de
groundhog

cavia de
guinea pig

HAASACHTIGEN
LAGOMORPHS

haas de
hare

fluithaas de
pika

konijn het
rabbit

77

VLEESETENDE ZOOGDIEREN (HOND)
CARNIVOROUS MAMMALS (DOG)

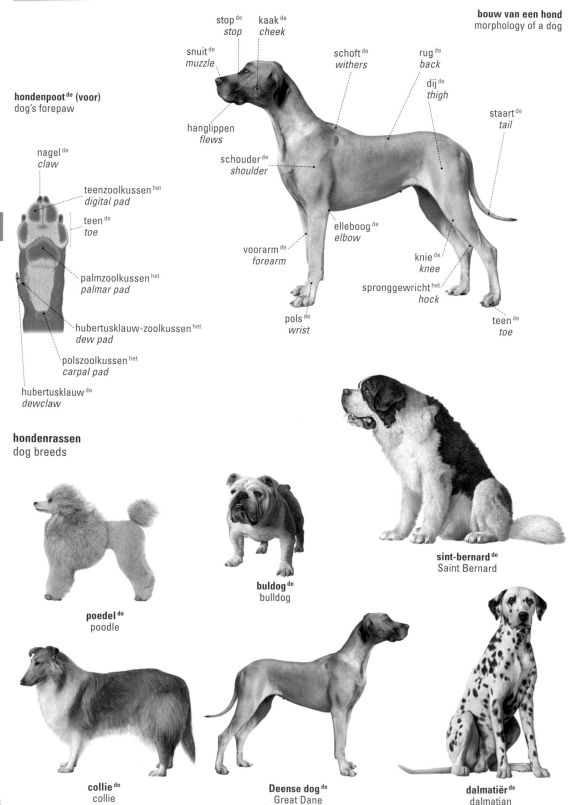

bouw van een hond
morphology of a dog

stop ^{de}
stop

kaak ^{de}
cheek

snuit ^{de}
muzzle

schoft ^{de}
withers

rug ^{de}
back

dij ^{de}
thigh

staart ^{de}
tail

hanglippen
flews

schouder ^{de}
shoulder

elleboog ^{de}
elbow

knie ^{de}
knee

spronggewricht ^{het}
hock

teen ^{de}
toe

voorarm ^{de}
forearm

pols ^{de}
wrist

hondenpoot ^{de} **(voor)**
dog's forepaw

nagel ^{de}
claw

teenzoolkussen ^{het}
digital pad

teen ^{de}
toe

palmzoolkussen ^{het}
palmar pad

hubertusklauw-zoolkussen ^{het}
dew pad

polszoolkussen ^{het}
carpal pad

hubertusklauw ^{de}
dewclaw

hondenrassen
dog breeds

poedel ^{de}
poodle

buldog ^{de}
bulldog

sint-bernard ^{de}
Saint Bernard

collie ^{de}
collie

Deense dog ^{de}
Great Dane

dalmatiër ^{de}
dalmatian

VLEESETENDE ZOOGDIEREN (KAT)
CARNIVOROUS MAMMALS (CAT)

bouw van een kat
morphology of a cat

hoofd het
head

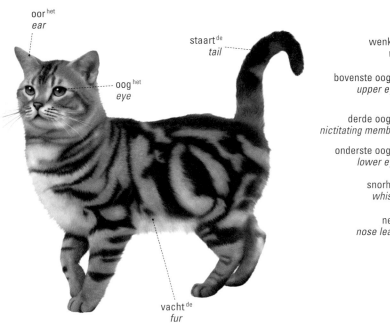

oor het
ear

staart de
tail

oog het
eye

vacht de
fur

pupil de
pupil

wimper de
eyelashes

wenkbrauw de
whiskers

bovenste ooglid het
upper eyelid

derde ooglid het
nictitating membrane

onderste ooglid het
lower eyelid

snorharen
whiskers

neus de
nose leather

lip de
lip

snuit de
muzzle

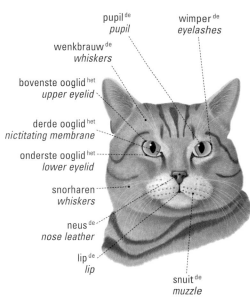

kattenrassen
cat breeds

manxkat de
Manx

Abessijn de
Abyssinian

Maine Coon de
Maine Coon

Amerikaanse korthaar de
American shorthair

Pers de
Persian

Siamees de
Siamese

SOORTEN VLEESETENDE ZOOGDIEREN
EXAMPLES OF CARNIVOROUS MAMMALS

HET DIERENRIJK

das de
badger

otter de
river otter

wezel de
weasel

mangoeste de
mongoose

nerts de
mink

hyena de
hyena

woestijnvos de
fennec

wasbeer de
raccoon

wolf de
wolf

vos de
fox

stinkdier het
skunk

80

zwarte beer de
black bear

ijsbeer de
polar bear

jaguar de
jaguar

lynx de
lynx

panter de
leopard

leeuw de
lion

tijger de
tiger

jachtluipaard het
cheetah

81

VLIEGENDE ZOOGDIEREN
FLYING MAMMALS

bouw van een vleermuis
morphology of a bat

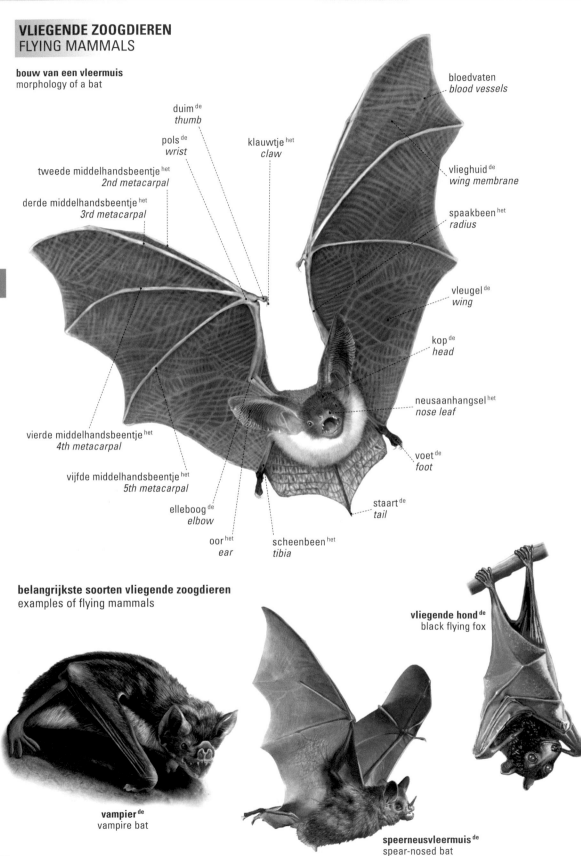

duim ^{de}
thumb

pols ^{de}
wrist

klauwtje ^{het}
claw

tweede middelhandsbeentje ^{het}
2nd metacarpal

derde middelhandsbeentje ^{het}
3rd metacarpal

bloedvaten
blood vessels

vlieghuid ^{de}
wing membrane

spaakbeen ^{het}
radius

vleugel ^{de}
wing

kop ^{de}
head

neusaanhangsel ^{het}
nose leaf

voet ^{de}
foot

vierde middelhandsbeentje ^{het}
4th metacarpal

vijfde middelhandsbeentje ^{het}
5th metacarpal

elleboog ^{de}
elbow

staart ^{de}
tail

oor ^{het}
ear

scheenbeen ^{het}
tibia

belangrijkste soorten vliegende zoogdieren
examples of flying mammals

vliegende hond ^{de}
black flying fox

vampier ^{de}
vampire bat

speerneusvleermuis ^{de}
spear-nosed bat

PRIMATEN
PRIMATE MAMMALS

bouw van een gorilla
morphology of a gorilla

gezicht ^{het}
face

vacht ^{de}
fur

arm ^{de}
arm

hand ^{de}
hand

grijpvinger ^{de}
prehensile digit

been ^{het}
leg

voet ^{de}
foot

opponeerbare duim ^{de}
opposable thumb

soorten primaten
examples of primates

maki ^{de}
lemur

orang-oetan ^{de}
orangutan

gibbon ^{de}
gibbon

baviaan ^{de}
baboon

makaak ^{de}
macaque

chimpansee ^{de}
chimpanzee

83

HOEFDIEREN
UNGULATE MAMMALS

bouw van een paard
morphology of a horse

paardenhoef ^{de}
horse's hoof

wand ^{de}
side wall

kroonrand ^{de}
coronet

toon ^{de}
toe

bal ^{de}
bulb

toonlip ^{de}
toe clip

hiel ^{de}
heel

hoefijzer ^{het}
horseshoe

kwartier ^{het}
quarter

flank ^{de}
flank

lendenen ^{de}
loin

rug ^{de}
back

kruis ^{het}
croup

staart ^{de}
tail

dij ^{de}
thigh

achterknie ^{de}
stifle

schenkel ^{de}
gaskin

hoefijzer ^{het}
horseshoe

verzengedeelte ^{het}
quarter

tak ^{de}
branch

zijgedeelte ^{het}
side wall

toongedeelte ^{het}
toe

spronggewricht ^{het}
hock

buik ^{de}
belly

vetlok ^{de}
fetlock

vetlokgewricht ^{het}
fetlock joint

kroonrand ^{de}
coronet

pijpbeen ^{het}
cannon

koot ^{de}
pastern

hoef ^{de}
hoof

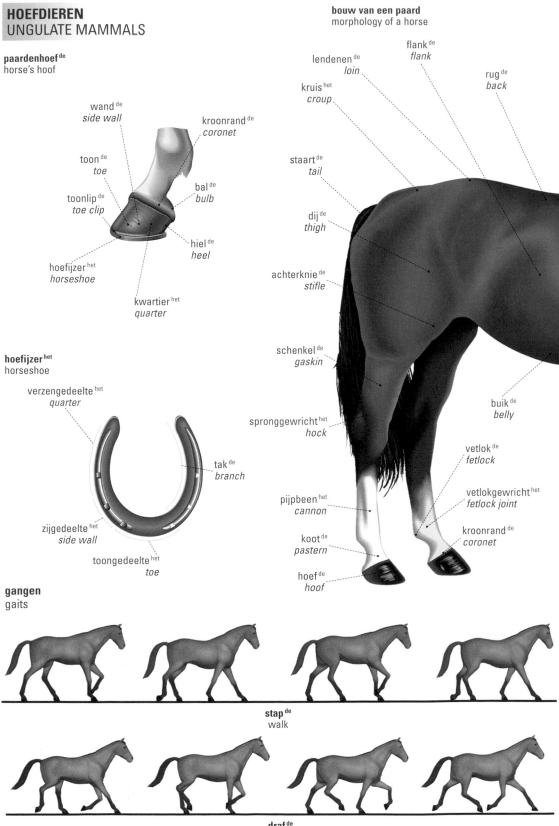

gangen
gaits

stap ^{de}
walk

draf ^{de}
trot

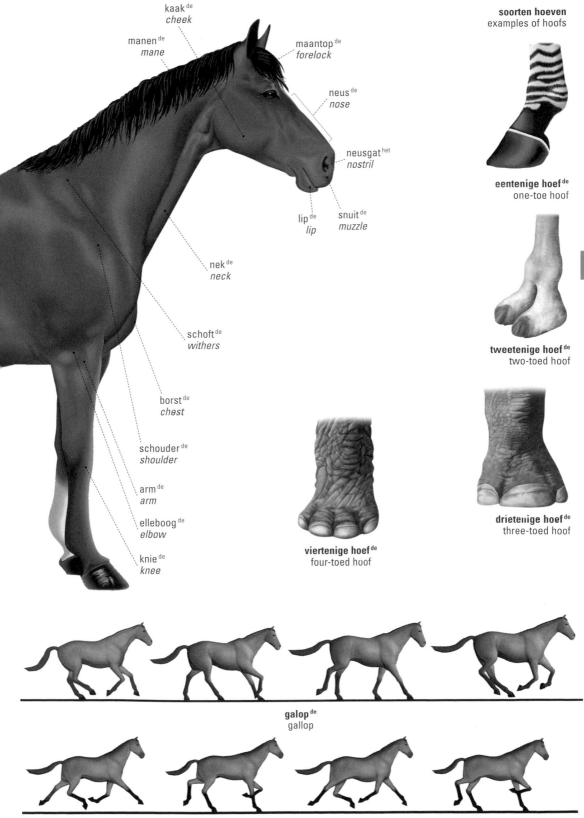

kaak^{de}
cheek

manen^{de}
mane

maantop^{de}
forelock

neus^{de}
nose

neusgat^{het}
nostril

lip^{de}
lip

snuit^{de}
muzzle

nek^{de}
neck

schoft^{de}
withers

borst^{de}
chest

schouder^{de}
shoulder

arm^{de}
arm

elleboog^{de}
elbow

knie^{de}
knee

soorten hoeven
examples of hoofs

eentenige hoef^{de}
one-toe hoof

tweetenige hoef^{de}
two-toed hoof

drietenige hoef^{de}
three-toed hoof

viertenige hoef^{de}
four-toed hoof

galop^{de}
gallop

telgang^{de}
amble

HET DIERENRIJK

85

soorten hoefdieren
examples of ungulate mammals

varken ^{het}
pig

koe ^{de}
cow

jak ^{de}
yak

bizon ^{de}
bison

witstaarthert ^{het}
white-tailed deer

moeflon ^{de}
mouflon

geit ^{de}
goat

schaap ^{het}
sheep

neushoorn ^{de}
rhinoceros

dromedaris de
dromedary

kameel de
camel

ezel de
donkey

zebra de
zebra

lama de
llama

nijlpaard het
hippopotamus

giraf de
giraffe

okapi de
okapi

olifant de
elephant

ZEEZOOGDIEREN
MARINE MAMMALS

bouw van een dolfijn
morphology of a dolphin

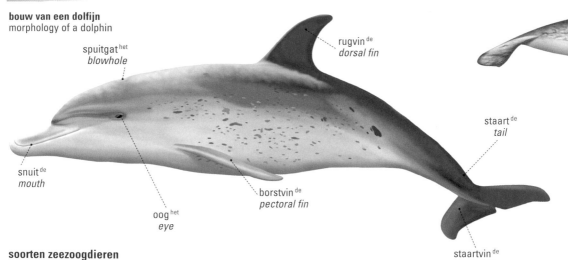

spuitgat ^{het}
blowhole

rugvin ^{de}
dorsal fin

staart ^{de}
tail

snuit ^{de}
mouth

borstvin ^{de}
pectoral fin

oog ^{het}
eye

staartvin ^{de}
caudal fin

soorten zeezoogdieren
examples of marine mammals

zeehond ^{de}
seal

walrus ^{de}
walrus

zeeleeuw ^{de}
sea lion

walvis ^{de}
whale

narwal de
narwhal

dolfijn de
dolphin

bruinvis de
porpoise

vinvis de
rorqual

beloega de
white whale

orka de
killer whale

potvis de
sperm whale

Evenals dat van de meeste dieren, is het lichaam van de mens symmetrisch. Dit betekent dat de meeste lichaamsdelen zowel links als rechts voorkomen. Elk lichaam is op hetzelfde model gebaseerd, maar toch is geen lichaam hetzelfde. De vorm, de hoogte en de proporties van het menselijk lichaam verschillen sterk per individu.

DE MENS

lichaam het **(vooraanzicht)**
body (anterior view)

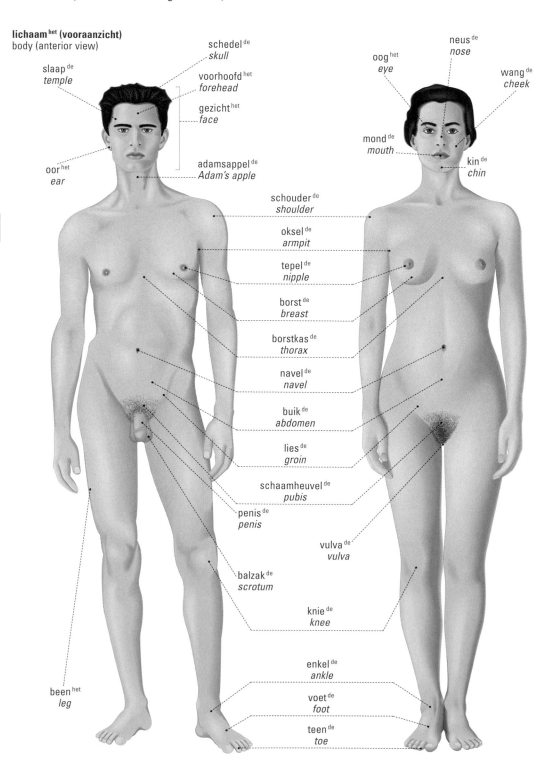

schedel de
skull

slaap de
temple

voorhoofd het
forehead

gezicht het
face

oor het
ear

adamsappel de
Adam's apple

neus de
nose

oog het
eye

wang de
cheek

mond de
mouth

kin de
chin

schouder de
shoulder

oksel de
armpit

tepel de
nipple

borst de
breast

borstkas de
thorax

navel de
navel

buik de
abdomen

lies de
groin

schaamheuvel de
pubis

penis de
penis

vulva de
vulva

balzak de
scrotum

knie de
knee

enkel de
ankle

been het
leg

voet de
foot

teen de
toe

90

lichaam^{het} **(achteraanzicht)**
body (posterior view)

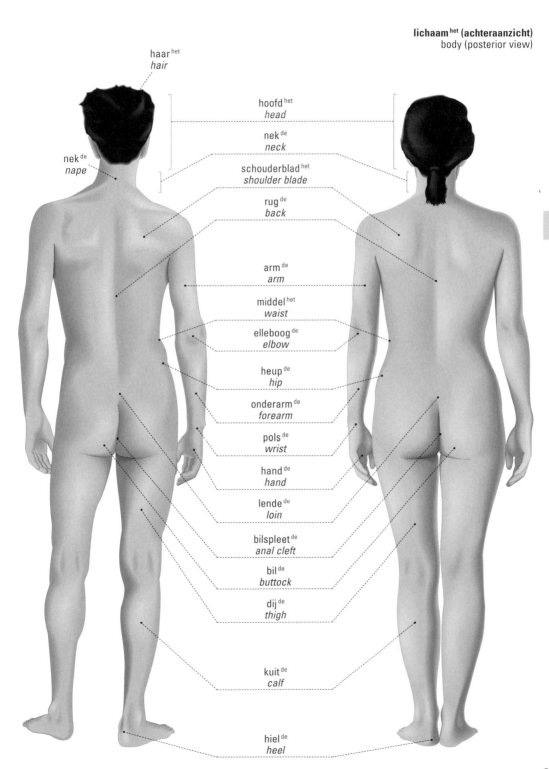

haar^{het}
hair

hoofd^{het}
head

nek^{de}
neck

nek^{de}
nape

schouderblad^{het}
shoulder blade

rug^{de}
back

arm^{de}
arm

middel^{het}
waist

elleboog^{de}
elbow

heup^{de}
hip

onderarm^{de}
forearm

pols^{de}
wrist

hand^{de}
hand

lende^{de}
loin

bilspleet^{de}
anal cleft

bil^{de}
buttock

dij^{de}
thigh

kuit^{de}
calf

hiel^{de}
heel

DE MENS

Het skelet is het geraamte van het lichaam. Het bestaat uit 206 botten die de organen ondersteunen en beschermen. De botten van de schedel beschermen bijvoorbeeld de hersenen. Het skelet kent drie soorten botten, onderverdeeld naar vorm: kort, lang en plat. De meeste botten zijn met elkaar verbonden door gewrichten. Dankzij de botten, en de spieren die ze in beweging brengen, kan het lichaam rechtop staan en bewegen.

belangrijkste botten
principal bones

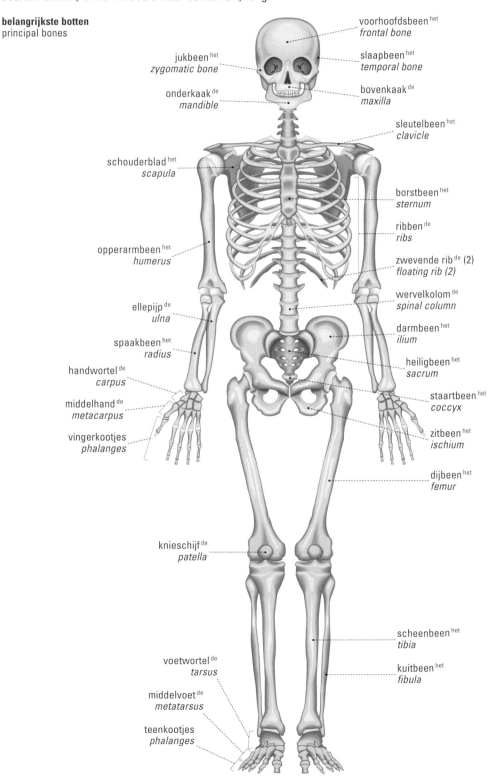

voorhoofdsbeen het
frontal bone

slaapbeen het
temporal bone

jukbeen het
zygomatic bone

bovenkaak de
maxilla

onderkaak de
mandible

sleutelbeen het
clavicle

schouderblad het
scapula

borstbeen het
sternum

ribben de
ribs

opperarmbeen het
humerus

zwevende rib de (2)
floating rib (2)

wervelkolom de
spinal column

ellepijp de
ulna

darmbeen het
ilium

spaakbeen het
radius

heiligbeen het
sacrum

handwortel de
carpus

staartbeen het
coccyx

middelhand de
metacarpus

vingerkootjes
phalanges

zitbeen het
ischium

dijbeen het
femur

knieschijf de
patella

scheenbeen het
tibia

voetwortel de
tarsus

kuitbeen het
fibula

middelvoet de
metatarsus

teenkootjes
phalanges

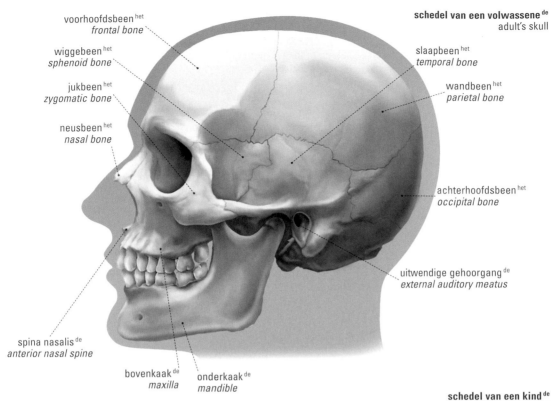

voorhoofdsbeen ^{het} → plain: voorhoofdsbeen [het]
frontal bone

wiggebeen [het]
sphenoid bone

jukbeen [het]
zygomatic bone

neusbeen [het]
nasal bone

schedel van een volwassene [de]
adult's skull

slaapbeen [het]
temporal bone

wandbeen [het]
parietal bone

achterhoofdsbeen [het]
occipital bone

uitwendige gehoorgang [de]
external auditory meatus

spina nasalis [de]
anterior nasal spine

bovenkaak [de]
maxilla

onderkaak [de]
mandible

schedel van een kind [de]
child's skull

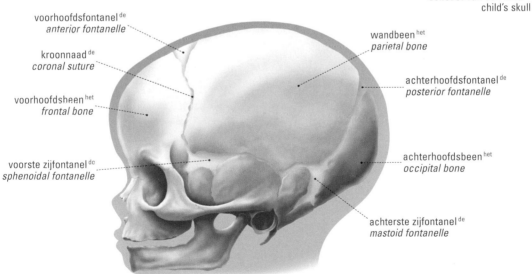

voorhoofdsfontanel [de]
anterior fontanelle

kroonnaad [de]
coronal suture

voorhoofdsbeen [het]
frontal bone

voorste zijfontanel [dc]
sphenoidal fontanelle

wandbeen [het]
parietal bone

achterhoofdsfontanel [de]
posterior fontanelle

achterhoofdsbeen [het]
occipital bone

achterste zijfontanel [de]
mastoid fontanelle

soorten botten
types of bones

kort bot [het]
short bone

lang bot [het]
long bone

plat bot [het]
flat bone

DE MENS

93

Tanden zitten stevig verankerd in de kaakbeenderen en spelen een essentiële rol bij het kauwen, de eerste stap in het spijsverteringsproces. Elk type tand is betrokken bij het omzetten van voedsel in kleine stukjes die gemakkelijk door te slikken zijn. De snijtanden, voorin de mond, snijden het voedsel door, de puntige hoektanden verscheuren het en de grote (voor)kiezen vermalen het.

gebit^{het}
human denture

snijtanden
incisors

hoektand ^{de}
canine

voorste snijtand ^{de}
central incisor

valse kiezen
premolars

buitenste snijtand ^{de}
lateral incisor

ware kiezen
molars

eerste valse kies ^{de}
first premolar

eerste ware kies ^{de}
first molar

tweede valse kies ^{de}
second premolar

verstandskies ^{de}
wisdom tooth

tweede ware kies ^{de}
second molar

kies^{de} **(dwarsdoorsnede)**
cross section of a molar

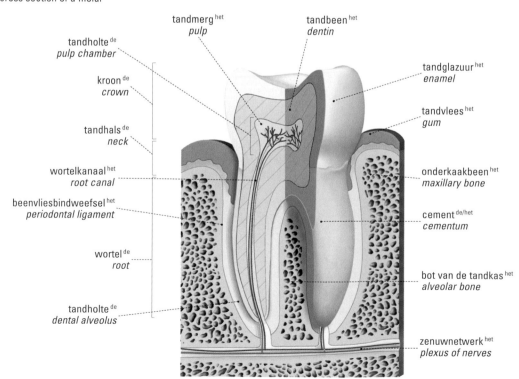

tandmerg ^{het}
pulp

tandbeen ^{het}
dentin

tandholte ^{de}
pulp chamber

tandglazuur ^{het}
enamel

kroon ^{de}
crown

tandhals ^{de}
neck

tandvlees ^{het}
gum

wortelkanaal ^{het}
root canal

onderkaakbeen ^{het}
maxillary bone

beenvliesbindweefsel ^{het}
periodontal ligament

cement ^{de/het}
cementum

wortel ^{de}
root

bot van de tandkas ^{het}
alveolar bone

tandholte ^{de}
dental alveolus

zenuwnetwerk ^{het}
plexus of nerves

Zonder spieren zou het lichaam niet veel meer zijn dan een onbeweeglijke massa botten en organen. Alle bewegingen van het lichaam worden gemaakt door skeletspieren. Deze spieren trekken op bevel van de hersenen samen en brengen de botten en daarmee het lichaam in beweging. Sommige spieren, zoals de ongeveer vijftien spieren die geactiveerd worden als iemand lacht, werken niet in op de botten maar op de huid.

belangrijkste spieren
principal muscles

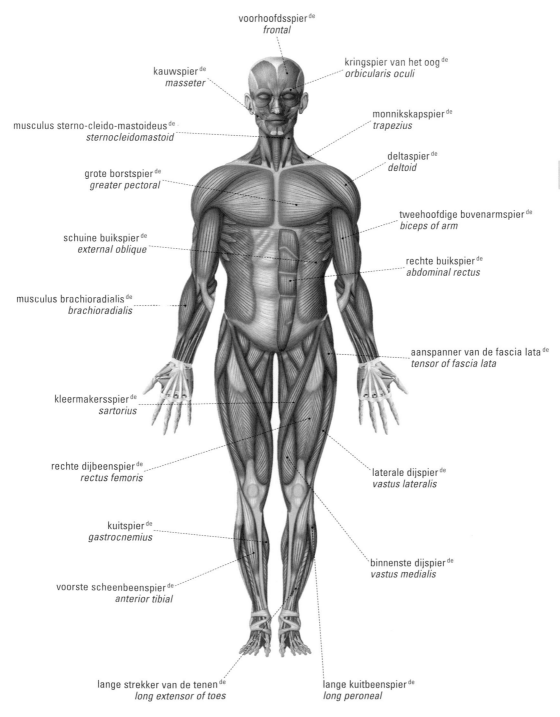

voorhoofdsspier^{de}
frontal

kauwspier^{de}
masseter

kringspier van het oog^{de}
orbicularis oculi

musculus sterno-cleido-mastoideus^{de}
sternocleidomastoid

monnikskapspier^{de}
trapezius

deltaspier^{de}
deltoid

grote borstspier^{de}
greater pectoral

tweehoofdige bovenarmspier^{de}
biceps of arm

schuine buikspier^{de}
external oblique

rechte buikspier^{de}
abdominal rectus

musculus brachioradialis^{de}
brachioradialis

aanspanner van de fascia lata^{de}
tensor of fascia lata

kleermakersspier^{de}
sartorius

rechte dijbeenspier^{de}
rectus femoris

laterale dijspier^{de}
vastus lateralis

kuitspier^{de}
gastrocnemius

binnenste dijspier^{de}
vastus medialis

voorste scheenbeenspier^{de}
anterior tibial

lange strekker van de tenen^{de}
long extensor of toes

lange kuitbeenspier^{de}
long peroneal

DE MENS

Het menselijk lichaam bezit elf verschillende orgaansystemen. Hoewel elk orgaansysteem een specifieke rol speelt, werken ze allemaal samen om ervoor te zorgen dat het lichaam goed functioneert.

De longen, een van organen van het ademhalingssysteem, vullen het lichaam met zuurstof. Het zijn echter de vaten van de bloedsomloop die de zuurstof naar elke cel in het lichaam brengen.

SPIJSVERTERINGSSTELSEL
DIGESTIVE SYSTEM

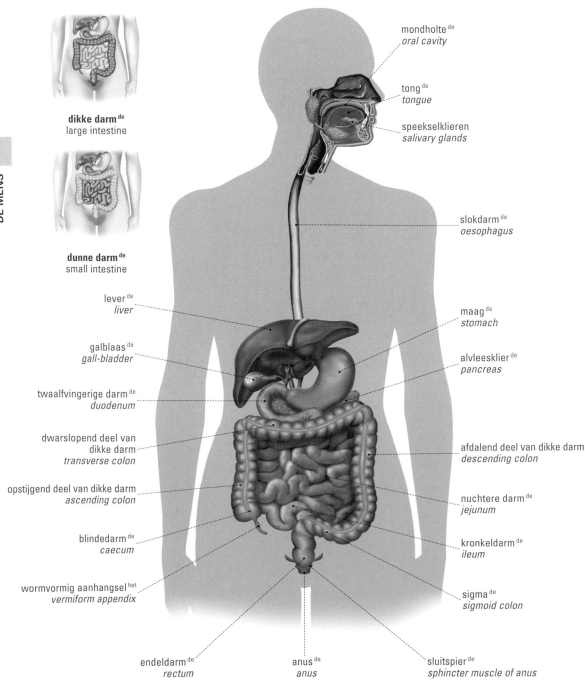

dikke darm de
large intestine

dunne darm de
small intestine

mondholte de
oral cavity

tong de
tongue

speekselklieren
salivary glands

slokdarm de
oesophagus

lever de
liver

maag de
stomach

galblaas de
gall-bladder

alvleesklier de
pancreas

twaalfvingerige darm de
duodenum

dwarslopend deel van
dikke darm
transverse colon

afdalend deel van dikke darm
descending colon

opstijgend deel van dikke darm
ascending colon

nuchtere darm de
jejunum

blindedarm de
caecum

kronkeldarm de
ileum

wormvormig aanhangsel het
vermiform appendix

sigma de
sigmoid colon

endeldarm de
rectum

anus de
anus

sluitspier de
sphincter muscle of anus

ADEMHALINGSSTELSEL
RESPIRATORY SYSTEM

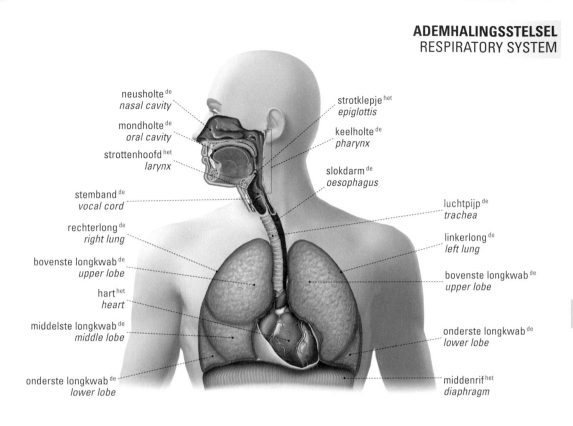

neusholte ^{de}
nasal cavity

mondholte ^{de}
oral cavity

strottenhoofd ^{het}
larynx

stemband ^{de}
vocal cord

rechterlong ^{de}
right lung

bovenste longkwab ^{de}
upper lobe

hart ^{het}
heart

middelste longkwab ^{de}
middle lobe

onderste longkwab ^{de}
lower lobe

strotklepje ^{het}
epiglottis

keelholte ^{de}
pharynx

slokdarm ^{de}
oesophagus

luchtpijp ^{de}
trachea

linkerlong ^{de}
left lung

bovenste longkwab ^{de}
upper lobe

onderste longkwab ^{de}
lower lobe

middenrif ^{het}
diaphragm

DE MENS

ZENUWSTELSEL
NERVOUS SYSTEM

centraal zenuwstelsel ^{het}
central nervous system

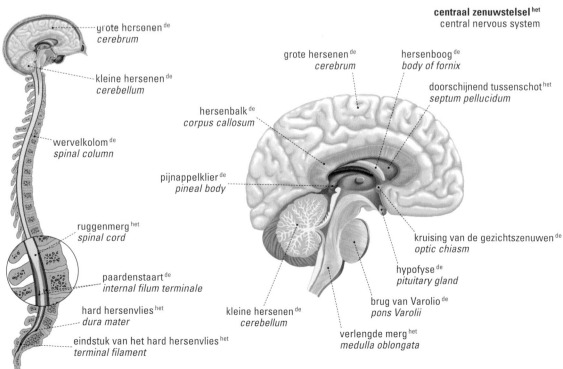

grote hersenen ^{de}
cerebrum

kleine hersenen ^{de}
cerebellum

wervelkolom ^{de}
spinal column

pijnappelklier ^{de}
pineal body

ruggenmerg ^{het}
spinal cord

paardenstaart ^{de}
internal filum terminale

hard hersenvlies ^{het}
dura mater

eindstuk van het hard hersenvlies ^{het}
terminal filament

grote hersenen ^{de}
cerebrum

hersenbalk ^{de}
corpus callosum

kleine hersenen ^{de}
cerebellum

hersenboog ^{de}
body of fornix

doorschijnend tussenschot ^{het}
septum pellucidum

kruising van de gezichtszenuwen ^{de}
optic chiasm

hypofyse ^{de}
pituitary gland

brug van Varolio ^{de}
pons Varolii

verlengde merg ^{het}
medulla oblongata

BLOEDSOMLOOP
CIRCULATORY SYSTEM

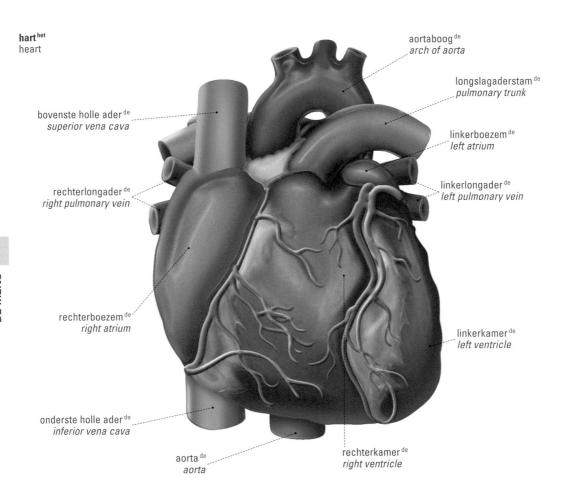

hart het
heart

aortaboog de
arch of aorta

longslagaderstam de
pulmonary trunk

bovenste holle ader de
superior vena cava

linkerboezem de
left atrium

rechterlongader de
right pulmonary vein

linkerlongader de
left pulmonary vein

rechterboezem de
right atrium

linkerkamer de
left ventricle

onderste holle ader de
inferior vena cava

aorta de
aorta

rechterkamer de
right ventricle

samenstelling van het bloed
composition of the blood

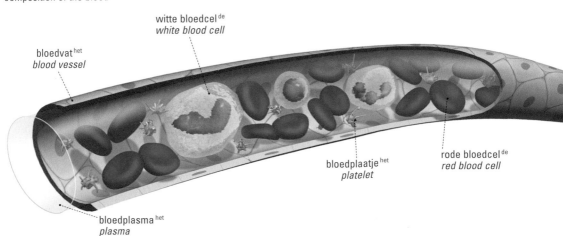

witte bloedcel de
white blood cell

bloedvat het
blood vessel

bloedplaatje het
platelet

rode bloedcel de
red blood cell

bloedplasma het
plasma

belangrijkste aders en slagaders
principal veins and arteries

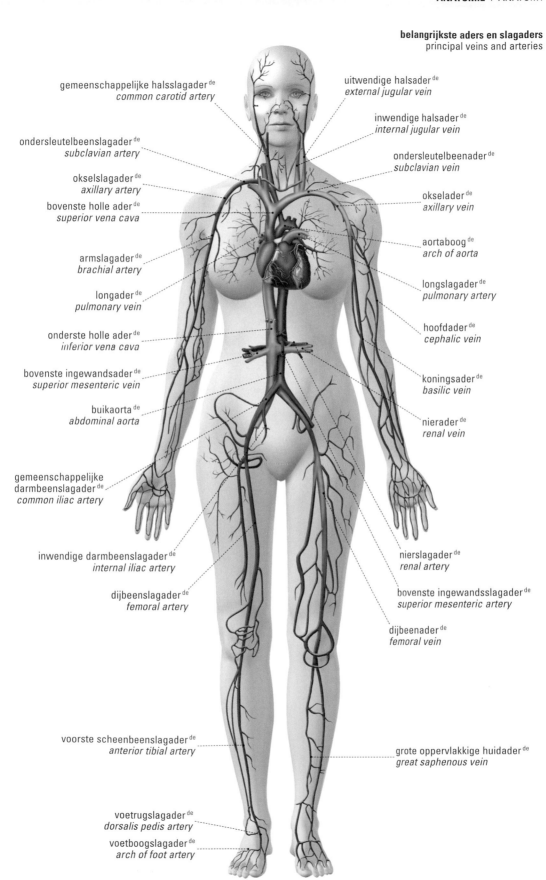

gemeenschappelijke halsslagader ^{de}
common carotid artery

ondersleutelbeenslagader ^{de}
subclavian artery

okselslagader ^{de}
axillary artery

bovenste holle ader ^{de}
superior vena cava

armslagader ^{de}
brachial artery

longader ^{de}
pulmonary vein

onderste holle ader ^{de}
inferior vena cava

bovenste ingewandsader ^{de}
superior mesenteric vein

buikaorta ^{de}
abdominal aorta

gemeenschappelijke
darmbeenslagader ^{de}
common iliac artery

inwendige darmbeenslagader ^{de}
internal iliac artery

dijbeenslagader ^{de}
femoral artery

voorste scheenbeenslagader ^{de}
anterior tibial artery

voetrugslagader ^{de}
dorsalis pedis artery

voetboogslagader ^{de}
arch of foot artery

uitwendige halsader ^{de}
external jugular vein

inwendige halsader ^{de}
internal jugular vein

ondersleutelbeenader ^{de}
subclavian vein

okselader ^{de}
axillary vein

aortaboog ^{de}
arch of aorta

longslagader ^{de}
pulmonary artery

hoofdader ^{de}
cephalic vein

koningsader ^{de}
basilic vein

nierader ^{de}
renal vein

nierslagader ^{de}
renal artery

bovenste ingewandsslagader ^{de}
superior mesenteric artery

dijbeenader ^{de}
femoral vein

grote oppervlakkige huidader ^{de}
great saphenous vein

DE MENS

99

De vijf zintuigen vertellen de mens wat er rondom hem of haar gebeurt. De zintuigen bevatten speciale cellen, zogenoemde receptoren, die informatie verzamelen en doorgeven aan de zenuwen, die deze informatie vervolgens doorsturen naar de hersenen. Doordat de hersenen deze signalen vertalen naar gewaarwordingen als geluiden, beelden of geuren, kan het lichaam op zijn omgeving reageren.

GEHOOR
HEARING

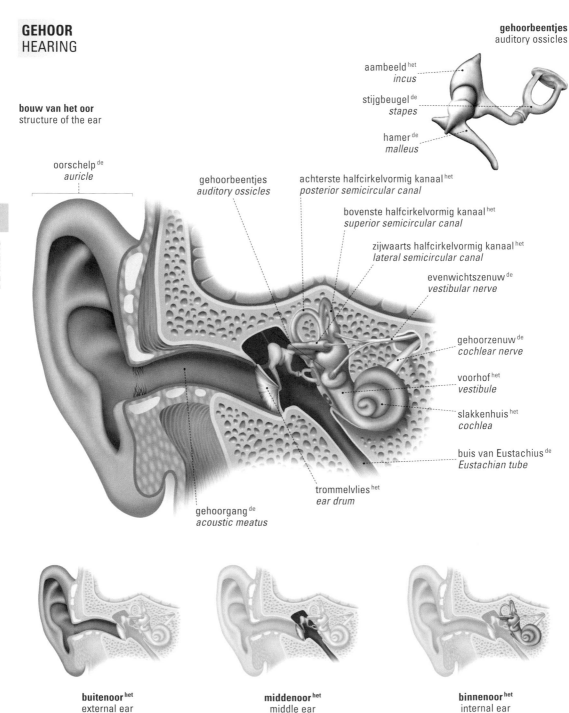

gehoorbeentjes
auditory ossicles

aambeeld ^{het}
incus

stijgbeugel ^{de}
stapes

hamer ^{de}
malleus

bouw van het oor
structure of the ear

oorschelp ^{de}
auricle

gehoorbeentjes
auditory ossicles

achterste halfcirkelvormig kanaal ^{het}
posterior semicircular canal

bovenste halfcirkelvormig kanaal ^{het}
superior semicircular canal

zijwaarts halfcirkelvormig kanaal ^{het}
lateral semicircular canal

evenwichtszenuw ^{de}
vestibular nerve

gehoorzenuw ^{de}
cochlear nerve

voorhof ^{het}
vestibule

slakkenhuis ^{het}
cochlea

buis van Eustachius ^{de}
Eustachian tube

trommelvlies ^{het}
ear drum

gehoorgang ^{de}
acoustic meatus

buitenoor ^{het}
external ear

middenoor ^{het}
middle ear

binnenoor ^{het}
internal ear

DE MENS

TASTZIN
TOUCH

huid de
skin

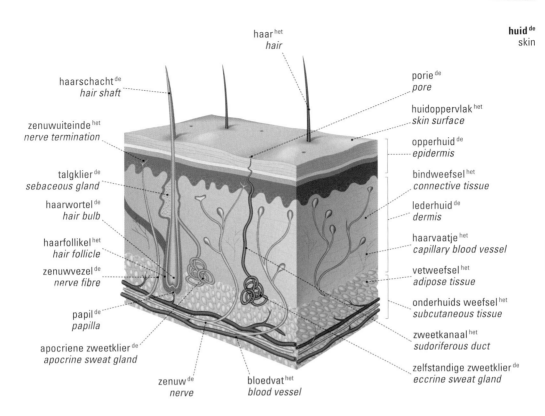

haar het
hair

haarschacht de
hair shaft

zenuwuiteinde het
nerve termination

talgklier de
sebaceous gland

haarwortel de
hair bulb

haarfollikel het
hair follicle

zenuwvezel de
nerve fibre

papil de
papilla

apocriene zweetklier de
apocrine sweat gland

zenuw de
nerve

bloedvat het
blood vessel

porie de
pore

huidoppervlak het
skin surface

opperhuid de
epidermis

bindweefsel het
connective tissue

lederhuid de
dermis

haarvaatje het
capillary blood vessel

vetweefsel het
adipose tissue

onderhuids weefsel het
subcutaneous tissue

zweetkanaal het
sudoriferous duct

zelfstandige zweetklier de
eccrine sweat gland

DE MENS

hand de
hand

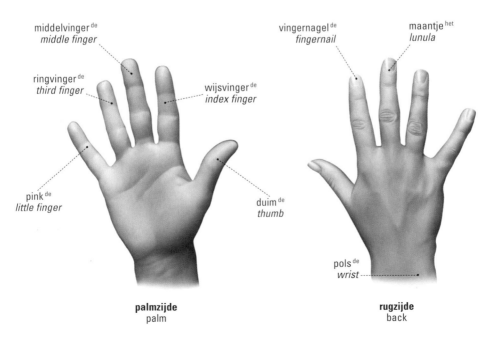

middelvinger de
middle finger

ringvinger de
third finger

wijsvinger de
index finger

pink de
little finger

duim de
thumb

vingernagel de
fingernail

maantje het
lunula

pols de
wrist

palmzijde
palm

rugzijde
back

GEZICHTSVERMOGEN
SIGHT

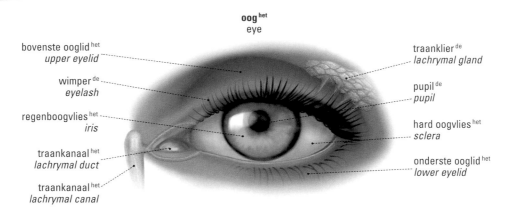

oog^{het}
eye

bovenste ooglid^{het}
upper eyelid

wimper^{de}
eyelash

regenboogvlies^{het}
iris

traankanaal^{het}
lachrymal duct

traankanaal^{het}
lachrymal canal

traanklier^{de}
lachrymal gland

pupil^{de}
pupil

hard oogvlies^{het}
sclera

onderste ooglid^{het}
lower eyelid

REUK- EN SMAAKZIN
SMELL AND TASTE

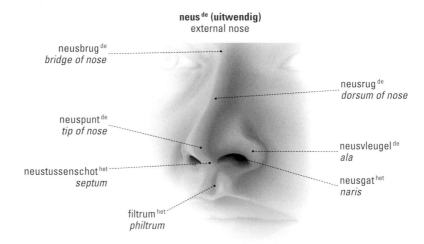

neus^{de} **(uitwendig)**
external nose

neusbrug^{de}
bridge of nose

neuspunt^{de}
tip of nose

neustussenschot^{het}
septum

filtrum^{het}
philtrum

neusrug^{de}
dorsum of nose

neusvleugel^{de}
ala

neusgat^{het}
naris

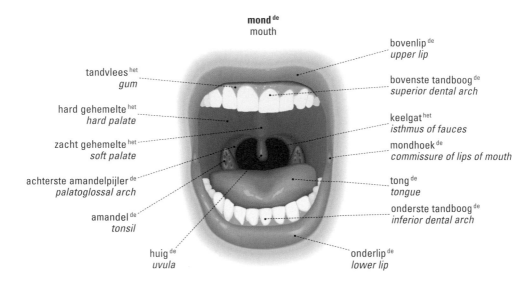

mond^{de}
mouth

tandvlees^{het}
gum

hard gehemelte^{het}
hard palate

zacht gehemelte^{het}
soft palate

achterste amandelpijler^{de}
palatoglossal arch

amandel^{de}
tonsil

huig^{de}
uvula

bovenlip^{de}
upper lip

bovenste tandboog^{de}
superior dental arch

keelgat^{het}
isthmus of fauces

mondhoek^{de}
commissure of lips of mouth

tong^{de}
tongue

onderste tandboog^{de}
inferior dental arch

onderlip^{de}
lower lip

DE MENS

Groenten behoren tot de groep eetbare planten die deel uitmaken van het menselijk voedsel. Ze worden ingedeeld naar het deel van de plant dat wordt gegeten. De paprika wordt beschouwd als een vruchtgroente, spinazie als een bladgroente, asperges als stengelgroente. Groente kan gegeten worden als bijgerecht of hoofdgerecht en maakt vrijwel overal ter wereld deel uit van het dagelijks eten.

BOLGROENTEN
BULB VEGETABLES

doorsnede van een bol
section of a bulb

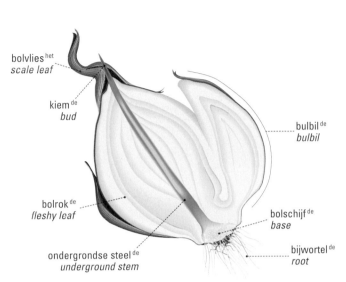

bolvlies ^{het}
scale leaf

kiem ^{de}
bud

bulbil ^{de}
bulbil

bolrok ^{de}
fleshy leaf

bolschijf ^{de}
base

ondergrondse steel ^{de}
underground stem

bijwortel ^{de}
root

SOORTEN BOLGROENTEN
EXAMPLES OF BULB VEGETABLES

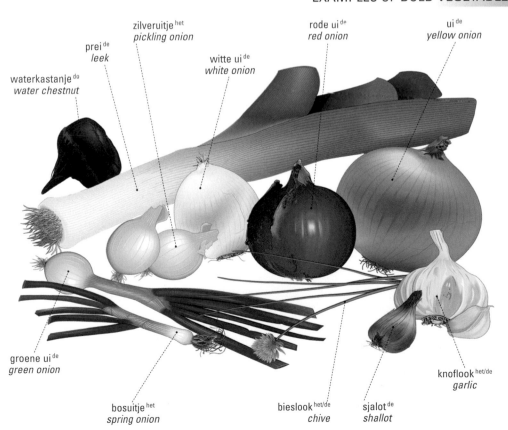

zilveruitje ^{het}
pickling onion

prei ^{de}
leek

rode ui ^{de}
red onion

ui ^{de}
yellow onion

waterkastanje ^{do}
water chestnut

witte ui ^{de}
white onion

groene ui ^{de}
green onion

knoflook ^{het/de}
garlic

bosuitje ^{het}
spring onion

bieslook ^{het/de}
chive

sjalot ^{de}
shallot

KNOLGROENTEN
TUBER VEGETABLES

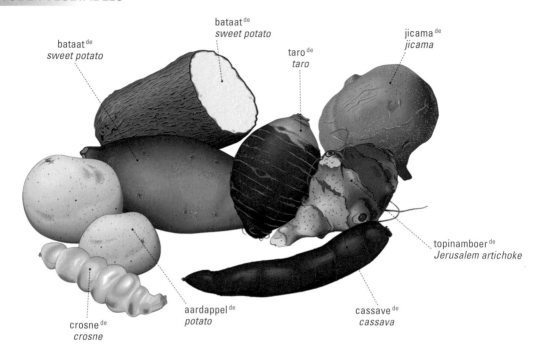

bataat^{de}
sweet potato

bataat^{de}
sweet potato

taro^{de}
taro

jicama^{de}
jicama

topinamboer^{de}
Jerusalem artichoke

crosne^{de}
crosne

aardappel^{de}
potato

cassave^{de}
cassava

VOEDSEL

WORTELGROENTEN
ROOT VEGETABLES

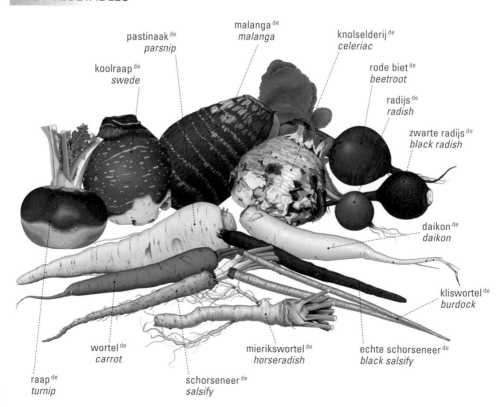

pastinaak^{de}
parsnip

malanga^{de}
malanga

knolselderij^{de}
celeriac

koolraap^{de}
swede

rode biet^{de}
beetroot

radijs^{de}
radish

zwarte radijs^{de}
black radish

daikon^{de}
daikon

kliswortel^{de}
burdock

wortel^{de}
carrot

mieriwortel^{de}
horseradish

echte schorseneer^{de}
black salsify

raap^{de}
turnip

schorseneer^{de}
salsify

STENGEL- EN BLADSTEELGROENTEN
STALK VEGETABLES

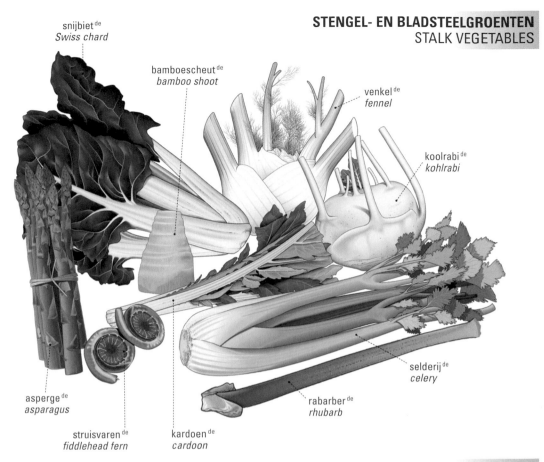

snijbiet^{de}
Swiss chard

bamboescheut^{de}
bamboo shoot

venkel^{de}
fennel

koolrabi^{de}
kohlrabi

selderij^{de}
celery

asperge^{de}
asparagus

rabarber^{de}
rhubarb

struisvaren^{de}
fiddlehead fern

kardoen^{de}
cardoon

KOOLGROENTEN
INFLORESCENT VEGETABLES

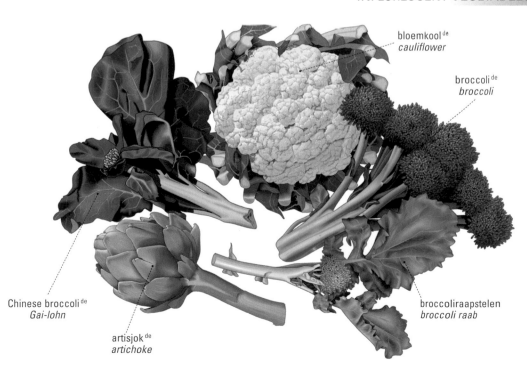

bloemkool^{de}
cauliflower

broccoli^{de}
broccoli

Chinese broccoli^{de}
Gai-lohn

broccoliraapstelen
broccoli raab

artisjok^{de}
artichoke

VOEDSEL

BLADGROENTEN
LEAF VEGETABLES

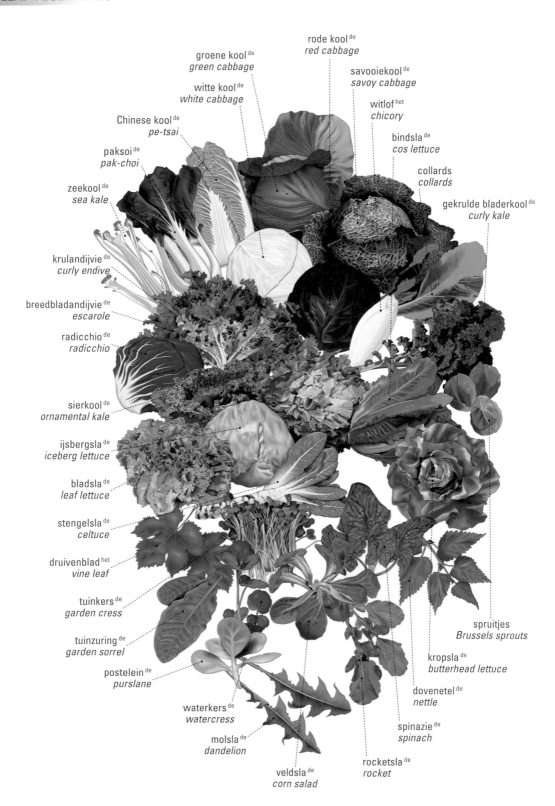

groene kool de
green cabbage

rode kool de
red cabbage

witte kool de
white cabbage

savooiekool de
savoy cabbage

Chinese kool de
pe-tsai

witlof het
chicory

paksoi de
pak-choi

bindsla de
cos lettuce

zeekool de
sea kale

collards
collards

gekrulde bladerkool de
curly kale

krulandijvie de
curly endive

breedbladandijvie de
escarole

radicchio de
radicchio

sierkool de
ornamental kale

ijsbergsla de
iceberg lettuce

bladsla de
leaf lettuce

stengelsla de
celtuce

druivenblad het
vine leaf

tuinkers de
garden cress

spruitjes
Brussels sprouts

tuinzuring de
garden sorrel

kropsla de
butterhead lettuce

postelein de
purslane

dovenetel de
nettle

waterkers de
watercress

molsla de
dandelion

spinazie de
spinach

veldsla de
corn salad

rocketsla de
rocket

VRUCHTGROENTEN
FRUIT VEGETABLES

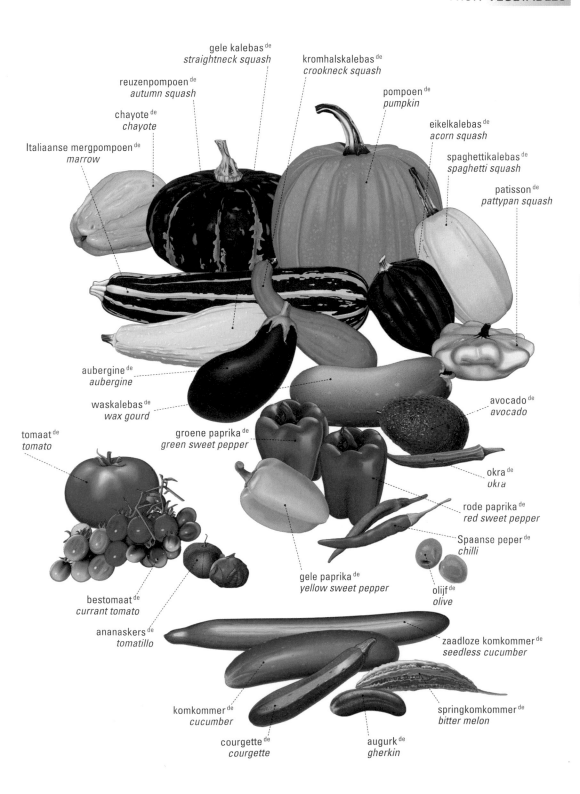

gele kalebas^{de}
straightneck squash

kromhalskalebas^{de}
crookneck squash

reuzenpompoen^{de}
autumn squash

pompoen^{de}
pumpkin

chayote^{de}
chayote

eikelkalebas^{de}
acorn squash

Italiaanse mergpompoen^{de}
marrow

spaghettikalebas^{de}
spaghetti squash

patisson^{de}
pattypan squash

aubergine^{de}
aubergine

avocado^{de}
avocado

waskalebas^{de}
wax gourd

tomaat^{de}
tomato

groene paprika^{de}
green sweet pepper

okra^{de}
okra

rode paprika^{de}
red sweet pepper

Spaanse peper^{de}
chilli

gele paprika^{de}
yellow sweet pepper

olijf^{de}
olive

bestomaat^{de}
currant tomato

ananaskers^{de}
tomatillo

zaadloze komkommer^{de}
seedless cucumber

komkommer^{de}
cucumber

springkomkommer^{de}
bitter melon

courgette^{de}
courgette

augurk^{de}
gherkin

De omvangrijke familie van de peulvruchten omvat ongeveer 13.000 plantensoorten. Deze groenten onderscheiden zich door hun peulvormige vruchten, die vele uiterst voedzame zaden bevatten. Enkele voorbeelden van peulvruchten zijn linzen, bonen en pinda's. In veel Zuid-Amerikaanse landen vormen peulvruchten van oudsher het hoofdvoedsel.

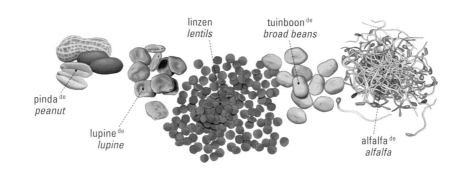

linzen
lentils

tuinboon de
broad beans

pinda de
peanut

lupine de
lupine

alfalfa de
alfalfa

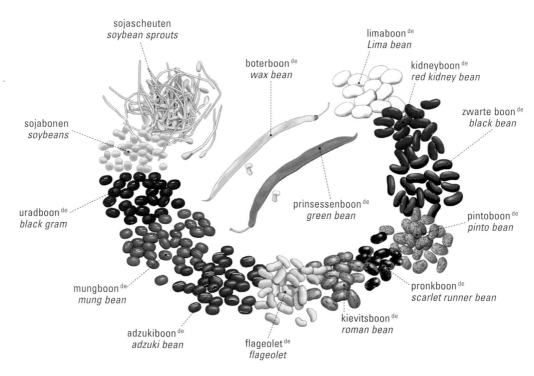

sojascheuten
soybean sprouts

limaboon de
Lima bean

boterboon de
wax bean

kidneyboon de
red kidney bean

sojabonen
soybeans

zwarte boon de
black bean

uradboon de
black gram

prinsessenboon de
green bean

pintoboon de
pinto bean

mungboon de
mung bean

pronkboon de
scarlet runner bean

kievitsboon de
roman bean

adzukiboon de
adzuki bean

flageolet de
flageolet

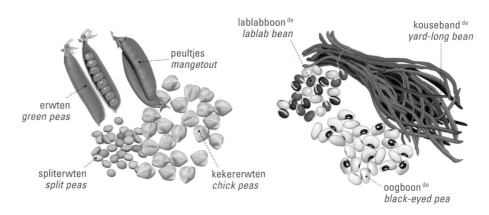

lablabboon de
lablab bean

kouseband de
yard-long bean

peultjes
mangetout

erwten
green peas

spliterwten
split peas

kekererwten
chick peas

oogboon de
black-eyed pea

In botanische zin is de vrucht het orgaan dat kleine plantenembryo's of zaden bevat. Dit betekent dat olijven, noten en komkommers vruchten zijn. Zelfs de oneetbare dopvruchten van esdoorns zijn vruchten.

Over het algemeen hebben vruchten en fruit een zoete smaak, zoals appels en kersen, en worden ze als tussendoortje of als dessert gegeten.

VOEDSEL

BESSEN
BERRIES

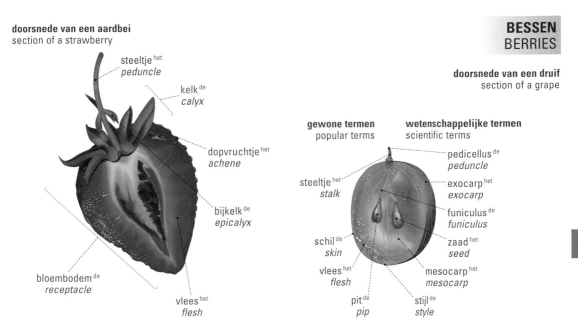

doorsnede van een aardbei
section of a strawberry

steeltje ^{het}
peduncle

kelk ^{de}
calyx

dopvruchtje ^{het}
achene

bijkelk ^{de}
epicalyx

bloembodem ^{de}
receptacle

vlees ^{het}
flesh

doorsnede van een druif
section of a grape

gewone termen
popular terms

wetenschappelijke termen
scientific terms

steeltje ^{het}
stalk

schil ^{de}
skin

vlees ^{het}
flesh

pit ^{de}
pip

pedicellus ^{de}
peduncle

exocarp ^{het}
exocarp

funiculus ^{de}
funiculus

zaad ^{het}
seed

mesocarp ^{het}
mesocarp

stijl ^{de}
style

SOORTEN BESSEN
EXAMPLES OF BERRIES

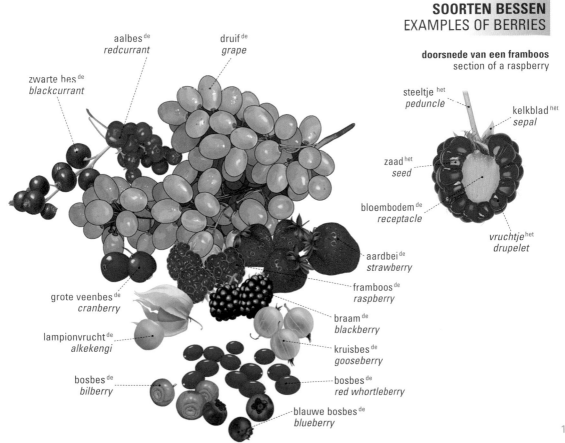

aalbes ^{de}
redcurrant

druif ^{de}
grape

zwarte hes ^{de}
blackcurrant

grote veenbes ^{de}
cranberry

lampionvrucht ^{de}
alkekengi

bosbes ^{de}
bilberry

aardbei ^{de}
strawberry

framboos ^{de}
raspberry

braam ^{de}
blackberry

kruisbes ^{de}
gooseberry

bosbes ^{de}
red whortleberry

blauwe bosbes ^{de}
blueberry

doorsnede van een framboos
section of a raspberry

steeltje ^{het}
peduncle

kelkblad ^{het}
sepal

zaad ^{het}
seed

bloembodem ^{de}
receptacle

vruchtje ^{het}
drupelet

STEENVRUCHTEN
STONE FRUITS

doorsnede van een perzik
section of a peach

wetenschappelijke termen
technical terms

gewone termen
usual terms

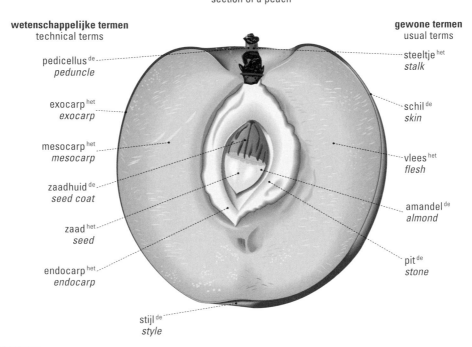

pedicellus ^{de}
peduncle

exocarp ^{het}
exocarp

mesocarp ^{het}
mesocarp

zaadhuid ^{de}
seed coat

zaad ^{het}
seed

endocarp ^{het}
endocarp

stijl ^{de}
style

steeltje ^{het}
stalk

schil ^{de}
skin

vlees ^{het}
flesh

amandel ^{de}
almond

pit ^{de}
stone

SOORTEN STEENVRUCHTEN
EXAMPLES OF STONE FRUITS

dadel ^{de}
date

nectarine ^{de}
nectarine

perzik ^{de}
peach

pruim ^{de}
plum

kers ^{de}
cherry

abrikoos ^{de}
apricot

VOEDSEL

PITVRUCHTEN
POME FRUITS

doorsnede van een appel
section of an apple

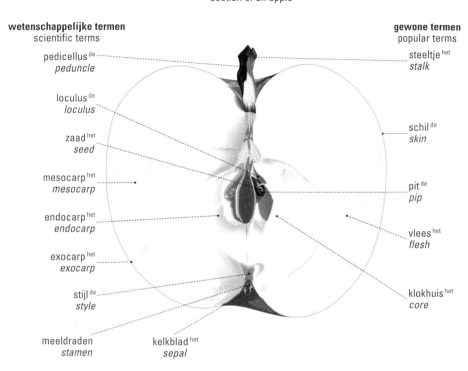

wetenschappelijke termen
scientific terms

pedicellus ^{de} → *peduncle*

loculus ^{de} → *loculus*

zaad ^{het} → *seed*

mesocarp ^{het} → *mesocarp*

endocarp ^{het} → *endocarp*

exocarp ^{het} → *exocarp*

stijl ^{de} → *style*

meeldraden → *stamen*

kelkblad ^{het} → *sepal*

gewone termen
popular terms

steeltje ^{het} → *stalk*

schil ^{de} → *skin*

pit ^{de} → *pip*

vlees ^{het} → *flesh*

klokhuis ^{het} → *core*

VOEDSEL

BELANGRIJKSTE SOORTEN PITVRUCHTEN
EXAMPLES OF POME FRUITS

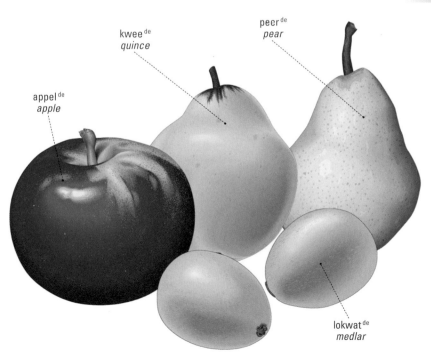

kwee ^{de} → *quince*

peer ^{de} → *pear*

appel ^{de} → *apple*

lokwat ^{de} → *medlar*

CITRUSVRUCHTEN
CITRUS FRUITS

doorsnede van een sinaasappel
section of an orange

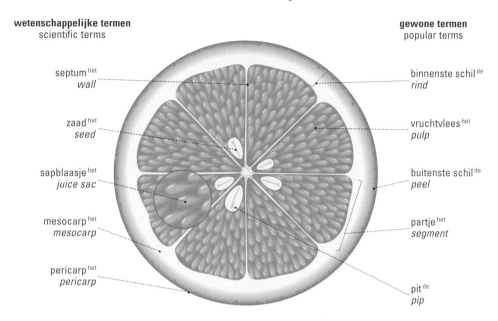

wetenschappelijke termen
scientific terms

gewone termen
popular terms

septum het
wall

zaad het
seed

sapblaasje het
juice sac

mesocarp het
mesocarp

pericarp het
pericarp

binnenste schil de
rind

vruchtvlees het
pulp

buitenste schil de
peel

partje het
segment

pit de
pip

SOORTEN CITRUSVRUCHTEN
EXAMPLES OF CITRUS FRUITS

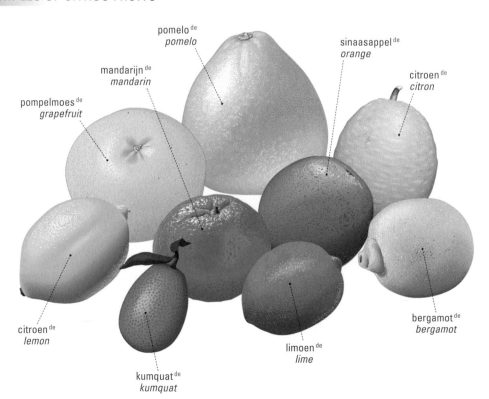

pomelo de
pomelo

sinaasappel de
orange

mandarijn de
mandarin

citroen de
citron

pompelmoes de
grapefruit

citroen de
lemon

kumquat de
kumquat

limoen de
lime

bergamot de
bergamot

VOEDSEL

MELOENEN
MELONS

honingmeloen ^{de}
honeydew melon

watermeloen ^{de}
watermelon

kanteloep ^{de}
cantaloupe

galliameloen ^{de}
muskmelon

NOOTVRUCHTEN
DRY FRUITS

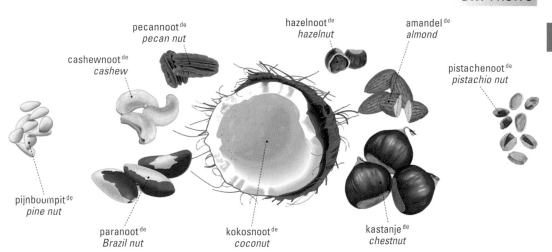

pecannoot ^{de}
pecan nut

hazelnoot ^{de}
hazelnut

amandel ^{de}
almond

cashewnoot ^{de}
cashew

pistachenoot ^{de}
pistachio nut

pijnboompit ^{de}
pine nut

paranoot ^{de}
Brazil nut

kokosnoot ^{de}
coconut

kastanje ^{de}
chestnut

TROPISCHE VRUCHTEN
TROPICAL FRUITS

granaatappel ^{de}
pomegranate

papaja ^{de}
papaya

ananas ^{de}
pineapple

mango ^{de}
mango

kiwi ^{de}
kiwi

lychee ^{de}
litchi; lychee

carambola ^{de}
carambola

banaan ^{de}
banana

passievrucht ^{de}
passion fruit

vijg ^{de}
fig

De voedingsmiddelen waaruit een maaltijd bestaat, variëren afhankelijk van het moment van de dag en het deel van de wereld waarin ze geconsumeerd worden. De meeste voedingsmiddelen behoren tot enkele hoofdvoedselgroepen, zoals groente en fruit, graanproducten en zuivelproducten. Omdat elk voedingsmiddel het lichaam van andere voedingstoffen voorziet, is een gevarieerd dieet zeer belangrijk voor de gezondheid.

GRAANPRODUCTEN
CEREAL PRODUCTS

bagelde
bagel

meergranenbroodhet
multigrain bread

witbroodhet
white bread

croissantde
croissant

baguettede
French loaf

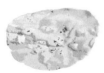

Indiase chapatide
Indian chapati bread

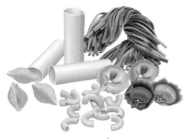

rijstde
rice

pastade
pasta

pitabroodhet
pitta bread

tortillade
tortilla

EIEREN EN ZUIVELPRODUCTEN
EGGS AND DAIRY PRODUCTS

kwarteleihet
quail egg

yoghurtde
yogurt

boterde
butter

kippeneihet
hen egg

melkpakjede
milk carton

ijshet
ice cream

kaasde
cheese

VOEDSEL

MAALTIJDEN EN TUSSENDOORTJES
MEALS

salade de
salad

kalkoen de
turkey

worst de
pepperoni

gekookte ham de
cooked ham

vis de
fish

stoofpot de
stew

pizza de
pizza

biefstuk de
steak

spaghetti de
spaghetti

sandwich de
sandwich

vruchtensap het
fruit juice

koekjes
biscuits

vlaai de
pie

taart de
cake

ingemaakte groente en fruit
small jars

VOEDSEL

Kleding dient om het lichaam te bedekken, om de drager te beschermen, verbergen of verwarmen of om het uiterlijk mooier te maken. Hoe mensen zich kleden wordt bepaald door factoren als leeftijd, geslacht en soms beroep. Ook het klimaat, het land en de tijd waarin iemand leeft, spelen een belangrijke rol. In ontwikkelde landen heeft de kledingindustrie elk seizoen een sterke invloed op de garderobe van veel mensen.

HERENKLEDING
MEN'S CLOTHING

KLEDING EN ACCESSOIRES

overhemd het
shirt

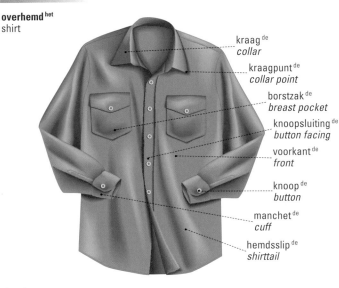

kraag de
collar

kraagpunt de
collar point

borstzak de
breast pocket

knoopsluiting de
button facing

voorkant de
front

knoop de
button

manchet de
cuff

hemdsslip de
shirttail

stropdas de
necktie

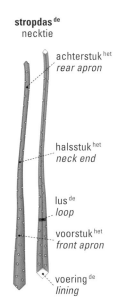

achterstuk het
rear apron

halsstuk het
neck end

lus de
loop

voorstuk het
front apron

voering de
lining

riem de
belt

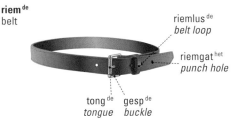

riemlus de
belt loop

riemgat het
punch hole

tong de
tongue

gesp de
buckle

bretels
braces

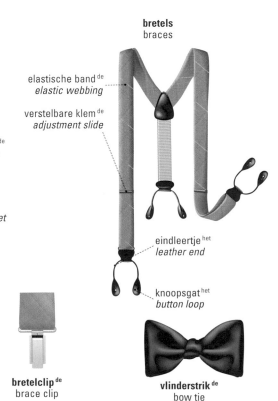

elastische band de
elastic webbing

verstelbare klem de
adjustment slide

eindleertje het
leather end

knoopsgat het
button loop

broek de
trousers

verlengde tailleband de
waistband extension

tailleband de
waistband

riemlus de
belt loop

steekzak de
front top pocket

bandplooi de
knife pleat

gulp de
fly

vouw de
crease

overslag de
turn-up

bretelclip de
brace clip

vlinderstrik de
bow tie

capuchon de
hood

knooplus de
frog

houtje het
toggle

houtje-touwtjejas de
duffle coat

windjack het
windcheater

double-breasted colbert het
double-breasted jacket

drukknoopsluiting de
snap fastener

regenjas de
raincoat

elastische tailleband de
elastic waistband

jack het
windcheater

single-breasted colbert het
single-breasted jacket

HERENONDERGOED
MEN'S UNDERWEAR

onderhemd het
vest

onderbroek de
briefs

tailleband de
waistband

gulp de
fly

elastiek het
elasticized leg opening

kruis het
crotch

lange onderbroek de
long johns

boxershort de
boxer shorts

DAMESKLEDING
WOMEN'S CLOTHING

mantelpak het
suit

jasje het
jacket

jekker de
pea jacket

cape de
cape

rok de
skirt

polojurk de
polo dress

poncho de
poncho

doorknoopjurk de
princess dress

bloes de
classic blouse

skibroek de
ski pants

rechte rok de
straight skirt

sarong de
sarong

plooirok de
pleated skirt

broekrok ^{de}
culottes

badjas ^{de}
bathrobe

overjas ^{de}
overcoat

beenmode
hose

pyjama ^{de}
pyjamas

sokje ^{het}
short sock

sok ^{de}
sock

kous ^{de}
stocking

DAMESONDERGOED
WOMEN'S UNDERWEAR

panty ^{de}
tights

schouderbandje ^{het}
shoulder strap

cup ^{de}
brassiere cup

maagband ^{de}
midriff band

beha ^{de}
bra

onderrok ^{de}
half-slip

bodystocking ^{de}
body

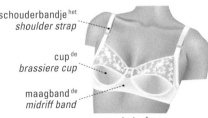

slip ^{de}
briefs

KLEDING EN ACCESSOIRES

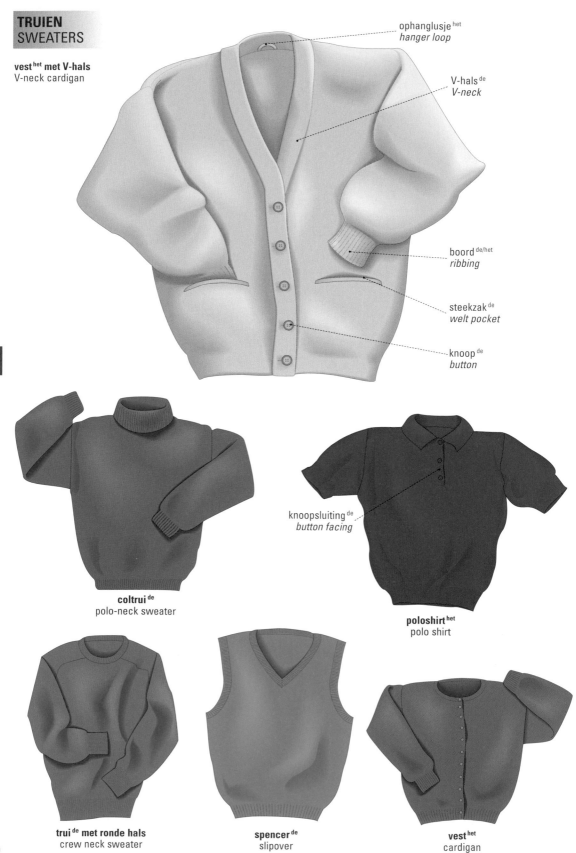

TRUIEN
SWEATERS

vest het **met V-hals**
V-neck cardigan

ophanglusje het
hanger loop

V-hals de
V-neck

boord de/het
ribbing

steekzak de
welt pocket

knoop de
button

coltrui de
polo-neck sweater

knoopsluiting de
button facing

poloshirt het
polo shirt

trui de **met ronde hals**
crew neck sweater

spencer de
slipover

vest het
cardigan

T-shirtjurk de
T-shirt dress

kruippakje het
rompers

spijkerbroek de
jeans

korte broek de
shorts

pyjama de
slip-on pyjamas

reiszak de
snuggle suit

babytuinpak het
high-back dungarees

verstelbare band de
adjustable strap

borstklep de
bib

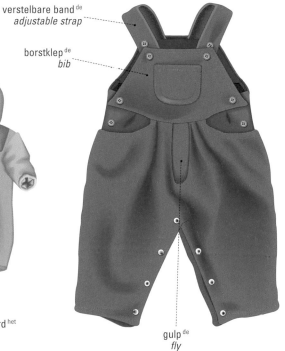

gulp de
fly

capuchon de met trekkoord het
drawstring hood

ritssluiting de
fly front closing

skipak het
snowsuit

kruippakje het
rompers

slaappak het
sleepsuit

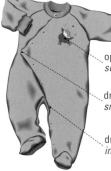

opdruk de
screen print

drukknoopsluiting de
snap-fastening front

drukknoopsluiting de
inside-leg snap-fastening

121

SPORTKLEDING
SPORTSWEAR

sporthemd^{het}
vest

badpak^{het}
swimsuit

sweater^{de}
sweat shirt

sweatshirt^{het} **met capuchon**^{de}
hooded sweat shirt

sportbroek^{de}
running shorts

zwembroek^{de}
swimming trunks

joggingbroek^{de}
jogging pants

anorak^{de}
anorak

legging^{de}
footless tights

beenwarmer^{de}
leg-warmer

gympakje^{het}
leotard

trainingsbroek^{de}
trousers

sportschoen^{de}
running shoe

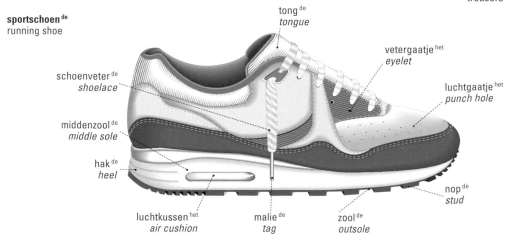

tong^{de}
tongue

vetergaatje^{het}
eyelet

luchtgaatje^{het}
punch hole

schoenveter^{de}
shoelace

middenzool^{de}
middle sole

hak^{de}
heel

nop^{de}
stud

luchtkussen^{het}
air cushion

malie^{de}
tag

zool^{de}
outsole

Veel accessoires hebben een praktisch doel. Een breedgerande hoed beschermt het hoofd tegen de zon, terwijl handschoenen of wanten de handen warm houden. Andere accessoires, zoals een riem of een bijpassende handtas, dienen ter aanvulling en verfraaiing van onze kleding. Daarnaast zijn er vele praktische voorwerpen voor de dagelijkse lichaams-verzorging.

HERENHANDSCHOENEN
MEN'S GLOVES

rugzijde de
back of a glove

palmzijde de
palm of a glove

handschoenvinger de
glove finger

duim de
thumb

palm de
palm

want de
mitten

stiksel het
stitching

drukknoopsluiting de
snap fastener

rijhandschoen de
driving glove

DAMESHANDSCHOENEN
WOMEN'S GLOVES

korte handschoen de
short glove

lange handschoen de
wrist-length glove

kaphandschoen de
gauntlet

avondhandschoen de
evening glove

mitaine de
fingerless mitt

armstuk het
gauntlet

KLEDING EN ACCESSOIRES

123

HOOFDDEKSELS
HEADGEAR

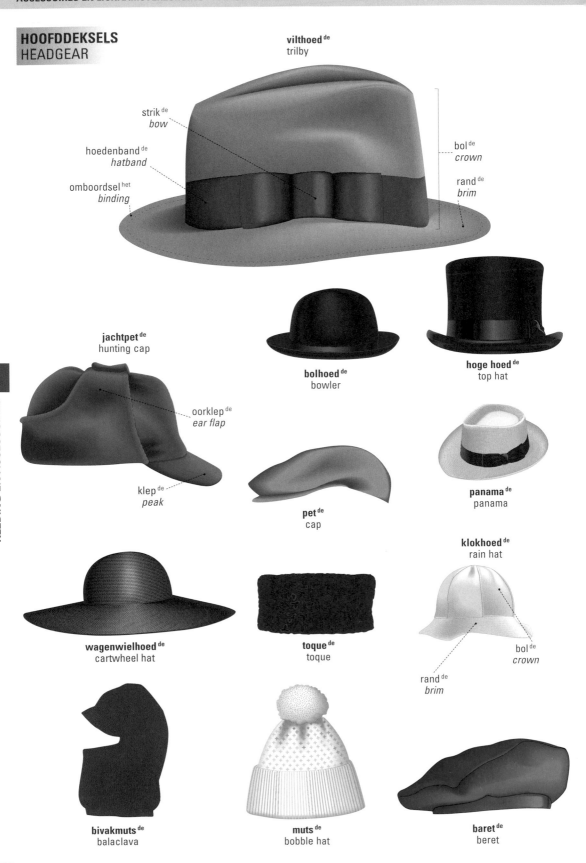

vilthoed de
trilby

strik de
bow

hoedenband de
hatband

omboordsel het
binding

bol de
crown

rand de
brim

jachtpet de
hunting cap

oorklep de
ear flap

klep de
peak

bolhoed de
bowler

hoge hoed de
top hat

pet de
cap

panama de
panama

klokhoed de
rain hat

wagenwielhoed de
cartwheel hat

toque de
toque

bol de
crown

rand de
brim

bivakmuts de
balaclava

muts de
bobble hat

baret de
beret

delen van een schoen
parts of a shoe

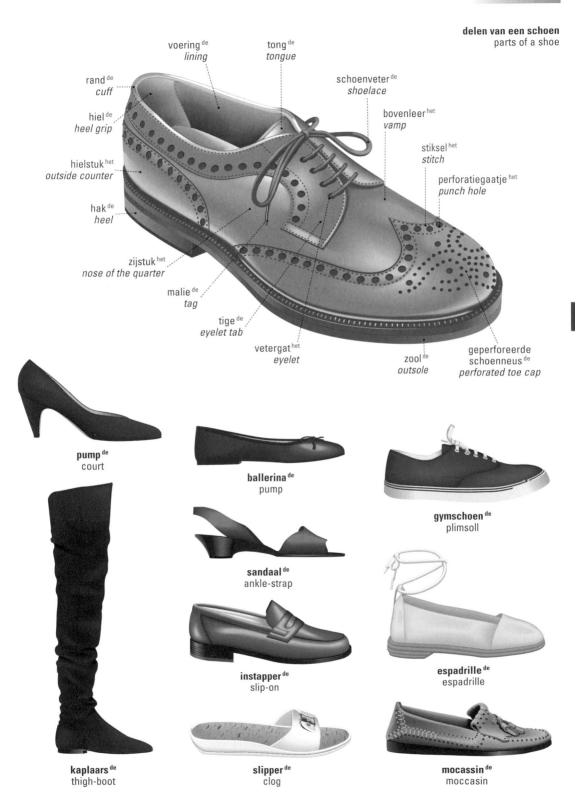

voering ^{de} → *lining*

tong ^{de} → *tongue*

rand ^{de} → *cuff*

schoenveter ^{de} → *shoelace*

hiel ^{de} → *heel grip*

bovenleer ^{het} → *vamp*

stiksel ^{het} → *stitch*

hielstuk ^{het} → *outside counter*

perforatiegaatje ^{het} → *punch hole*

hak ^{de} → *heel*

zijstuk ^{het} → *nose of the quarter*

malie ^{de} → *tag*

tige ^{de} → *eyelet tab*

vetergat ^{het} → *eyelet*

zool ^{de} → *outsole*

geperforeerde schoenneus ^{de} → *perforated toe cap*

pump ^{de}
court

ballerina ^{de}
pump

gymschoen ^{de}
plimsoll

sandaal ^{de}
ankle-strap

kaplaars ^{de}
thigh-boot

instapper ^{de}
slip-on

espadrille ^{de}
espadrille

slipper ^{de}
clog

mocassin ^{de}
moccasin

KLEDING EN ACCESSOIRES

LEDERWAREN
LEATHER GOODS

diplomatenkoffertje het
attaché case

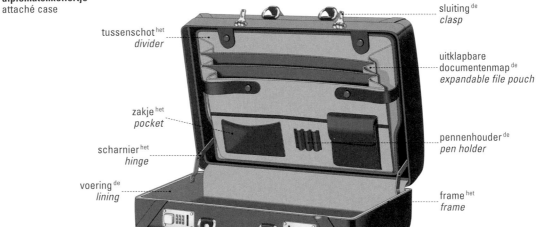

tussenschot het
divider

sluiting de
clasp

uitklapbare
documentenmap de
expandable file pouch

zakje het
pocket

scharnier het
hinge

pennenhouder de
pen holder

voering de
lining

frame het
frame

handvat het
handle

combinatieslot het
combination lock

documentenmap de
bottom-fold document case

aktetas de
briefcase

intrekbaar handvat het
retractable handle

buitenvak het
exterior pocket

plooi de
gusset

sluitband de
tab

sleutelslot het
key lock

muntenbeurs de
coin purse

schrijfmap de
writing case

clippermap de
underarm briefcase

sleuteletui het
key case

knipbeurs de
purse

briletui het
spectacles case

portemonnee de
wallet

KLEDING EN ACCESSOIRES

veerslot ^{het}
latch

sluiting ^{de}
hasp

hutkoffer ^{de}
trunk

inzetbak ^{de}
tray

handvat ^{het}
handle

hoekstuk ^{het}
cornerpiece

verstevigingsstrips
reinforced edging

rits ^{de}
zip

kledingzak ^{de}
suit carrier

koffer ^{de}
suitcase

handvat ^{het}
handle

frame ^{het}
frame

trekriem ^{de}
pull strap

gesp ^{de}
buckle

schouderriem ^{de}
shoulder strap

schoudertas ^{de}
shoulder bag

wieltje ^{het}
wheel

bies ^{de}
trim

kofferlabel ^{de/het}
identity tag

draagtas ^{de}
shopping bag

oogje ^{het}
eyelet

trekkoord ^{het}
drawstring

voorvak ^{het}
front pocket

kleine reticule ^{de}
small drawstring bag

herentas ^{de}
men's bag

reticule ^{de}
drawstring bag

KLEDING EN ACCESSOIRES

127

BRILLEN
SPECTACLES

onderdelen van een bril
parts of spectacles

brug ^{de} → *bridge*

brillenglas ^{het} → *lens*

rand ^{de} → *bar*

brillenpoot ^{de} → *sidepiece*

boog ^{de} → *bend*

montuur ^{het/de} → *rim*

brilveer ^{de} → *earpiece*

neussteun ^{de} → *pad arm*

leesbril ^{de}
half-glasses

zonnebril ^{de}
sunglasses

monocle ^{de}
monocle

PARAPLU EN WANDELSTOK
UMBRELLA AND WALKING STICK

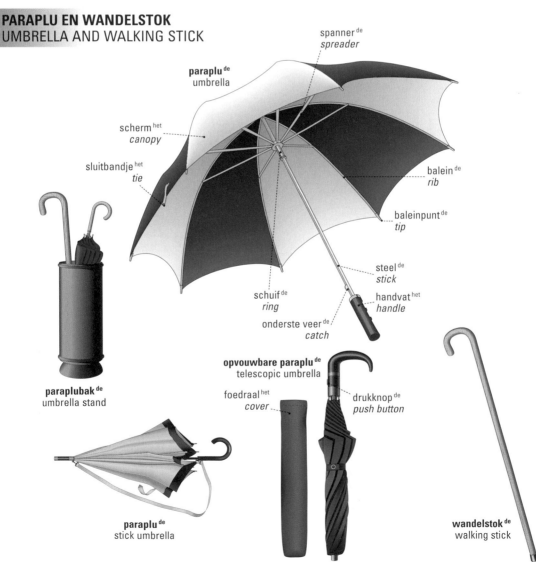

spanner ^{de} → *spreader*

paraplu ^{de}
umbrella

scherm ^{het} → *canopy*

sluitbandje ^{het} → *tie*

balein ^{de} → *rib*

baleinpunt ^{de} → *tip*

steel ^{de} → *stick*

handvat ^{het} → *handle*

schuif ^{de} → *ring*

onderste veer ^{de} → *catch*

paraplubak ^{de}
umbrella stand

opvouwbare paraplu ^{de}
telescopic umbrella

foedraal ^{het} → *cover*

drukknop ^{de} → *push button*

paraplu ^{de}
stick umbrella

wandelstok ^{de}
walking stick

oorringen
hoop earrings

gladde ringde
band ring

oorknoppen
ear studs

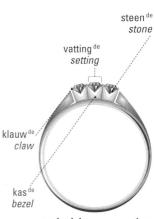

steen de
stone

vatting de
setting

klauw de
claw

kas de
bezel

onderdelen van een ring
parts of a ring

halssnoerhet
rope

medaillonhet
locket

brochede
brooch

bedelarmbandde
charm bracelet

ringarmbandde
bangle

halskettingde
matinee-length necklace

hangerde
pendant

zegelringde
signet ring

halfedelstenen
semiprecious stones

amethist
amethyst

lapis lazuli
lapis lazuli

aquamarijn
aquamarine

topaas
topaz

toermalijn
tourmaline

opaal
opal

turkoois
turquoise

granaat
garnet

edelstenen
precious stones

smaragd
emerald

saffier
sapphire

diamant
diamond

robijn
ruby

KLEDING EN ACCESSOIRES

HAARVERZORGING
HAIRDRESSING

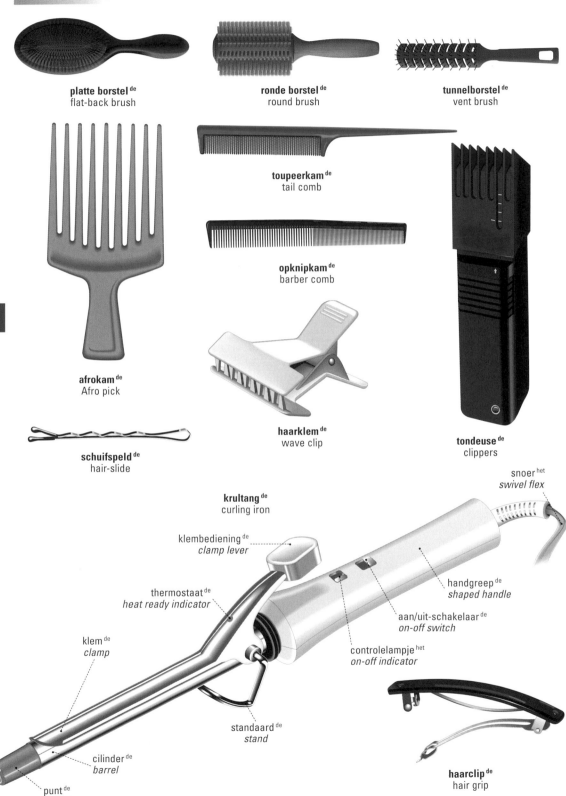

platte borstel^{de}
flat-back brush

ronde borstel^{de}
round brush

tunnelborstel^{de}
vent brush

toupeerkam^{de}
tail comb

opknipkam^{de}
barber comb

afrokam^{de}
Afro pick

haarklem^{de}
wave clip

tondeuse^{de}
clippers

schuifspeld^{de}
hair-slide

krultang^{de}
curling iron

klembediening^{de}
clamp lever

thermostaat^{de}
heat ready indicator

snoer^{het}
swivel flex

handgreep^{de}
shaped handle

aan/uit-schakelaar^{de}
on-off switch

controlelampje^{het}
on-off indicator

klem^{de}
clamp

standaard^{de}
stand

cilinder^{de}
barrel

punt^{de}
cool tip

haarclip^{de}
hair grip

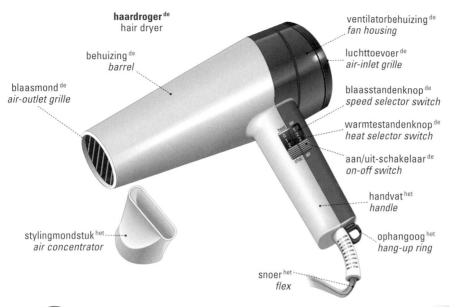

haardroger de
hair dryer

behuizing de
barrel

blaasmond de
air-outlet grille

ventilatorbehuizing de
fan housing

luchttoevoer de
air-inlet grille

blaasstandenknop de
speed selector switch

warmtestandenknop de
heat selector switch

aan/uit-schakelaar de
on-off switch

handvat het
handle

ophangoog het
hang-up ring

stylingmondstuk het
air concentrator

snoer het
flex

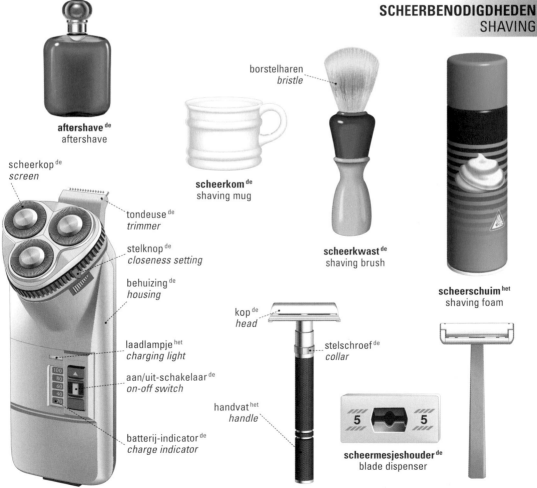

aftershave de
aftershave

borstelharen
bristle

scheerkom de
shaving mug

scheerkwast de
shaving brush

scheerschuim het
shaving foam

scheerkop de
screen

tondeuse de
trimmer

stelknop de
closeness setting

behuizing de
housing

laadlampje het
charging light

aan/uit-schakelaar de
on-off switch

batterij-indicator de
charge indicator

kop de
head

stelschroef de
collar

handvat het
handle

scheermesjeshouder de
blade dispenser

elektrisch scheerapparaat het
electric razor

tweesnijdend scheermes het
double-edged razor

wegwerpscheermes het
disposable razor

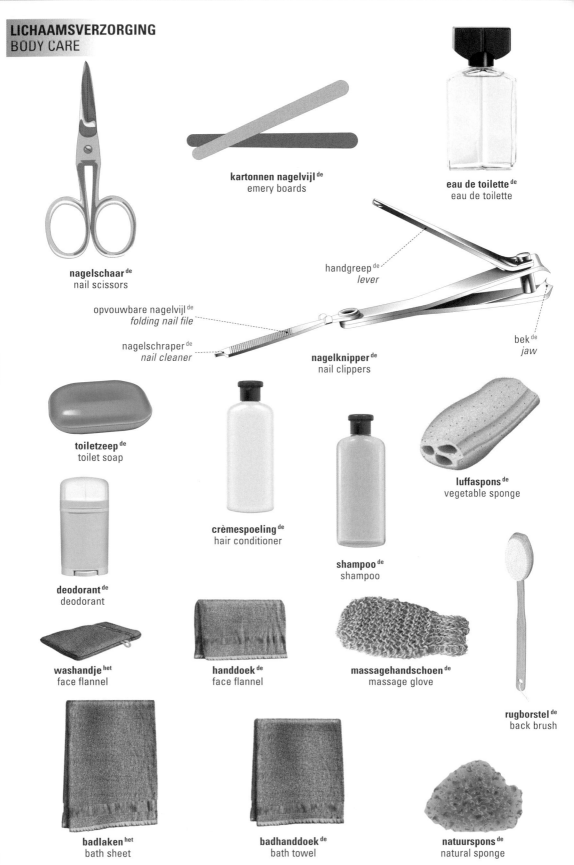

LICHAAMSVERZORGING
BODY CARE

kartonnen nagelvijl de
emery boards

eau de toilette de
eau de toilette

nagelschaar de
nail scissors

handgreep de
lever

opvouwbare nagelvijl de
folding nail file

nagelschraper de
nail cleaner

nagelknipper de
nail clippers

bek de
jaw

toiletzeep de
toilet soap

crèmespoeling de
hair conditioner

shampoo de
shampoo

luffaspons de
vegetable sponge

deodorant de
deodorant

washandje het
face flannel

handdoek de
face flannel

massagehandschoen de
massage glove

rugborstel de
back brush

badlaken het
bath sheet

badhanddoek de
bath towel

natuurspons de
natural sponge

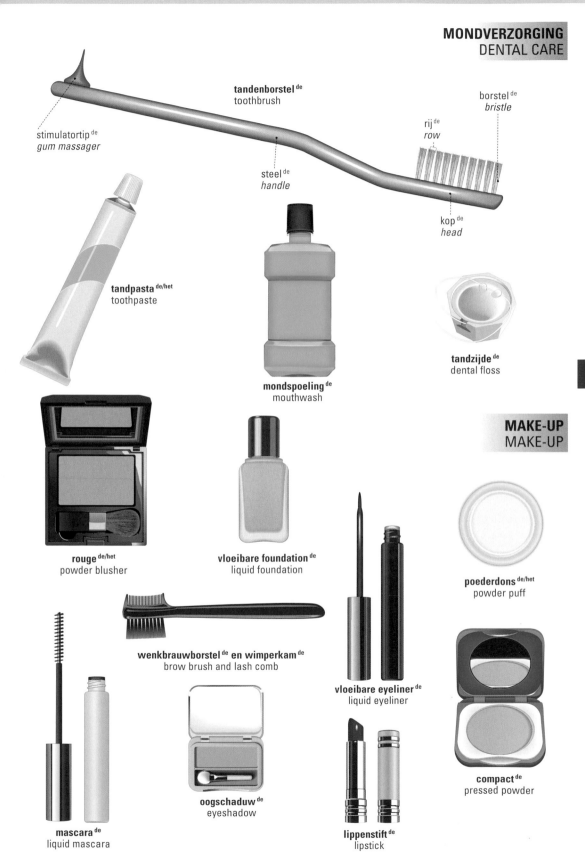

MONDVERZORGING
DENTAL CARE

tandenborstel de
toothbrush

borstel de
bristle

rij de
row

stimulatortip de
gum massager

steel de
handle

kop de
head

tandpasta de/het
toothpaste

mondspoeling de
mouthwash

tandzijde de
dental floss

MAKE-UP
MAKE-UP

rouge de/het
powder blusher

vloeibare foundation de
liquid foundation

poederdons de/het
powder puff

wenkbrauwborstel de **en wimperkam** de
brow brush and lash comb

vloeibare eyeliner de
liquid eyeliner

compact de
pressed powder

mascara de
liquid mascara

oogschaduw de
eyeshadow

lippenstift de
lipstick

KLEDING EN ACCESSOIRES

Het uiterlijk van een huis wordt bepaald door factoren als de materialen die gebruikt zijn om het te bedekken, een plat dak of puntdak, een aangebouwde garage, het aantal verdiepingen enzovoort.

De bijbehorende grond is ook een belangrijke factor in het geheel: is er slechts plaats voor een klein bloembed of is de tuin groot genoeg voor een zwembad, een moestuin en een schuur.

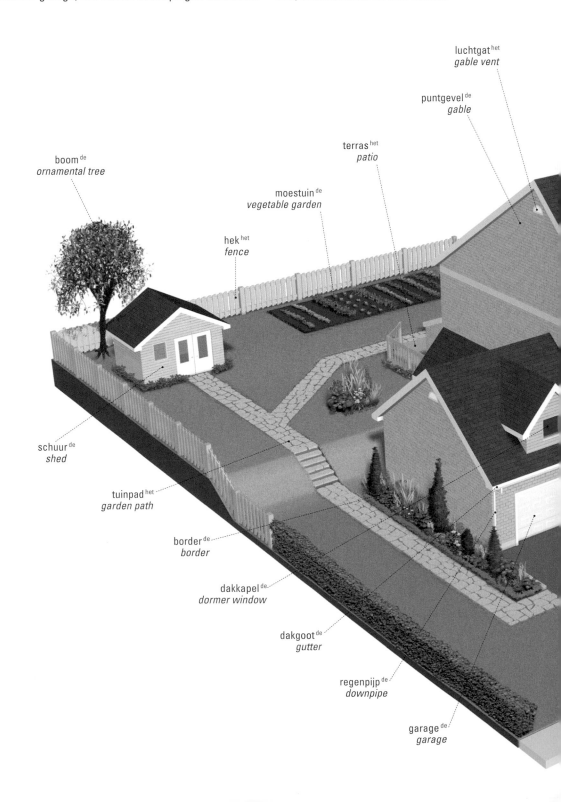

luchtgat ^{het}
gable vent

puntgevel ^{de}
gable

terras ^{het}
patio

boom ^{de}
ornamental tree

moestuin ^{de}
vegetable garden

hek ^{het}
fence

schuur ^{de}
shed

tuinpad ^{het}
garden path

border ^{de}
border

dakkapel ^{de}
dormer window

dakgoot ^{de}
gutter

regenpijp ^{de}
downpipe

garage ^{de}
garage

bovengronds zwembad ^{het}
above ground swimming pool

verzonken zwembad ^{het}
sunken swimming pool

filter ^{de/het}
filter

trapje ^{het}
steps

duikplank ^{de}
diving board

bliksemafleider ^{de}
lightning conductor

schoorsteen ^{de}
chimney

dak ^{het}
roof

kroonlijst ^{de}
cornice

dakraam ^{het}
skylight

bordes ^{het}
stone steps

plattegrond ^{de}
site plan

heg ^{de}
hedge

gazon ^{het}
lawn

kelderraam ^{het}
basement window

bloembed ^{het}
flower bed

trottoir ^{het}
pavement

portiek ^{de/het}
porch

oprit ^{de}
driveway

HUIS

Elk huis bestaat uit een aantal basiselementen, zoals een dak en vier muren, of het nu van hout, steen of stro is gemaakt. Muren zijn altijd voorzien van een deur, zodat mensen naar binnen en naar buiten kunnen. Openingen zoals ramen dienen om het licht en frisse lucht binnen te laten. Moderne huizen hebben veel verschillende deuren en ramen.

DEUR
DOOR

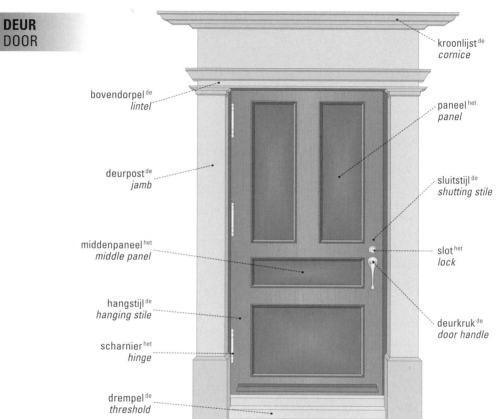

kroonlijst ^{de}
cornice

bovendorpel ^{de}
lintel

paneel ^{het}
panel

deurpost ^{de}
jamb

sluitstijl ^{de}
shutting stile

middenpaneel ^{het}
middle panel

slot ^{het}
lock

hangstijl ^{de}
hanging stile

scharnier ^{het}
hinge

deurkruk ^{de}
door handle

drempel ^{de}
threshold

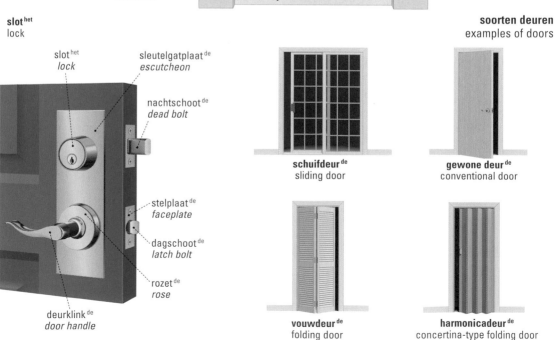

slot ^{het}
lock

slot ^{het}
lock

sleutelgatplaat ^{de}
escutcheon

nachtschoot ^{de}
dead bolt

stelplaat ^{de}
faceplate

dagschoot ^{de}
latch bolt

rozet ^{de}
rose

deurklink ^{de}
door handle

soorten deuren
examples of doors

schuifdeur ^{de}
sliding door

gewone deur ^{de}
conventional door

vouwdeur ^{de}
folding door

harmonicadeur ^{de}
concertina-type folding door

HUIS

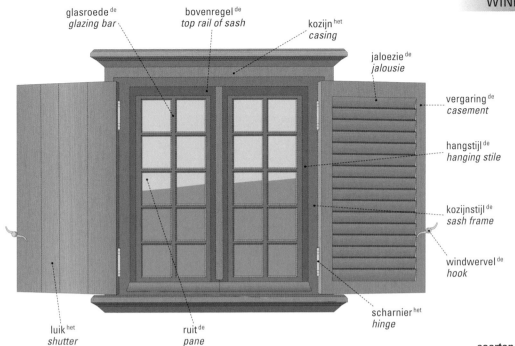

glasroede^{de}
glazing bar

bovenregel^{de}
top rail of sash

kozijn^{het}
casing

jaloezie^{de}
jalousie

vergaring^{de}
casement

hangstijl^{de}
hanging stile

kozijnstijl^{de}
sash frame

windwervel^{de}
hook

scharnier^{het}
hinge

luik^{het}
shutter

ruit^{de}
pane

soorten ramen
examples of windows

HUIS

naar buiten openslaand raam^{het}
casement window opening inwards

naar binnen openslaand raam^{het}
casement window

louvreraam^{het}
louvred window

kantelraam^{het}
horizontal pivoting window

schuifraam^{het}
sash window

draairaam^{het}
vertical pivoting window

schuifraam^{het}
sliding window

vouwraam^{het}
sliding folding window

Soms liggen de kamers van een huis op één verdieping, soms verspreid over meerdere verdiepingen. Het aantal kamers per huis kan behoorlijk verschillen, afhankelijk van de behoeften en het budget van de bewoners. De meeste moderne huizen hebben een keuken, een eetkamer, een woonkamer, een badkamer en ten minste één slaapkamer.

OPSTAND
ELEVATION

zolderverdieping de
mezzanine floor

eerste verdieping de
first floor

benedenverdieping de
ground floor

kelder de
basement

HUIS

BENEDENVERDIEPING
GROUND FLOOR

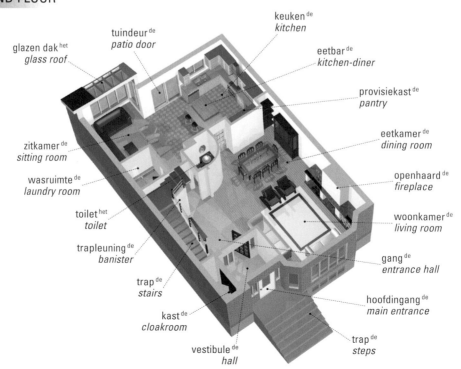

keuken de
kitchen

tuindeur de
patio door

glazen dak het
glass roof

eetbar de
kitchen-diner

provisiekast de
pantry

zitkamer de
sitting room

eetkamer de
dining room

wasruimte de
laundry room

openhaard de
fireplace

toilet het
toilet

woonkamer de
living room

trapleuning de
banister

gang de
entrance hall

trap de
stairs

hoofdingang de
main entrance

kast de
cloakroom

trap de
steps

vestibule de
hall

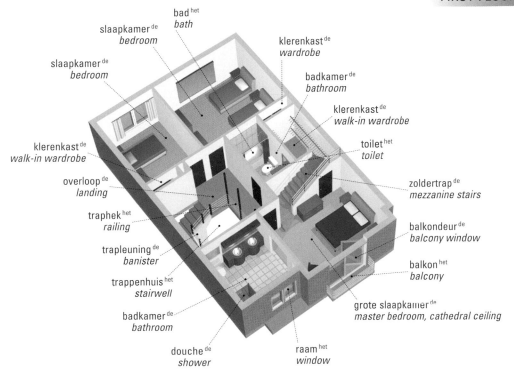

bad het
bath

slaapkamer de
bedroom

klerenkast de
wardrobe

slaapkamer de
bedroom

badkamer de
bathroom

klerenkast de
walk-in wardrobe

klerenkast de
walk-in wardrobe

toilet het
toilet

overloop de
landing

zoldertrap de
mezzanine stairs

traphek het
railing

trapleuning de
banister

balkondeur de
balcony window

trappenhuis het
stairwell

balkon het
balcony

badkamer de
bathroom

grote slaapkamer de
master bedroom, cathedral ceiling

douche de
shower

raam het
window

HUIS

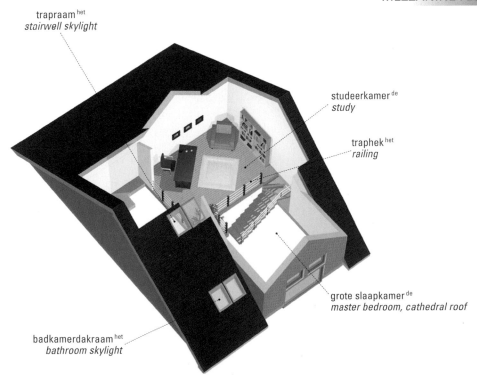

trapraam het
stairwell skylight

studeerkamer de
study

traphek het
railing

grote slaapkamer de
master bedroom, cathedral roof

badkamerdakraam het
bathroom skylight

Het meubilair van een huis bestaat uit verplaatsbare voorwerpen die de bewoners gebruiken om op te zitten en te liggen en om dingen uit te stallen en op te bergen. Het meubilair in een huis geeft een beeld van de cultuur van de bewoners, hun levenswijze en van de tijd waarin ze leven. Woestijnnomaden hebben nooit overbodig meubilair; veel mensen in ontwikkelingslanden zijn te arm om meubels te bezitten.

STOELEN EN BANKEN
SEATS, SIDE CHAIRS, AND ARMCHAIRS

onderdelen van een stoel
parts of a side chair

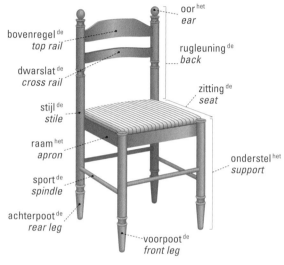

oor ^{het}
ear

bovenregel ^{de}
top rail

rugleuning ^{de}
back

dwarslat ^{de}
cross rail

zitting ^{de}
seat

stijl ^{de}
stile

raam ^{het}
apron

onderstel ^{het}
support

sport ^{de}
spindle

achterpoot ^{de}
rear leg

voorpoot ^{de}
front leg

schommelstoel ^{de}
rocking chair

leunstoel ^{de}
armchair

tweezitsbank ^{de}
two-seater settee

driezitsbank ^{de}
sofa

zitzak ^{de}
bean bag chair

poef ^{de}
ottoman

klapstoel ^{de}
folding chair

krukje ^{het}
footstool

kruk ^{de}
bar stool

clubfauteuil ^{de}
club chair

tuinbank ^{de}
bench

chaise longue ^{de}
recliner

HUIS

kast^{de}
armoire

kroonlijst^{de}
cornice

fries^{de/het}
frieze

middenstijl^{de}
centre post

slot^{het}
lock

kaststijl^{de}
frame stile

scharnier^{het}
hinge

kastpoot^{de}
foot

voetlijst^{de}
bracket base

OPBERGMEUBELS
STORAGE FURNITURE

kaptafel^{de}
dressing table

ladekastje^{het}
chiffonier

KINDERMEUBELS
CHILDREN'S FURNITURE

commode^{de}
changing table

kinderstoel^{de}
high chair

rugleuning^{de}
back

tafeltje^{het}
tray

veiligheidsriempje^{het}
waist belt

voetsteun^{de}
footrest

poot^{de}
leg

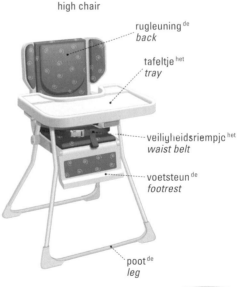

ledikant^{het}
cot

bedhekje^{het}
barrier

hoofdeinde^{het}
headboard

spijl^{de}
slat

matras^{de/het}
mattress

lade^{de}
drawer

zwenkwieltje^{het}
caster

stoelverhoger^{de}
booster seat

HUIS

BED
BED

HUIS

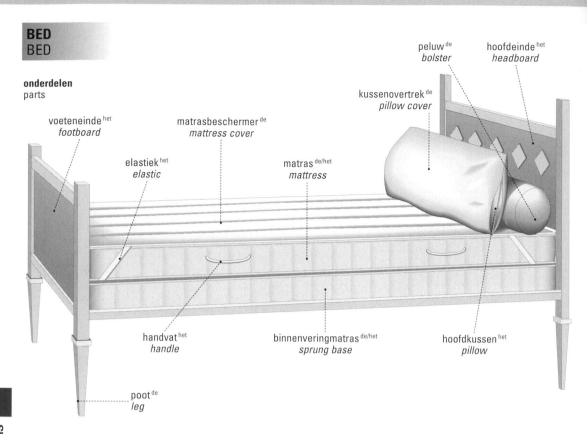

onderdelen
parts

peluw de
bolster

hoofdeinde het
headboard

kussenovertrek de
pillow cover

voeteneinde het
footboard

matrasbeschermer de
mattress cover

elastiek het
elastic

matras de/het
mattress

handvat het
handle

binnenveringmatras de/het
sprung base

hoofdkussen het
pillow

poot de
leg

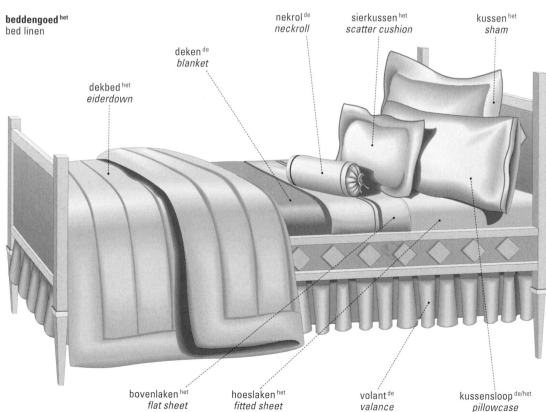

beddengoed het
bed linen

nekrol de
neckroll

sierkussen het
scatter cushion

kussen het
sham

deken de
blanket

dekbed het
eiderdown

bovenlaken het
flat sheet

hoeslaken het
fitted sheet

volant de
valance

kussensloop de/het
pillowcase

De keuken kan zich in een hoek van de kamer bevinden of in een aparte ruimte, er worden altijd maaltijden bereid. De moderne keuken is uitgerust met een koelkast, een fornuis en een keur aan kleine elektrische apparaten en gebruiksvoorwerpen. Koks hebben tegenwoordig allerlei keukengereedschap tot hun beschikking om op een snelle en efficiënte manier eten te koken.

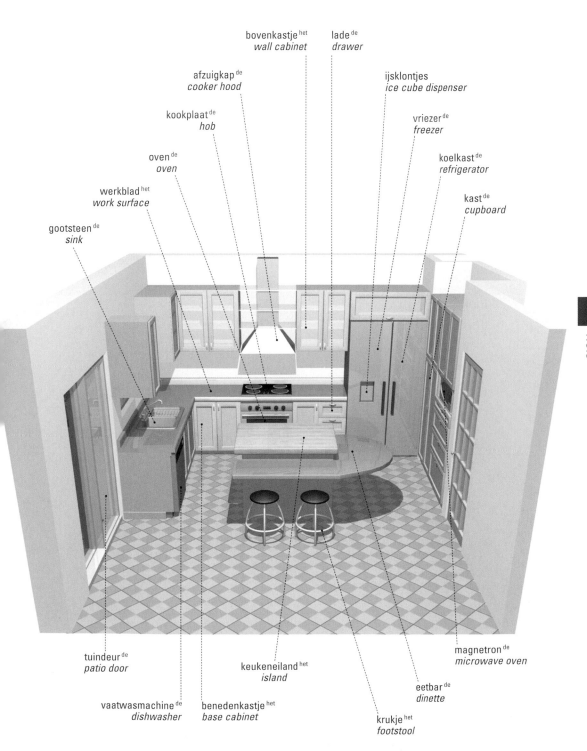

bovenkastje ^{het}
wall cabinet

lade ^{de}
drawer

afzuigkap ^{de}
cooker hood

ijsklontjes
ice cube dispenser

kookplaat ^{de}
hob

vriezer ^{de}
freezer

oven ^{de}
oven

koelkast ^{de}
refrigerator

werkblad ^{het}
work surface

kast ^{de}
cupboard

gootsteen ^{de}
sink

HUIS

tuindeur ^{de}
patio door

keukeneiland ^{het}
island

magnetron ^{de}
microwave oven

vaatwasmachine ^{de}
dishwasher

benedenkastje ^{het}
base cabinet

krukje ^{het}
footstool

eetbar ^{de}
dinette

GLASWERK
GLASSWARE

tumblerde; **glas**het
tumbler; glass

bourgogneglashet
burgundy glass

witte-wijnglashet
white wine glass

champagnecoupede
champagne glass

champagneflûtede
champagne flute

decanteerkarafde
decanter

karafde
carafe

bierglashet
beer glass

SERVIES
CROCKERY

theekopde
tea cup

mokkakopjehet
demitasse

botervlootde
butter dish

suikerpotde
sugar bowl

melkkande
cream jug

koffiemokde
coffee mug

zoutvathet
saltcellar

ovenschaaltjehet
ramekin

sauskomde
gravy boat

pepervathet
pepperpot

HUIS

144

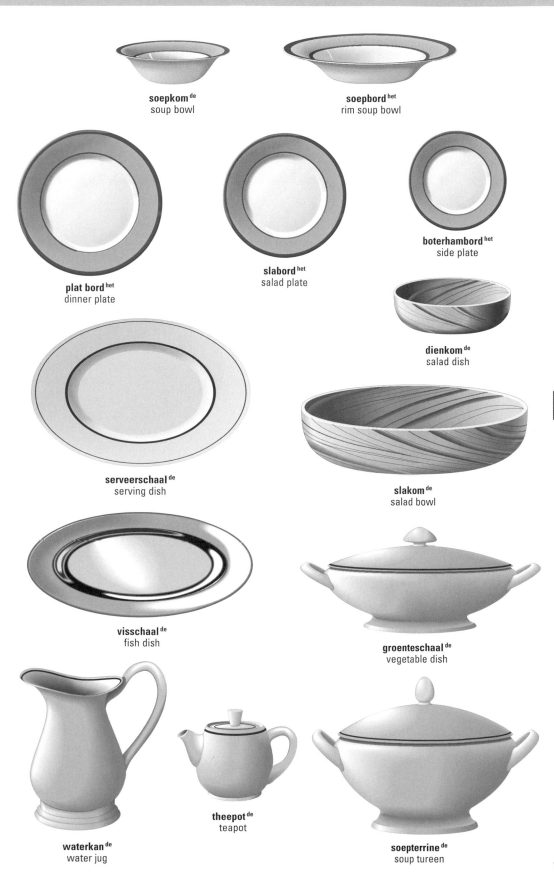

soepkom de
soup bowl

soepbord het
rim soup bowl

plat bord het
dinner plate

slabord het
salad plate

boterhambord het
side plate

dienkom de
salad dish

serveerschaal de
serving dish

slakom de
salad bowl

visschaal de
fish dish

groenteschaal de
vegetable dish

waterkan de
water jug

theepot de
teapot

soepterrine de
soup tureen

HUIS

145

BESTEK
CUTLERY

botermesje het
butter knife

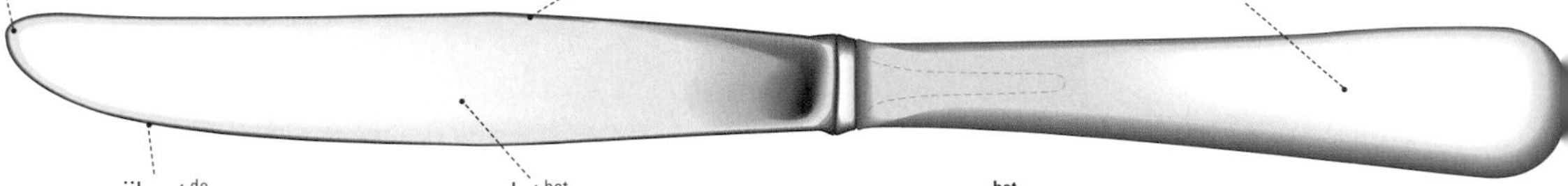

punt de
tip

rug de
back

heft het
handle

snijkant de
cutting edge

plat het
side

mes het
knife

steakmes het
steak knife

kaasmes het
cheese knife

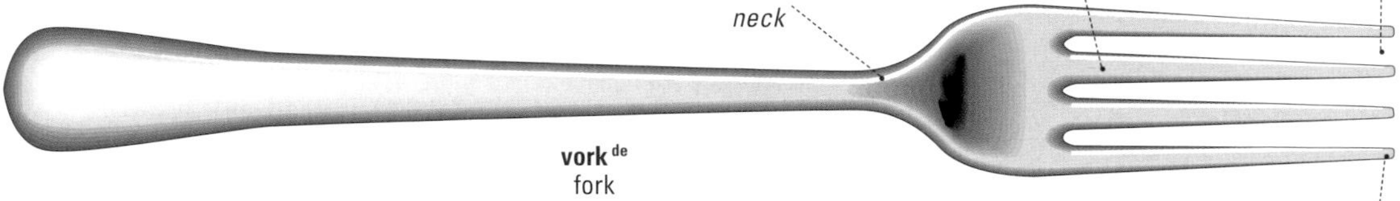

tand de
tine

gleuf de
slot

hals de
neck

vork de
fork

punt de
point

fonduevork de
fondue fork

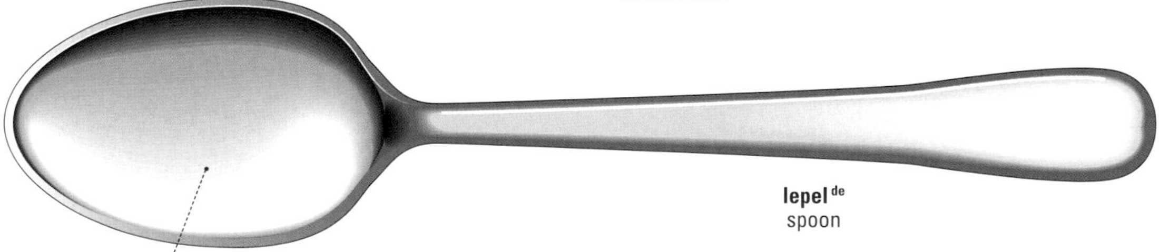

lepel de
spoon

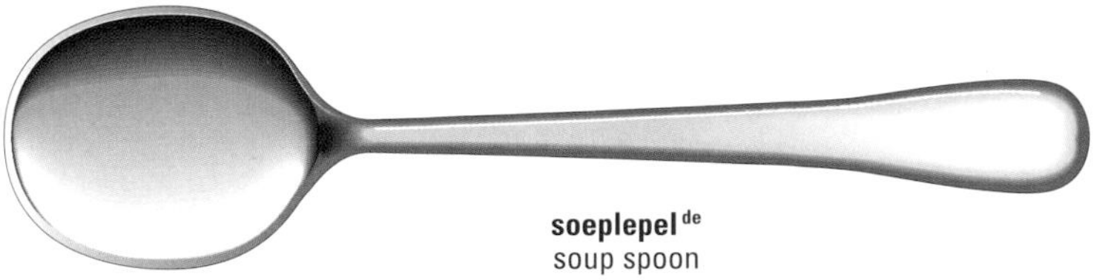

holte de
bowl

soeplepel de
soup spoon

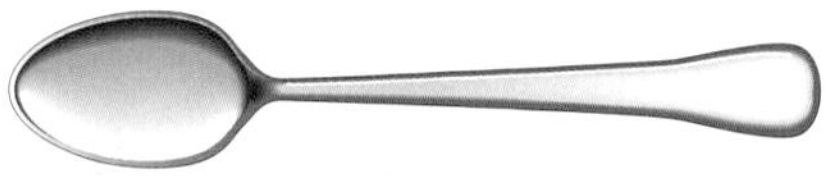

koffielepel de
coffee spoon

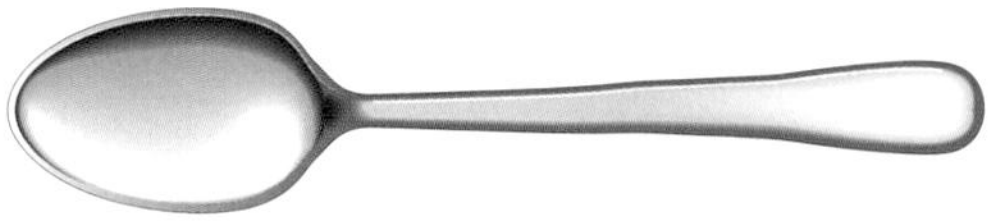

theelepel de
teaspoon

HUIS

keukenweegschaal de
kitchen scale

citroenpers de
lemon squeezer

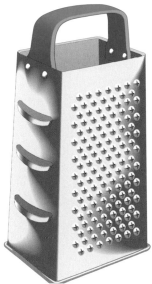

slacentrifuge de
salad spinner

vergiet de/het
colander

HUIS

rasp de
grater

appelboor de
apple corer

dunschiller de
peeler

meloenschepje het
melon baller

groenteborstel de
vegetable brush

notenkraker de
nutcracker

blikopener de
tin opener

kurkentrekker de
lever corkscrew

flesopener de
bottle opener

147

muffinvorm de
bun tin

trechter de
funnel

maatbeker de
measuring jug

uitsteekvormpjes
biscuit cutters

maatlepels
measuring spoons

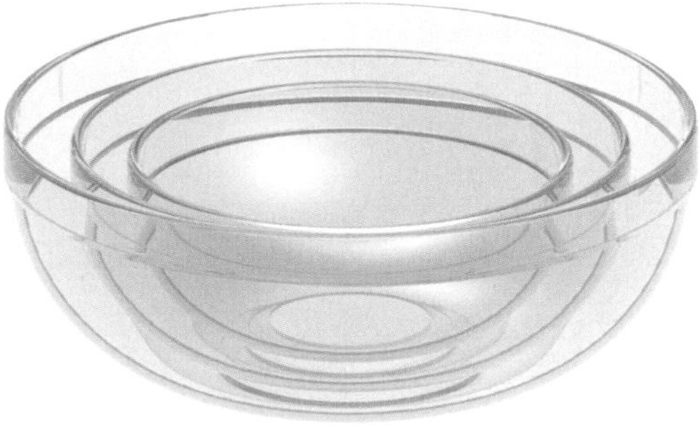

mengkommen
mixing bowls

eiwitklopper de
egg beater

druppelteller de
baster

garde de
whisk

deegrol de
rolling pin

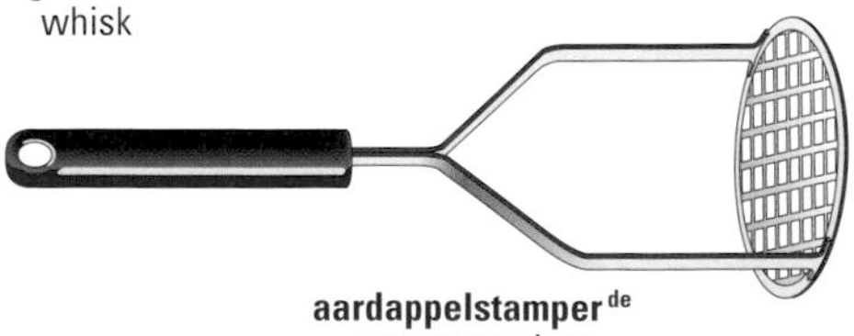

aardappelstamper de
potato masher

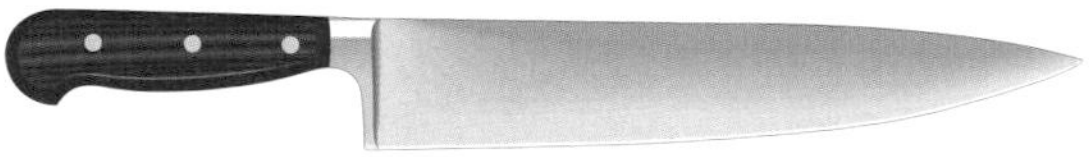

koksmes het
cook's knife

slatang de
tongs

pannenkoekmes het
spatula

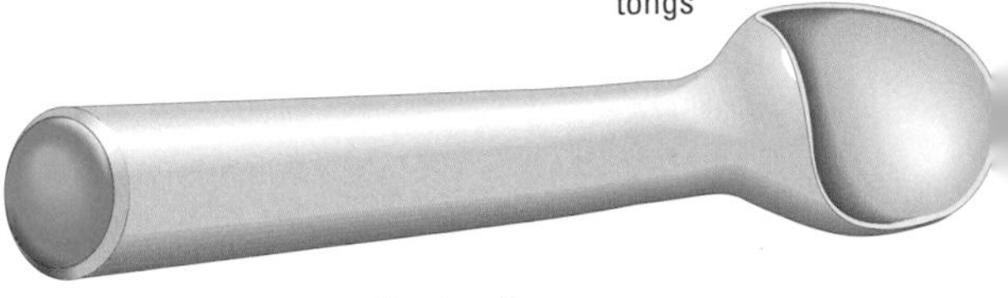

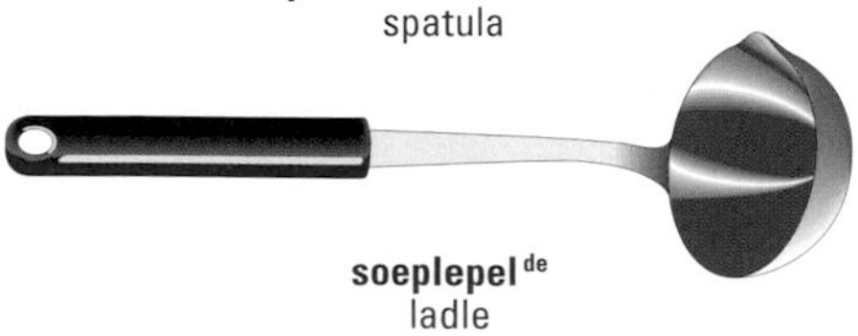

soeplepel de
ladle

ijsschep de
ice cream scoop

soeppan de
stock pot

au bain-mariestel het
double boiler

steelpan de
saucepan

koekenpan de
frying pan

sauteuse de
sauté pan

deksel de/het
lid

wokset de
wok set

rooster de/het
rack

HUIS

wok de
wok

ringvoet de
burner ring

braadschotels
roasting pans

fonduepan de
fondue pot

onderstel het
stand

stoombloem de
steamer basket

brander de
burner

veiligheidsklep de
safety valve

drukregelaar de
pressure regulator

fonduestel het
fondue set

snelkookpan de
pressure cooker

149

HUISHOUDELIJKE APPARATEN
DOMESTIC APPLIANCES

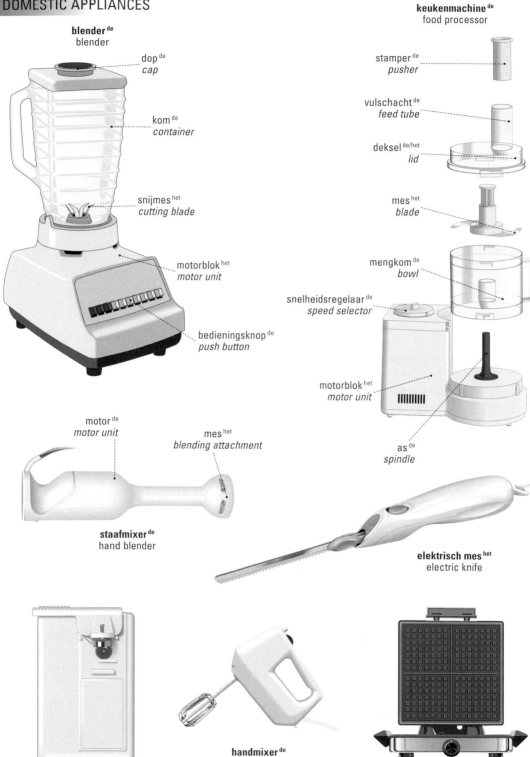

blender^{de}
blender

dop^{de}
cap

kom^{de}
container

snijmes^{het}
cutting blade

motorblok^{het}
motor unit

bedieningsknop^{de}
push button

keukenmachine^{de}
food processor

stamper^{de}
pusher

vulschacht^{de}
feed tube

deksel^{de/het}
lid

mes^{het}
blade

mengkom^{de}
bowl

snelheidsregelaar^{de}
speed selector

motorblok^{het}
motor unit

as^{de}
spindle

motor^{de}
motor unit

mes^{het}
blending attachment

staafmixer^{de}
hand blender

elektrisch mes^{het}
electric knife

blikopener^{de}
tin opener

handmixer^{de}
hand mixer

wafelijzer^{het}
waffle iron

HUIS

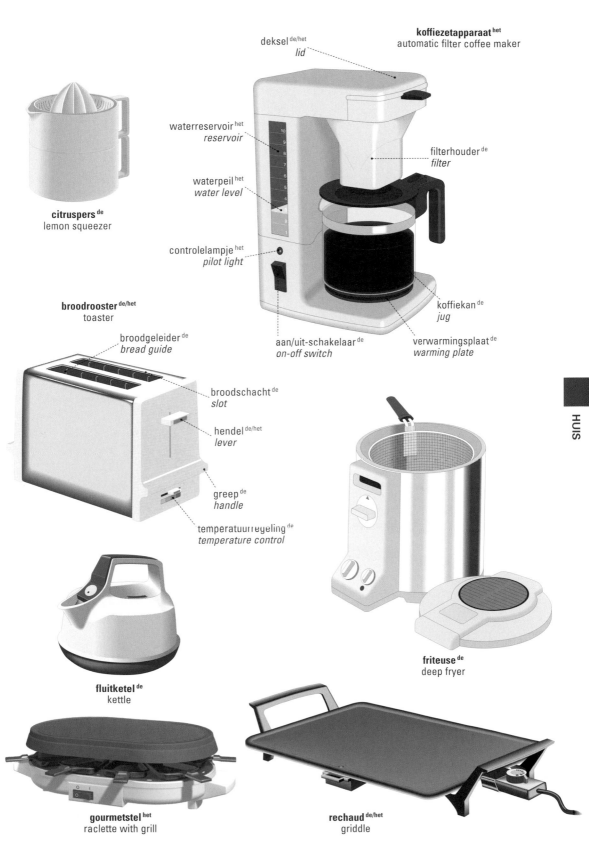

koffiezetapparaat het
automatic filter coffee maker

deksel de/het
lid

waterreservoir het
reservoir

filterhouder de
filter

waterpeil het
water level

controlelampje het
pilot light

citruspers de
lemon squeezer

koffiekan de
jug

aan/uit-schakelaar de
on-off switch

verwarmingsplaat de
warming plate

broodrooster de/het
toaster

broodgeleider de
bread guide

broodschacht de
slot

hendel de/het
lever

greep de
handle

temperatuurregeling de
temperature control

friteuse de
deep fryer

fluitketel de
kettle

gourmetstel het
raclette with grill

rechaud de/het
griddle

HUIS

151

ijskast ^{de}
refrigerator

vriesvak ^{het}
freezer compartment

deurstop ^{de}
door stop

deur ^{de}
freezer door

ijsblokbakje ^{het}
ice cube tray

magnetische pakking ^{de}
magnetic gasket

handvat ^{het}
handle

temperatuurregelaar ^{de}
thermostat control

lichtschakelaar ^{de}
switch

eierrekje ^{het}
egg tray

botervak ^{het}
butter compartment

melkvak ^{het}
dairy compartment

deur met vakken ^{de}
storage door

deurvak ^{het}
door shelf

schuifje ^{het}
guard rail

vleesvak ^{het}
meat keeper

rek ^{het}
shelf

groentela ^{de}
salad crisper

glazen blad ^{het}
glass cover

koelruimte ^{de}
refrigerator compartment

stelijzer ^{het}
shelf channel

magnetron ^{de}
microwave oven

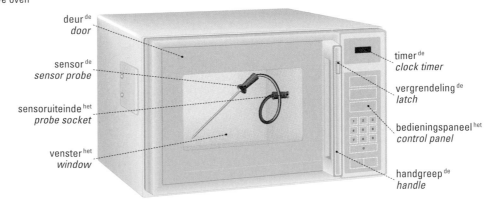

deur ^{de}
door

sensor ^{de}
sensor probe

sensoruiteinde ^{het}
probe socket

venster ^{het}
window

timer ^{de}
clock timer

vergrendeling ^{de}
latch

bedieningspaneel ^{het}
control panel

handgreep ^{de}
handle

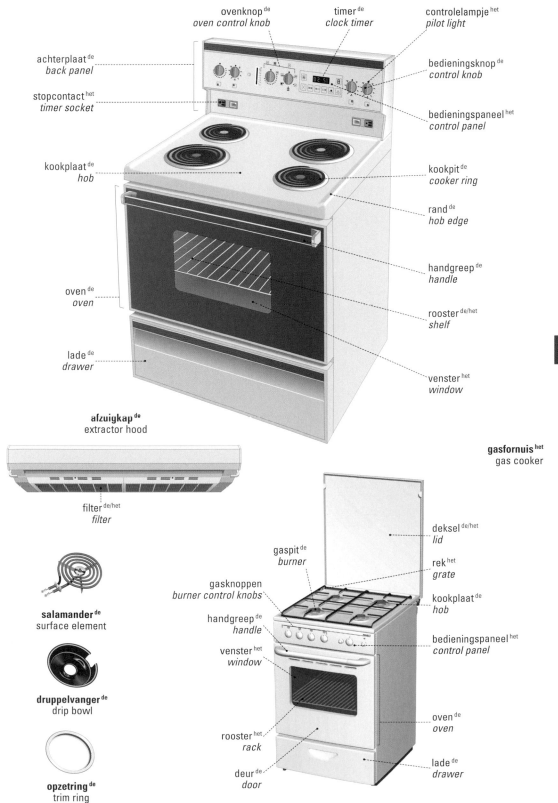

elektrisch fornuis het
electric cooker

ovenknop de
oven control knob

timer de
clock timer

controlelampje het
pilot light

achterplaat de
back panel

bedieningsknop de
control knob

stopcontact het
timer socket

bedieningspaneel het
control panel

kookplaat de
hob

kookpit de
cooker ring

rand de
hob edge

handgreep de
handle

oven de
oven

rooster de/het
shelf

lade de
drawer

venster het
window

afzuigkap de
extractor hood

gasfornuis het
gas cooker

filter de/het
filter

deksel de/het
lid

gaspit de
burner

rek het
grate

gasknoppen
burner control knobs

kookplaat de
hob

salamander de
surface element

handgreep de
handle

bedieningspaneel het
control panel

venster het
window

druppelvanger de
drip bowl

oven de
oven

rooster het
rack

lade de
drawer

opzetring de
trim ring

deur de
door

HUIS

De badcultuur bestaat al sinds het begin van de beschaving. De eerste badkamer met stromend water verscheen echter pas in de 19e eeuw. In moderne huizen is dit vertrek vaak uitgerust met een toilet, wasbak, doucheruimte en badkuip. Klein of groot, eenvoudig of luxe, in de badkamer gaat het vooral om persoonlijke hygiëne.

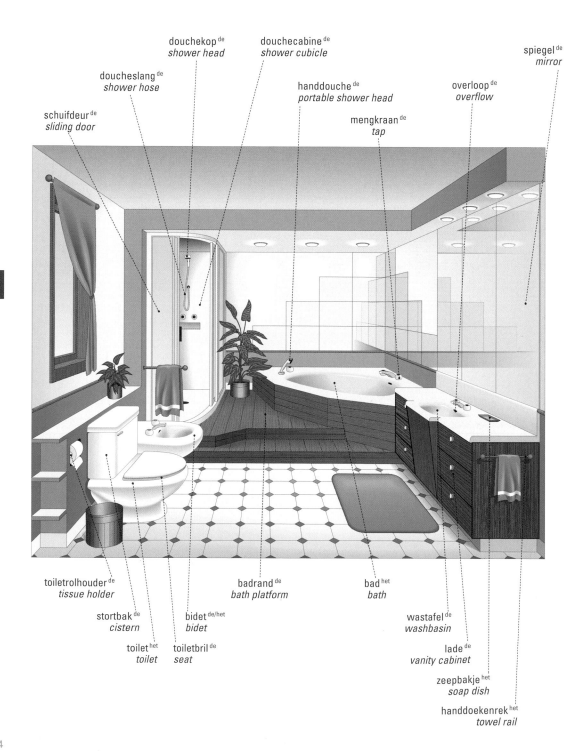

douchekop de
shower head

douchecabine de
shower cubicle

spiegel de
mirror

doucheslang de
shower hose

handdouche de
portable shower head

overloop de
overflow

schuifdeur de
sliding door

mengkraan de
tap

toiletrolhouder de
tissue holder

badrand de
bath platform

bad het
bath

stortbak de
cistern

bidet de/het
bidet

wastafel de
washbasin

toilet het
toilet

toiletbril de
seat

lade de
vanity cabinet

zeepbakje het
soap dish

handdoekenrek het
towel rail

Licht en temperatuur bepalen in belangrijke mate het comfort van een woning. Met verschillende soorten schakelaars en lampen kan men de verlichting aan de functie van een kamer aanpassen. De verwar-ming moet voor een constante aangename tempera-tuur zorgen, hetzij direct, zoals bij een openhaard, of indirect, zoals bij een centrale verwarming, die van-uit één punt alle vertrekken verwarmt.

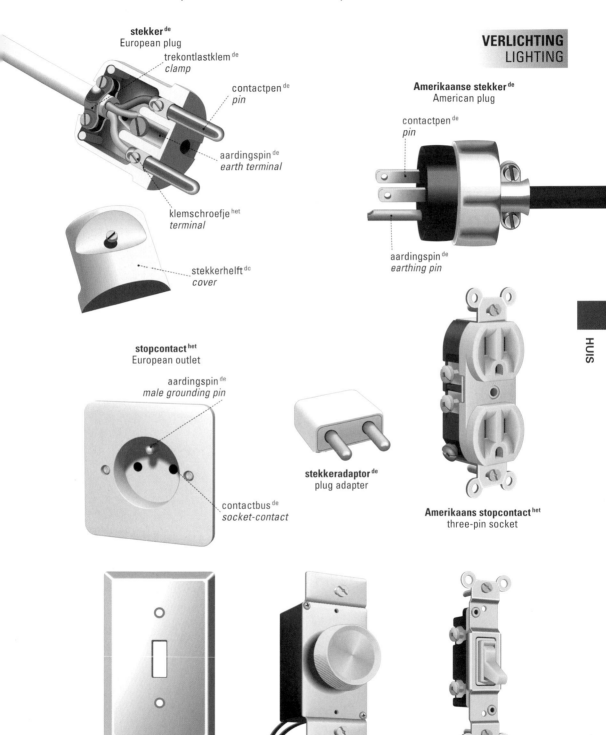

stekker de
European plug

trekontlastklem de
clamp

contactpen de
pin

aardingspin de
earth terminal

klemschroefje het
terminal

stekkerhelft dc
cover

stopcontact het
European outlet

aardingspin de
male grounding pin

contactbus de
socket-contact

VERLICHTING
LIGHTING

Amerikaanse stekker de
American plug

contactpen de
pin

aardingspin de
earthing pin

stekkeradaptor de
plug adapter

Amerikaans stopcontact het
three-pin socket

HUIS

schakelplaat de
escutcheon plate

dimschakelaar de
dimmer switch

tuimelschakelaar de
switch

155

gloeilamp^{de}
incandescent light bulb

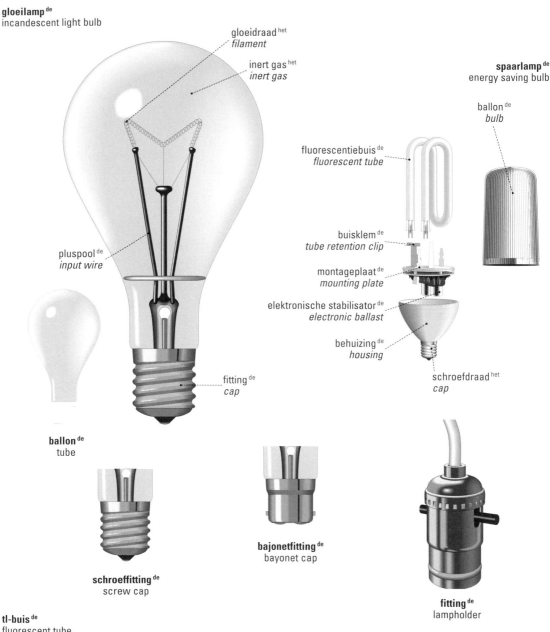

gloeidraad ^{het}
filament

inert gas ^{het}
inert gas

pluspool ^{de}
input wire

fitting ^{de}
cap

spaarlamp^{de}
energy saving bulb

ballon ^{de}
bulb

fluorescentiebuis ^{de}
fluorescent tube

buisklem ^{de}
tube retention clip

montageplaat ^{de}
mounting plate

elektronische stabilisator ^{de}
electronic ballast

behuizing ^{de}
housing

schroefdraad ^{het}
cap

ballon^{de}
tube

schroeffitting^{de}
screw cap

bajonetfitting^{de}
bayonet cap

fitting^{de}
lampholder

tl-buis^{de}
fluorescent tube

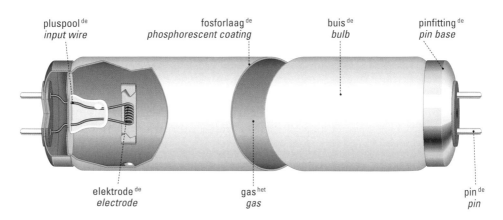

pluspool ^{de}
input wire

fosforlaag ^{de}
phosphorescent coating

buis ^{de}
bulb

pinfitting ^{de}
pin base

elektrode ^{de}
electrode

gas ^{het}
gas

pin ^{de}
pin

HUIS

verstelbare lamp de
adjustable lamp

arm de
arm

aan/uit-schakelaar de
on-off switch

kap de
shade

veer de
spring

verstelbare klem de
adjustable clamp

transformator de
transformer

spot de
spot

spot de
track lighting

kroonluchter de
chandelier

hanglamp de
hanging pendant

plafonnière de
ceiling fitting

klemspot de
clamp spotlight

bureaulamp de
desk lamp

lampenkap de
shade

lampvoet de
base

staande schemerlamp de
standard lamp

lantaarnpaal de
post lantern

lampvoet de
stand

schemerlamp de
table lamp

HUIS

157

VERWARMING
HEATING

openhaard ^{de}
fireplace

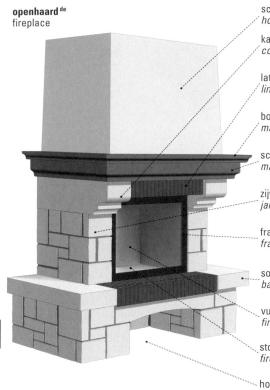

schouw ^{de}
hood

karbeel ^{de}
corbel piece

latei ^{de}
lintel

bovenkant schoorsteenmantel ^{de}
mantlepiece

schoorsteenmantel ^{de}
mantle

zijwand ^{de}
jamb

frame ^{het}
frame

sokkel ^{de}
base

vuurvaste steen ^{de}
firebrick back

stookplaats ^{de}
fireplace

houtplaats ^{de}
wood storage space

kachelgereedschap
fire irons

haardijzer ^{het}
log carrier

haardscherm ^{het}
fireplace screen

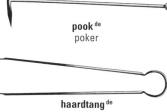

pook ^{de}
poker

haardtang ^{de}
tongs

bezem ^{de}
broom

schop ^{de}
shovel

ventilatorkachel ^{de}
fan heater

straalkachel ^{de}
radiant heater

kamerthermostaat ^{de}
room thermostat

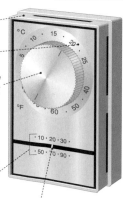

deksel ^{de/het}
cover

gewenste temperatuur ^{de}
desired temperature

temperatuurinstelling ^{de}
temperature control

huidige temperatuur ^{de}
actual temperature

wijzer ^{de}
pointer

plintconvector ^{de}
floor-level electric convector

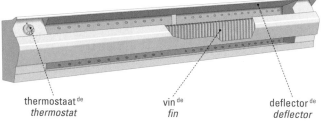

thermostaat ^{de}
thermostat

vin ^{de}
fin

deflector ^{de}
deflector

HUIS

158

Tot de uitvinding van de elektriciteit waren huishoudelijke taken een kwestie van spierkracht. Mensen veegden, wasten en stoften met de hand. De eerste elektrische apparaten - het strijkijzer was het allereerste - zetten elektriciteit om in warmte. Met de uitvinding van de motor kon elektriciteit omgezet worden in beweging. Dit leidde tot de ontwikkeling van een nieuwe generatie apparaten zoals de wasmachine en droger.

schuursponsje het
scouring pad

keukenhanddoek de
kitchen towel

schenktuit de
pouring spout

handvat het
handle

emmer de
bucket

borstel de
brush

stoomstrijkijzer het
steam iron

kruimeldief de
hand vacuum cleaner

zwabber de
mop

deksel de/het
lid

stofzuiger de
cylinder vacuum cleaner

handvat het
handle

steelstofzuiger de
upright vacuum cleaner

vuilnisbak de
refuse container

blik het
dustpan

bezem de
broom

HUIS

159

wasmachine^{de}
washing machine

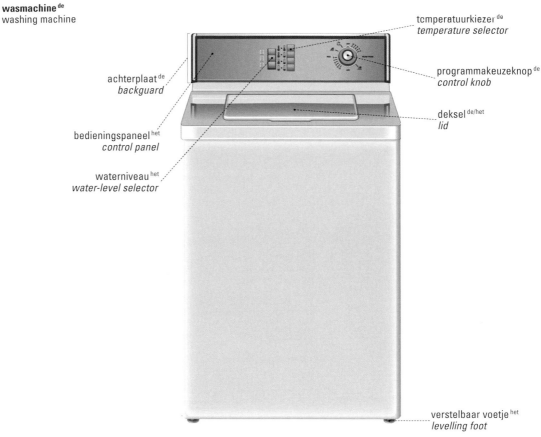

temperatuurkiezer ^{de}
temperature selector

programmakeuzeknop ^{de}
control knob

achterplaat ^{de}
backguard

deksel ^{de/het}
lid

bedieningspaneel ^{het}
control panel

waterniveau ^{het}
water-level selector

verstelbaar voetje ^{het}
levelling foot

droger^{de}
electric tumble dryer

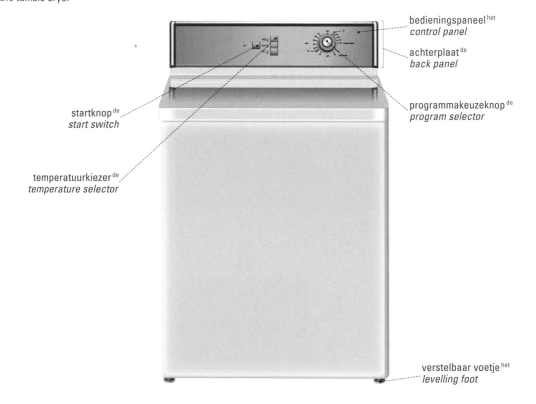

bedieningspaneel ^{het}
control panel

achterplaat ^{de}
back panel

startknop ^{de}
start switch

programmakeuzeknop ^{de}
program selector

temperatuurkiezer ^{de}
temperature selector

verstelbaar voetje ^{het}
levelling foot

HUIS

Voor het schilderen van een kamer, het vervangen van een stop of het repareren van een lekkende kraan is geen vakman nodig. Iedereen die een beetje slim en vindingrijk is, kan deze kleine klusjes zelf uitvoeren en een echte doe-het-zelver worden. Zelfs als een klusser goed kan improviseren, is het beter en gemakkelijker om volgens de juiste methode te werken en goed gereedschap te gebruiken.

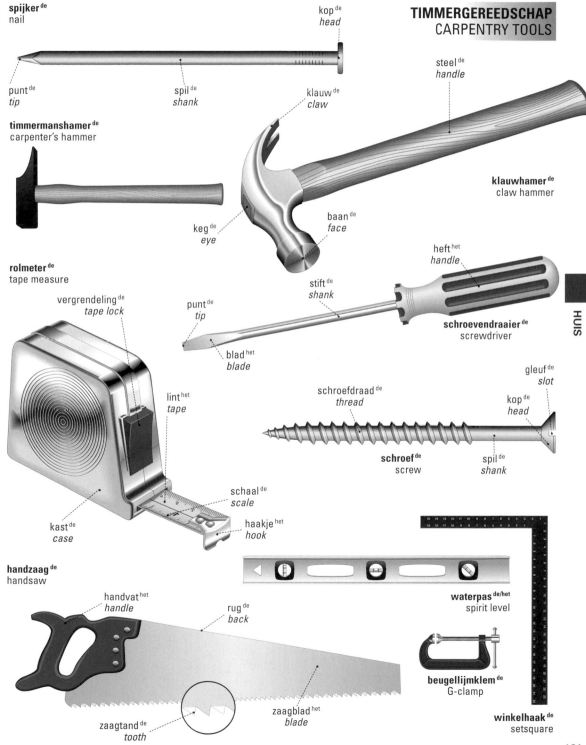

spijker de
nail

punt de
tip

spil de
shank

kop de
head

TIMMERGEREEDSCHAP
CARPENTRY TOOLS

steel de
handle

klauw de
claw

timmermanshamer de
carpenter's hammer

klauwhamer de
claw hammer

keg de
eye

baan de
face

heft het
handle

rolmeter de
tape measure

stift de
shank

schroevendraaier de
screwdriver

vergrendeling de
tape lock

punt de
tip

gleuf de
slot

schroefdraad de
thread

kop de
head

lint het
tape

blad het
blade

schroef de
screw

spil de
shank

schaal de
scale

kast de
case

haakje het
hook

handzaag de
handsaw

handvat het
handle

rug de
back

waterpas de/het
spirit level

beugellijmklem de
G-clamp

zaagtand de
tooth

zaagblad het
blade

winkelhaak de
setsquare

HUIS

161

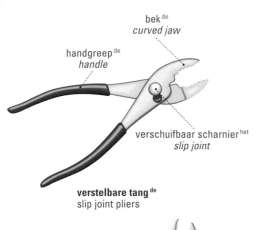

bek^{de}
curved jaw

handgreep^{de}
handle

verschuifbaar scharnier^{het}
slip joint

verstelbare tang^{de}
slip joint pliers

vaste bek^{de}
fixed jaw

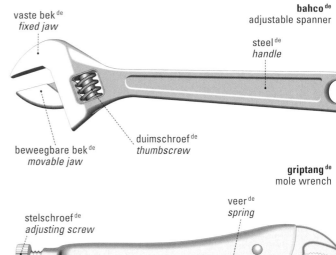

bahco^{de}
adjustable spanner

steel^{de}
handle

beweegbare bek^{de}
movable jaw

duimschroef^{de}
thumbscrew

verstelruimte^{de}
adjustable channel

waterpomptang^{de}
water pump pliers

griptang^{de}
mole wrench

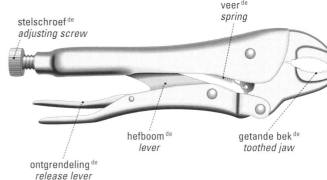

stelschroef^{de}
adjusting screw

veer^{de}
spring

hefboom^{de}
lever

getande bek^{de}
toothed jaw

ontgrendeling^{de}
release lever

ELEKTRISCH GEREEDSCHAP
ELECTRICAL TOOLS

HUIS

cirkelzaag^{de}
circular saw

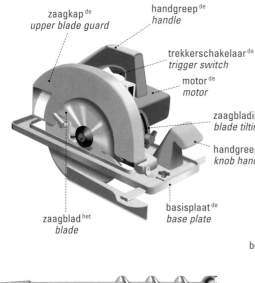

zaagkap^{de}
upper blade guard

handgreep^{de}
handle

trekkerschakelaar^{de}
trigger switch

motor^{de}
motor

zaagbladinstelling^{de}
blade tilting mechanism

handgreep^{de}
knob handle

basisplaat^{de}
base plate

zaagblad^{het}
blade

cirkelzaagblad^{het}
circular saw blade

zaagtand^{de}
tooth

zaagpunt^{de}
tip

elektrische handboormachine^{de}
electric drill

behuizing^{de}
housing

trekkerschakelaar^{de}
trigger switch

pistoolgreep^{de}
pistol grip handle

boorkop^{de}
chuck

kabelmof^{de}
cable sleeve

bek^{de}
jaw

extra handgreep^{de}
auxiliary handle

kabel^{de}
cable

avegaar^{de}
solid centre auger bit

spiraalboor^{de}
twist bit

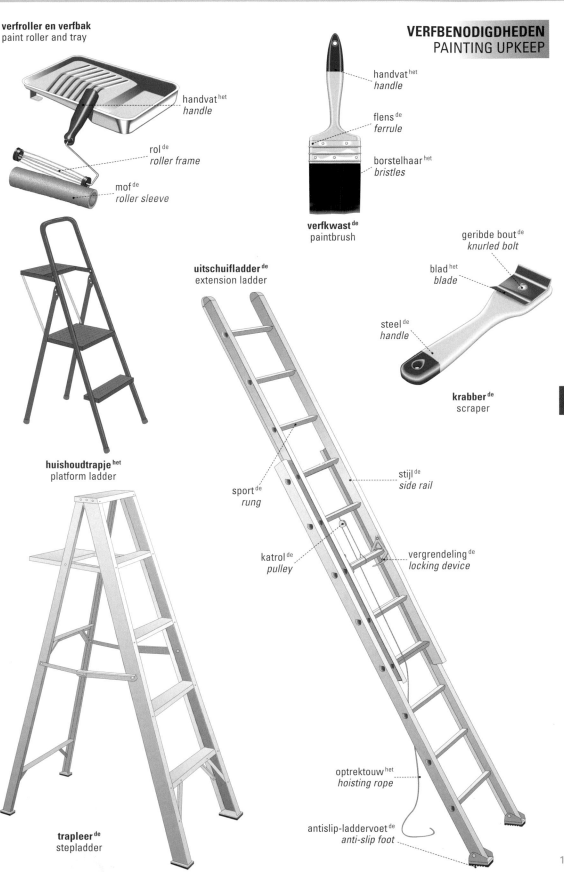

verfroller en verfbak
paint roller and tray

handvat^{het}
handle

rol^{de}
roller frame

mof^{de}
roller sleeve

handvat^{het}
handle

flens^{de}
ferrule

borstelhaar^{het}
bristles

verfkwast^{de}
paintbrush

geribde bout^{de}
knurled bolt

blad^{het}
blade

steel^{de}
handle

krabber^{de}
scraper

huishoudtrapje^{het}
platform ladder

uitschuifladder^{de}
extension ladder

stijl^{de}
side rail

sport^{de}
rung

katrol^{de}
pulley

vergrendeling^{de}
locking device

optrektouw^{het}
hoisting rope

antislip-laddervoet^{de}
anti-slip foot

trapleer^{de}
stepladder

HUIS

Tuinieren is een zeer populair tijdverdrijf, of het nu gaat om het aanleggen van een siertuin, het verbouwen van groente of het vullen van kleine plantenbakken. Het uiterlijk van een tuin is afhanke- lijk van de smaak van de tuinier, de beschikbare ruimte en de omgeving. Een goede plantenkennis en degelijk tuingereedschap helpen de tuinier om het beste uit zijn of haar stukje grond te halen.

HUIS

kruiwagen de
wheelbarrow

handvat het
handle

bak de
container

klauw de
small hand cultivator

plantschopje het
trowel

snoeischaar de
secateurs

poot de
leg

wiel het
wheel

schoffel de
weeder

heggenschaar de
garden shears

plantenspuit de
sprayer

tuinhandschoenen
gardening gloves

schop de
shovel

kantafsteker de
lawn edger

strooier de
spreader

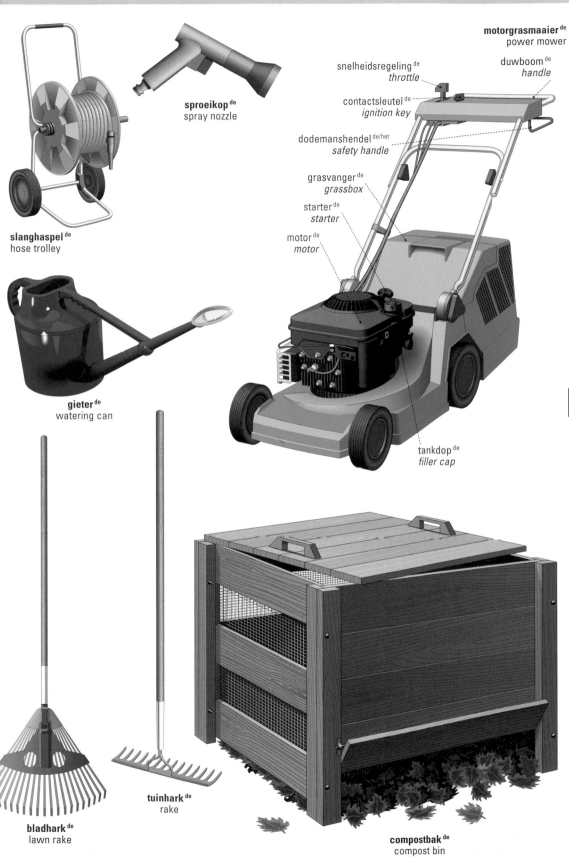

motorgrasmaaier de
power mower

snelheidsregeling de
throttle

duwboom de
handle

contactsleutel de
ignition key

dodemanshendel de/het
safety handle

grasvanger de
grassbox

starter de
starter

motor de
motor

sproeikop de
spray nozzle

slanghaspel de
hose trolley

gieter de
watering can

tankdop de
filler cap

bladhark de
lawn rake

tuinhark de
rake

compostbak de
compost bin

HUIS

Wetenschappelijke onderzoekers die in een laboratorium werken, gebruiken speciale apparatuur voor verschillende soorten experimenten. Microbiologen gebruiken microscopen om de micro-organismen die zich in hun petrischalen hebben ontwikkeld, te bestuderen. Chemici kunnen maatglazen, bekerglazen, erlenmeyers of pipetten gebruiken om hun stoffen te mengen.

WETENSCHAP

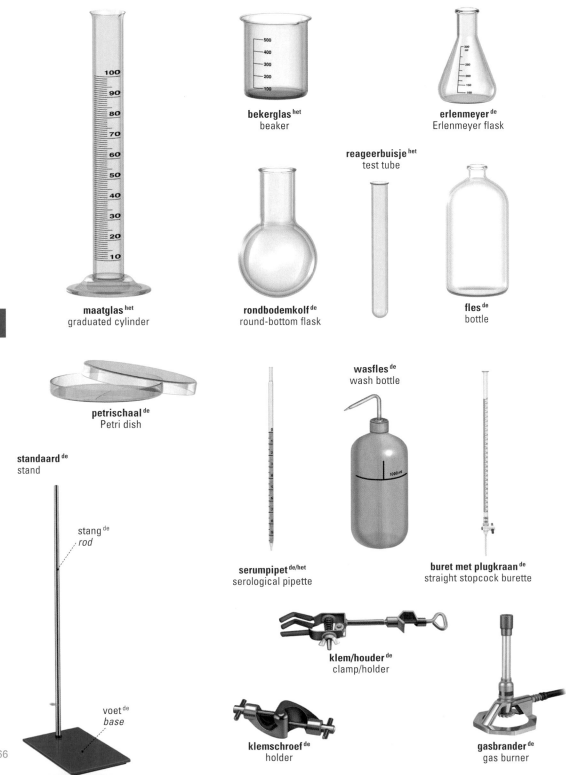

maatglas het
graduated cylinder

bekerglas het
beaker

erlenmeyer de
Erlenmeyer flask

reageerbuisje het
test tube

rondbodemkolf de
round-bottom flask

fles de
bottle

petrischaal de
Petri dish

wasfles de
wash bottle

standaard de
stand

stang de
rod

serumpipet de/het
serological pipette

buret met plugkraan de
straight stopcock burette

klem/houder de
clamp/holder

voet de
base

klemschroef de
holder

gasbrander de
gas burner

VERGROOTGLAS EN MICROSCOPEN
MAGNIFYING GLASS AND MICROSCOPES

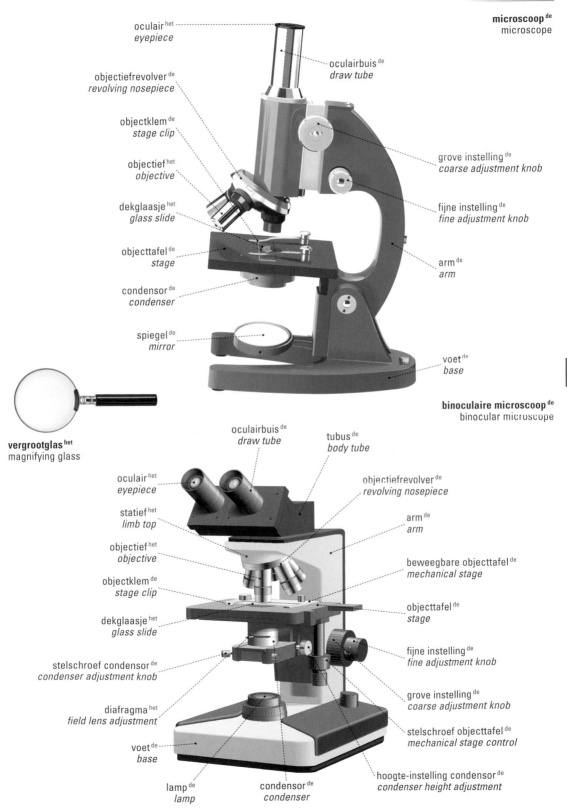

microscoop^{de}
microscope

oculair^{het}
eyepiece

oculairbuis^{de}
draw tube

objectiefrevolver^{de}
revolving nosepiece

objectklem^{de}
stage clip

objectief^{het}
objective

dekglaasje^{het}
glass slide

objecttafel^{de}
stage

condensor^{de}
condenser

spiegel^{de}
mirror

grove instelling^{de}
coarse adjustment knob

fijne instelling^{de}
fine adjustment knob

arm^{de}
arm

voet^{de}
base

vergrootglas^{het}
magnifying glass

binoculaire microscoop^{de}
binocular microscope

oculairbuis^{de}
draw tube

tubus^{de}
body tube

oculair^{het}
eyepiece

statief^{het}
limb top

objectief^{het}
objective

objectklem^{de}
stage clip

dekglaasje^{het}
glass slide

stelschroef condensor^{de}
condenser adjustment knob

diafragma^{het}
field lens adjustment

voet^{de}
base

objectiefrevolver^{de}
revolving nosepiece

arm^{de}
arm

beweegbare objecttafel^{de}
mechanical stage

objecttafel^{de}
stage

fijne instelling^{de}
fine adjustment knob

grove instelling^{de}
coarse adjustment knob

stelschroef objecttafel^{de}
mechanical stage control

hoogte-instelling condensor^{de}
condenser height adjustment

lamp^{de}
lamp

condensor^{de}
condenser

WETENSCHAP

Mensen hebben altijd instrumenten uitgevonden waarmee ze metingen konden verrichten. Het eerste instrument om het tijdsverloop te meten, de zonnewijzer, is al 3000 jaar oud. Voor de exacte wetenschappen, zoals natuurkunde, scheikunde en wiskunde, zijn precieze metingen uiterst belangrijk. Deze behoefte aan precisie heeft geleid tot de uitvinding van vele diverse meetinstrumenten.

TIJDMETING
MEASUREMENT OF TIME

zonnewijzer de
sundial

gnomon de
gnomon

schaduw de
shadow

wijzerplaat de
dial

stopwatch de
stopwatch

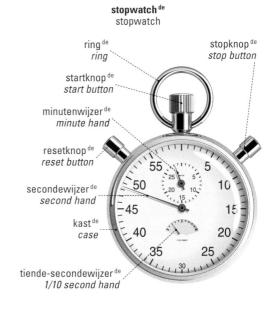

ring de
ring

stopknop de
stop button

startknop de
start button

minutenwijzer de
minute hand

resetknop de
reset button

secondewijzer de
second hand

kast de
case

tiende-secondewijzer de
1/10 second hand

digitaal horloge het
digital watch

LCD het
liquid-crystal display

horloge het
analogue watch

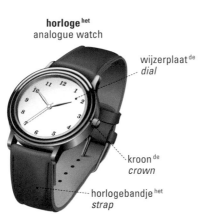

wijzerplaat de
dial

kroon de
crown

horlogebandje het
strap

staand horloge het
grandfather clock

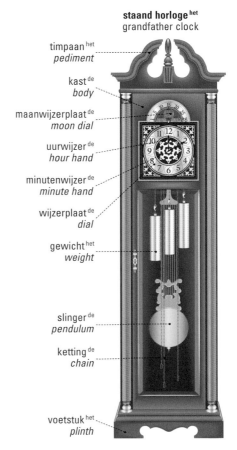

timpaan het
pediment

kast de
body

maanwijzerplaat de
moon dial

uurwijzer de
hour hand

minutenwijzer de
minute hand

wijzerplaat de
dial

gewicht het
weight

slinger de
pendulum

ketting de
chain

voetstuk het
plinth

mechanisch horloge het
mechanical watch

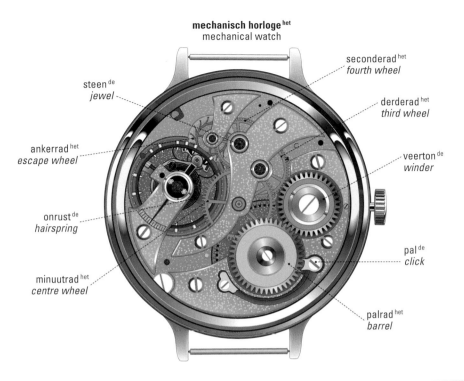

steen de
jewel

ankerrad het
escape wheel

onrust de
hairspring

minuutrad het
centre wheel

seconderad het
fourth wheel

derderad het
third wheel

veerton de
winder

pal de
click

palrad het
barrel

TEMPERATUURMETING
MEASUREMENT OF TEMPERATURE

thermometer de
thermometer

koortsthermometer de
clinical thermometer

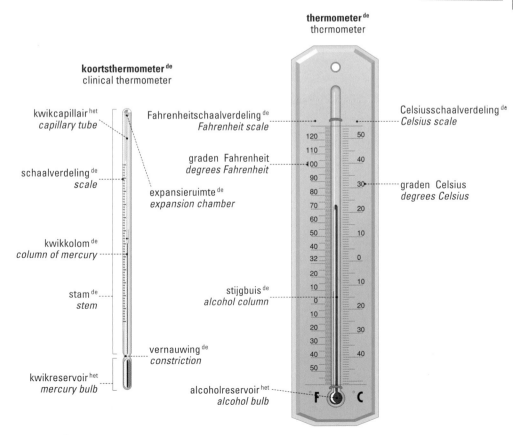

kwikcapillair het
capillary tube

schaalverdeling de
scale

kwikkolom de
column of mercury

stam de
stem

vernauwing de
constriction

kwikreservoir het
mercury bulb

Fahrenheitschaalverdeling de
Fahrenheit scale

graden Fahrenheit
degrees Fahrenheit

expansieruimte de
expansion chamber

stijgbuis de
alcohol column

alcoholreservoir het
alcohol bulb

Celsiusschaalverdeling de
Celsius scale

graden Celsius
degrees Celsius

F   C

GEWICHTMETING
MEASUREMENT OF WEIGHT

WETENSCHAP

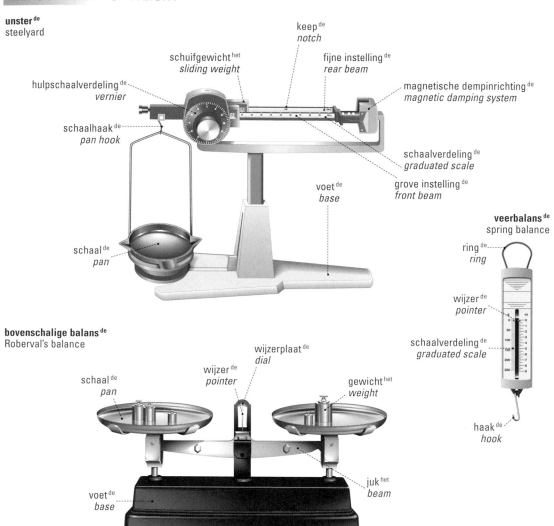

unster de
steelyard

keep de
notch

schuifgewicht het
sliding weight

fijne instelling de
rear beam

hulpschaalverdeling de
vernier

magnetische dempinrichting de
magnetic damping system

schaalhaak de
pan hook

schaalverdeling de
graduated scale

voet de
base

grove instelling de
front beam

schaal de
pan

veerbalans de
spring balance

ring de
ring

wijzer de
pointer

schaalverdeling de
graduated scale

haak de
hook

bovenschalige balans de
Roberval's balance

wijzerplaat de
dial

wijzer de
pointer

gewicht het
weight

schaal de
pan

voet de
base

juk het
beam

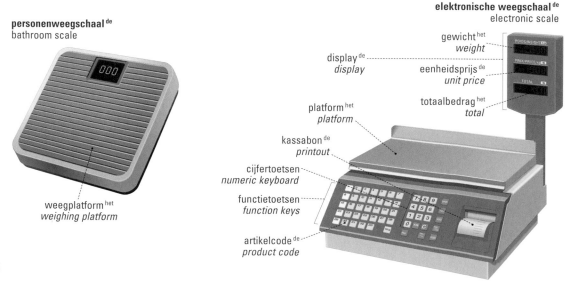

personenweegschaal de
bathroom scale

weegplatform het
weighing platform

elektronische weegschaal de
electronic scale

gewicht het
weight

display de
display

eenheidsprijs de
unit price

totaalbedrag het
total

platform het
platform

kassabon de
printout

cijfertoetsen
numeric keyboard

functietoetsen
function keys

artikelcode de
product code

Meetkunde is het onderdeel van de wiskunde dat naast punten, lijnen en platte oppervlakken zoals cirkels of vierkanten, ook ruimtelijke lichamen als bollen en kubussen bestudeert. De meetkunde biedt diverse slimme methoden om twee- en driedimensionale figuren te meten. De meetkunde bestudeert vormen in het platte vlak en in de ruimte en draagt zo bij aan vele disciplines, zoals techniek en architectuur.

MEETKUNDIGE FIGUREN
GEOMETRICAL SHAPES

delen van een cirkel
parts of a circle

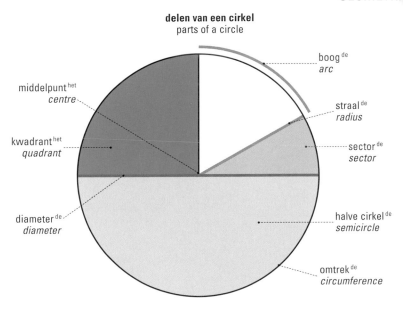

- boog de / arc
- middelpunt het / centre
- straal de / radius
- kwadrant het / quadrant
- sector de / sector
- diameter de / diameter
- halve cirkel de / semicircle
- omtrek de / circumference

soorten hoeken
examples of angles

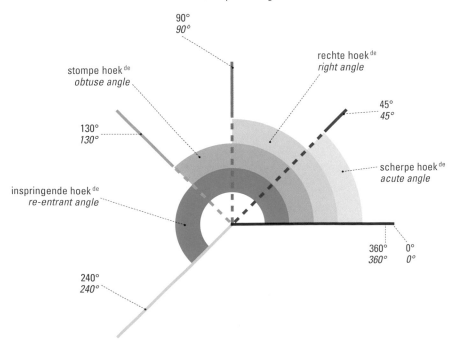

- 90° / 90°
- rechte hoek de / right angle
- stompe hoek de / obtuse angle
- 45° / 45°
- 130° / 130°
- scherpe hoek de / acute angle
- inspringende hoek de / re-entrant angle
- 360° 0° / 360° 0°
- 240° / 240°

WETENSCHAP

171

veelhoeken
polygons

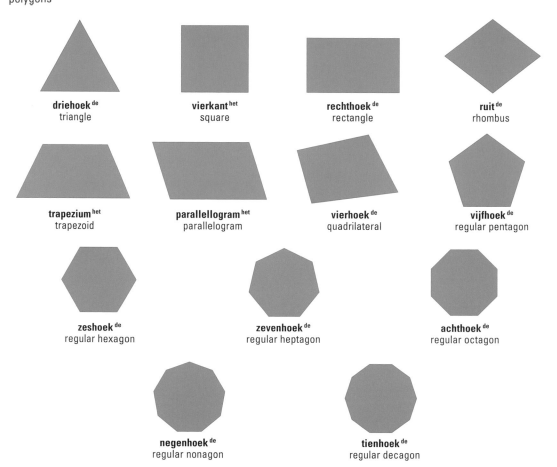

driehoek ^{de}
triangle

vierkant ^{het}
square

rechthoek ^{de}
rectangle

ruit ^{de}
rhombus

trapezium ^{het}
trapezoid

parallellogram ^{het}
parallelogram

vierhoek ^{de}
quadrilateral

vijfhoek ^{de}
regular pentagon

zeshoek ^{de}
regular hexagon

zevenhoek ^{de}
regular heptagon

achthoek ^{de}
regular octagon

negenhoek ^{de}
regular nonagon

tienhoek ^{de}
regular decagon

driedimensionale figuren
solids

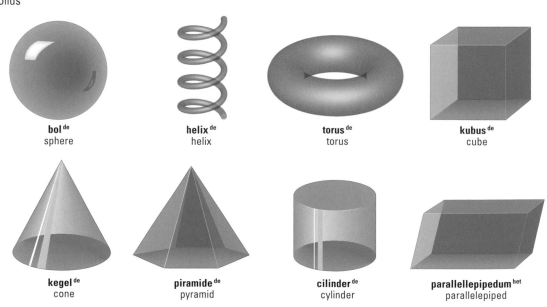

bol ^{de}
sphere

helix ^{de}
helix

torus ^{de}
torus

kubus ^{de}
cube

kegel ^{de}
cone

piramide ^{de}
pyramid

cilinder ^{de}
cylinder

parallellepipedum ^{het}
parallelepiped

De aarde ontvangt elke dag, ongeacht het weer, enorme hoeveelheden energie van de zon. Zonne-energie is essentieel voor het leven op aarde. Deze energie wordt opgevangen door speciale cellen en gebruikt om water en woningen te verwarmen. Deze oneindige en niet-vervuilende energiebron kan met behulp van zonnecellen ook omgezet worden in elektriciteit.

ZONNECELSYSTEEM
SOLAR-CELL SYSTEM

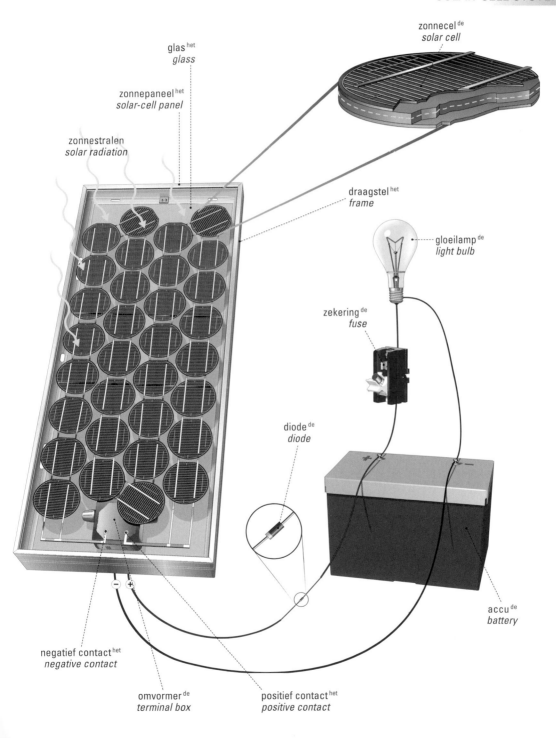

zonnecel ^{de}
solar cell

glas ^{het}
glass

zonnepaneel ^{het}
solar-cell panel

zonnestralen
solar radiation

draagstel ^{het}
frame

gloeilamp ^{de}
light bulb

zekering ^{de}
fuse

diode ^{de}
diode

accu ^{de}
battery

negatief contact ^{het}
negative contact

omvormer ^{de}
terminal box

positief contact ^{het}
positive contact

ENERGIE

Alles wat in beweging is, bezit energie. Stromend water bezit daarom ook energie. Waterkrachtcentrales zetten deze energie om in elektriciteit. Men laat het water langs diverse soorten dammen stromen om het te verzamelen of de druk op te bouwen. Eenmaal bij de krachtcentrale, wordt het water naar turbines geleid, die op hun beurt machines aandrijven die elektrische stroom produceren.

WATERKRACHTCENTRALE
HYDROELECTRIC COMPLEX

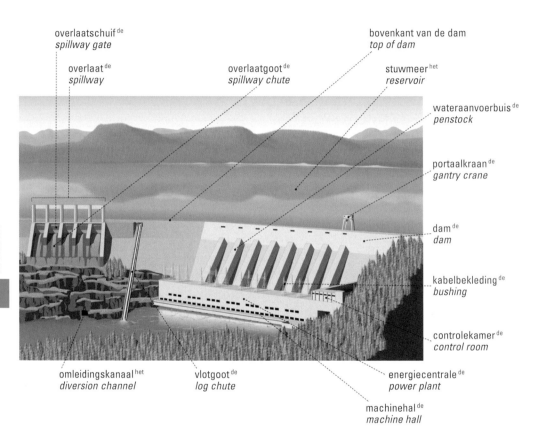

overlaatschuif de
spillway gate

overlaat de
spillway

overlaatgoot de
spillway chute

bovenkant van de dam
top of dam

stuwmeer het
reservoir

wateraanvoerbuis de
penstock

portaalkraan de
gantry crane

dam de
dam

kabelbekleding de
bushing

controlekamer de
control room

omleidingskanaal het
diversion channel

vlotgoot de
log chute

energiecentrale de
power plant

machinehal de
machine hall

ENERGIE

soorten dammen
examples of dams

wal de
embankment dam

gewichtsmuur de
gravity dam

boogdam de
arch dam

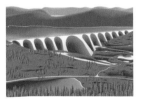

pijlerdam de
buttress dam

doorsnede van een waterkrachtcentrale
cross section of a hydroelectric power plant

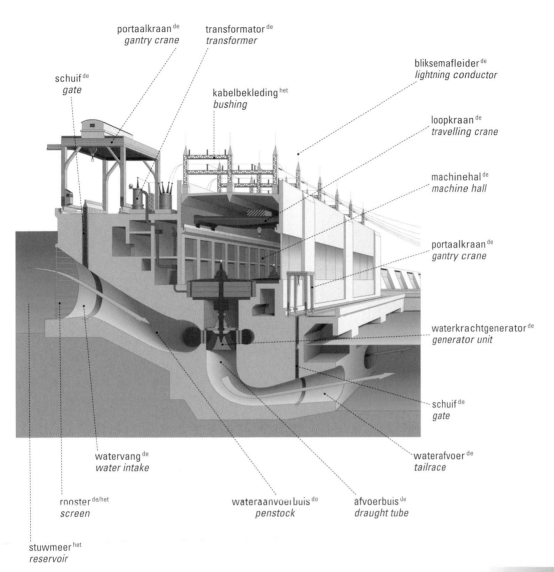

portaalkraan ^{de}
gantry crane

transformator ^{de}
transformer

bliksemafleider ^{de}
lightning conductor

schuif ^{de}
gate

kabelbekleding ^{het}
bushing

loopkraan ^{de}
travelling crane

machinehal ^{de}
machine hall

portaalkraan ^{de}
gantry crane

waterkrachtgenerator ^{de}
generator unit

schuif ^{de}
gate

watervang ^{de}
water intake

waterafvoer ^{de}
tailrace

rooster ^{de/het}
screen

wateraanvoerbuis ^{do}
penstock

afvoerbuis ^{de}
draught tube

stuwmeer ^{het}
reservoir

ENERGIE

STROOMKRING
ELECTRIC CIRCUIT

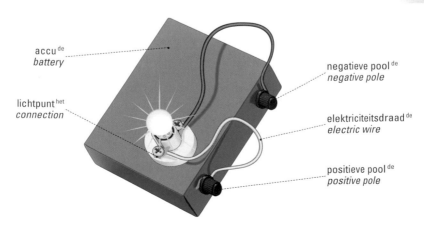

accu ^{de}
battery

negatieve pool ^{de}
negative pole

lichtpunt ^{het}
connection

elektriciteitsdraad ^{de}
electric wire

positieve pool ^{de}
positive pole

FASEN IN DE ELEKTRICITEITSPRODUCTIE
STEPS IN THE PRODUCTION OF ELECTRICITY

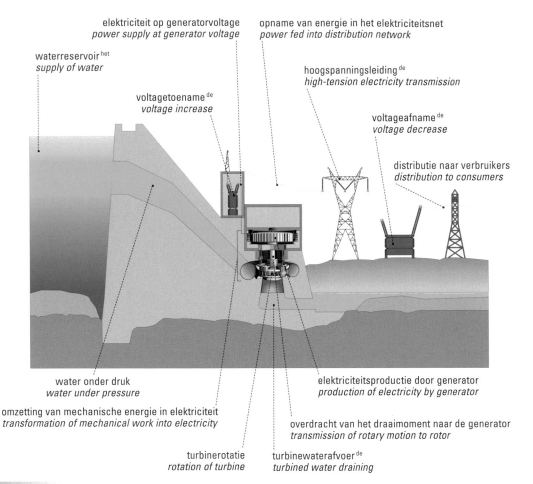

elektriciteit op generatorvoltage
power supply at generator voltage

opname van energie in het elektriciteitsnet
power fed into distribution network

waterreservoir^{het}
supply of water

hoogspanningsleiding^{de}
high-tension electricity transmission

voltagetoename^{de}
voltage increase

voltageafname^{de}
voltage decrease

distributie naar verbruikers
distribution to consumers

water onder druk
water under pressure

elektriciteitsproductie door generator
production of electricity by generator

omzetting van mechanische energie in elektriciteit
transformation of mechanical work into electricity

overdracht van het draaimoment naar de generator
transmission of rotary motion to rotor

turbinerotatie
rotation of turbine

turbinewaterafvoer^{de}
turbined water draining

ELEKTRICITEITSDISTRIBUTIE
ELECTRICITY DISTRIBUTION

hoogspanningsleiding^{de}
overhead connection

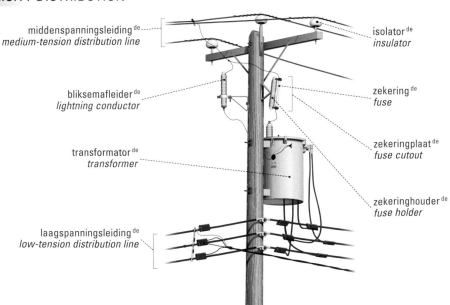

middenspanningsleiding^{de}
medium-tension distribution line

isolator^{de}
insulator

bliksemafleider^{de}
lightning conductor

zekering^{de}
fuse

zekeringplaat^{de}
fuse cutout

transformator^{de}
transformer

zekeringhouder^{de}
fuse holder

laagspanningsleiding^{de}
low-tension distribution line

Kernenergie ontstaat door splijting van bepaalde atoomkernen. Bij het splijten van een uraniumkern komt bijvoorbeeld een enorme hoeveelheid energie vrij die bij een kerncentrale omgezet kan worden in elektriciteit. Deze centrales beschikken over veiligheidsvoorzieningen die moeten voorkomen dat gevaarlijke radioactieve stoffen in het milieu terechtkomen.

KERNCENTRALE
NUCLEAR POWER STATION

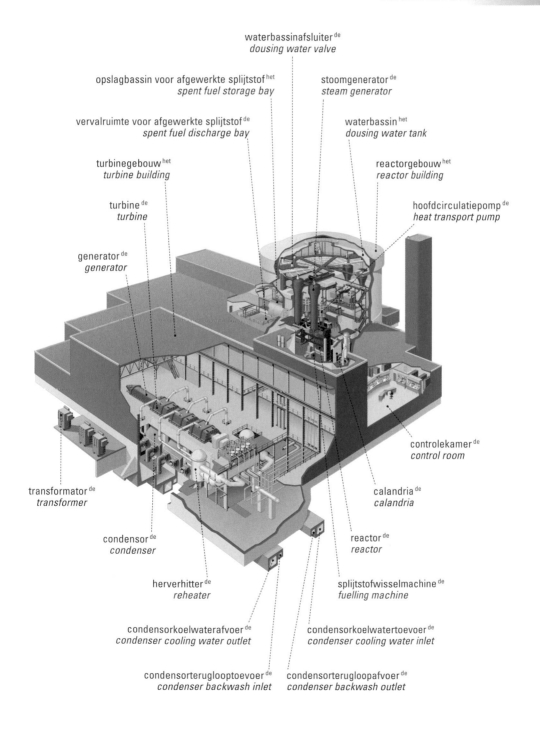

waterbassinafsluiter de
dousing water valve

opslagbassin voor afgewerkte splijtstof het
spent fuel storage bay

stoomgenerator de
steam generator

vervalruimte voor afgewerkte splijtstof de
spent fuel discharge bay

waterbassin het
dousing water tank

turbinegebouw het
turbine building

reactorgebouw het
reactor building

turbine de
turbine

hoofdcirculatiepomp de
heat transport pump

generator de
generator

controlekamer de
control room

transformator de
transformer

calandria de
calandria

condensor de
condenser

reactor de
reactor

herverhitter de
reheater

splijtstofwisselmachine de
fuelling machine

condensorkoelwaterafvoer de
condenser cooling water outlet

condensorkoelwatertoevoer de
condenser cooling water inlet

condensorteruglooptoevoer de
condenser backwash inlet

condensorterugloopafvoer de
condenser backwash outlet

ENERGIE

ELEKTRICITEITSPRODUCTIE UIT KERNENERGIE
PRODUCTION OF ELECTRICITY FROM NUCLEAR ENERGY

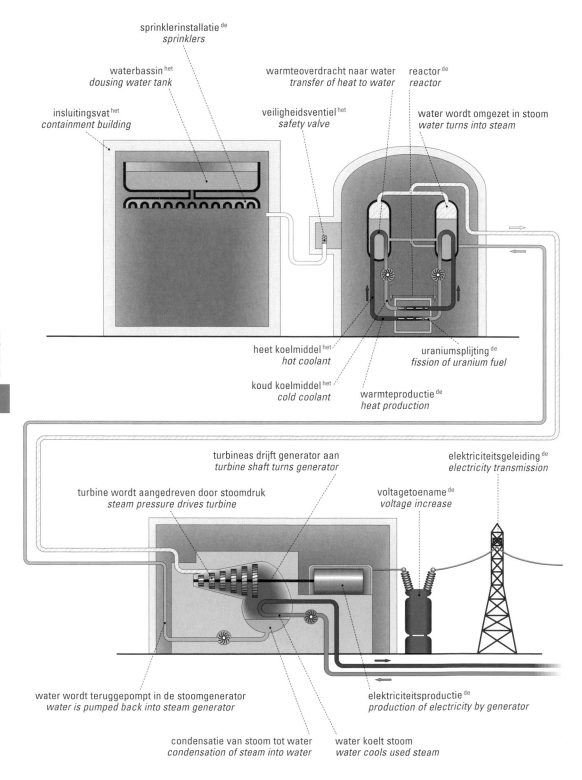

sprinklerinstallatie ^{de}
sprinklers

waterbassin^{het}
dousing water tank

warmteoverdracht naar water
transfer of heat to water

reactor^{de}
reactor

insluitingsvat^{het}
containment building

veiligheidsventiel^{het}
safety valve

water wordt omgezet in stoom
water turns into steam

heet koelmiddel^{het}
hot coolant

uraniumsplijting ^{de}
fission of uranium fuel

koud koelmiddel^{het}
cold coolant

warmteproductie ^{de}
heat production

turbineas drijft generator aan
turbine shaft turns generator

elektriciteitsgeleiding ^{de}
electricity transmission

turbine wordt aangedreven door stoomdruk
steam pressure drives turbine

voltagetoename ^{de}
voltage increase

water wordt teruggepompt in de stoomgenerator
water is pumped back into steam generator

elektriciteitsproductie ^{de}
production of electricity by generator

condensatie van stoom tot water
condensation of steam into water

water koelt stoom
water cools used steam

ENERGIE

178

Windenergie wordt ook wel "eolische energie" genoemd, naar Aeolus, de Griekse god van de wind. Lang voordat de motor werd uitgevonden, gebruikte men wind om zeilboten voort te bewegen en windmolens aan te drijven voor het malen van graan. Al ruim een eeuw gebruikt men windkracht ook om via windturbines elektriciteit op te wekken. De draaiende rotorbladen drijven een generator aan die elektriciteit produceert.

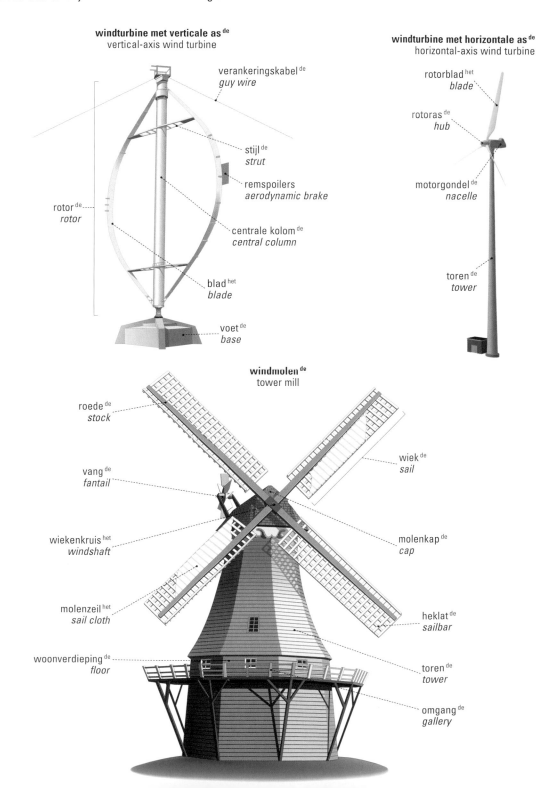

windturbine met verticale as ^{de}
vertical-axis wind turbine

verankeringskabel ^{de}
guy wire

stijl ^{de}
strut

remspoilers
aerodynamic brake

rotor ^{de}
rotor

centrale kolom ^{de}
central column

blad ^{het}
blade

voet ^{de}
base

windturbine met horizontale as ^{de}
horizontal-axis wind turbine

rotorblad ^{het}
blade

rotoras ^{de}
hub

motorgondel ^{de}
nacelle

toren ^{de}
tower

windmolen ^{de}
tower mill

roede ^{de}
stock

vang ^{de}
fantail

wiekenkruis ^{het}
windshaft

molenzeil ^{het}
sail cloth

woonverdieping ^{de}
floor

wiek ^{de}
sail

molenkap ^{de}
cap

heklat ^{de}
sailbar

toren ^{de}
tower

omgang ^{de}
gallery

ENERGIE

179

Olie, steenkool en aardgas ontstaan uit het residu van gedeeltelijk gefossiliseerde organismen die miljoenen jaren geleden leefden. Deze brandbare fossielen komen in beperkte hoeveelheden onder de grond voor. Door raffinage kan men ruwe olie omzetten in meer dan 500 verschillende consumptieproducten. Een van de waardevolste is de motorbrandstof benzine, die ruwe olie de bijnaam "zwart goud" heeft opgeleverd.

OLIE
OIL

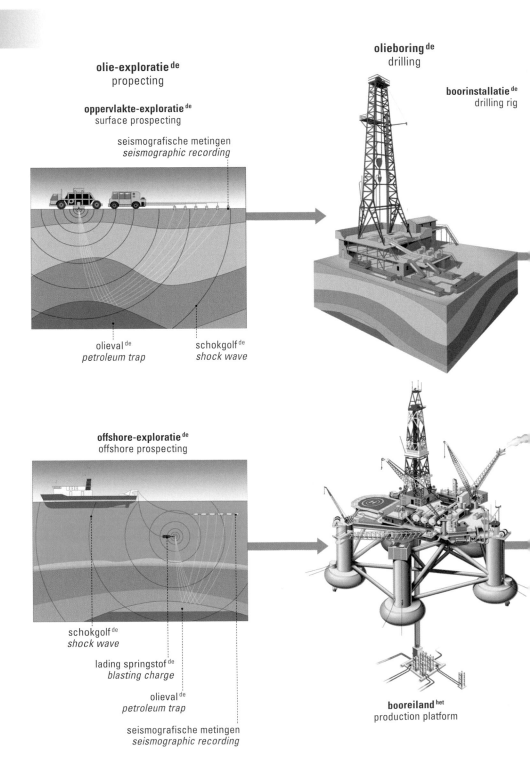

olie-exploratie de
propecting

oppervlakte-exploratie de
surface prospecting

seismografische metingen
seismographic recording

olieboring de
drilling

boorinstallatie de
drilling rig

olieval de
petroleum trap

schokgolf de
shock wave

offshore-exploratie de
offshore prospecting

schokgolf de
shock wave

lading springstof de
blasting charge

olieval de
petroleum trap

seismografische metingen
seismographic recording

booreiland het
production platform

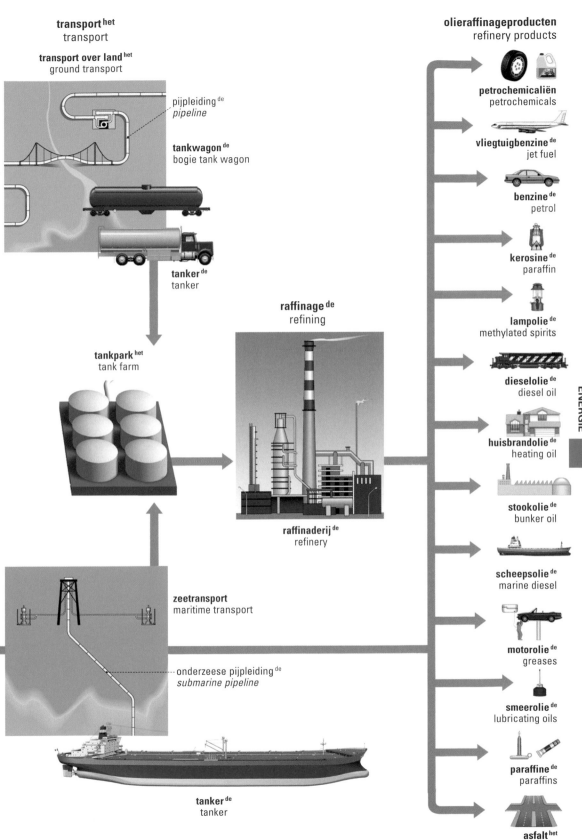

transport het
transport

transport over land het
ground transport

pijpleiding de
pipeline

tankwagon de
bogie tank wagon

tanker de
tanker

tankpark het
tank farm

zeetransport
maritime transport

onderzeese pijpleiding de
submarine pipeline

tanker de
tanker

raffinage de
refining

raffinaderij de
refinery

olieraffinageproducten
refinery products

petrochemicaliën
petrochemicals

vliegtuigbenzine de
jet fuel

benzine de
petrol

kerosine de
paraffin

lampolie de
methylated spirits

dieselolie de
diesel oil

huisbrandolie de
heating oil

stookolie de
bunker oil

scheepsolie de
marine diesel

motorolie de
greases

smeerolie de
lubricating oils

paraffine de
paraffins

asfalt het
asphalt

ENERGIE

181

Dankzij de uitvinding van het wiel konden de fiets en vervolgens de motor en de auto worden ontwikkeld. Deze transportmiddelen stelden mensen in staat om verder en sneller te reizen dan ooit. De populariteit van de auto is sinds zijn introductie in de 19e eeuw alleen maar toegenomen. Voor de miljoenen motorvoertuigen die tegenwoordig worden gebruikt, wordt het bestaande wegensysteem voortdurend uitgebreid om het nog steeds toenemende verkeer te kunnen verwerken.

WEGENAANLEG
ROAD SYSTEM

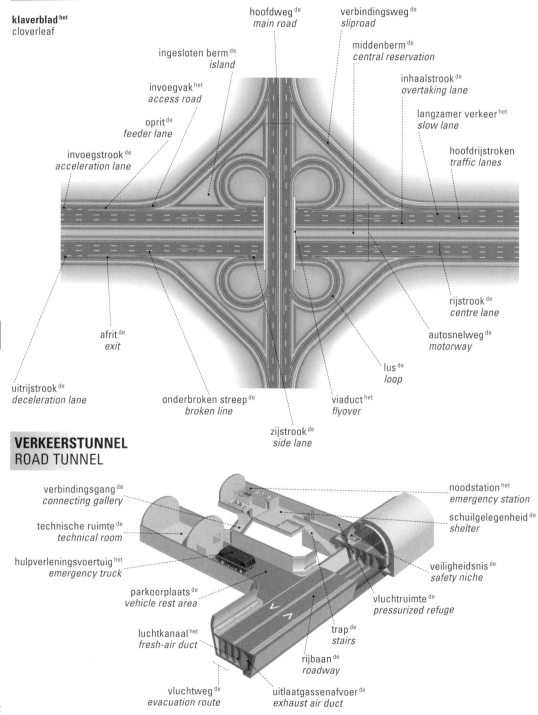

klaverblad het
cloverleaf

hoofdweg de
main road

verbindingsweg de
sliproad

ingesloten berm de
island

middenberm de
central reservation

invoegvak het
access road

inhaalstrook de
overtaking lane

oprit de
feeder lane

langzamer verkeer het
slow lane

invoegstrook de
acceleration lane

hoofdrijstroken
traffic lanes

rijstrook de
centre lane

afrit de
exit

autosnelweg de
motorway

lus de
loop

uitrijstrook de
deceleration lane

onderbroken streep de
broken line

viaduct het
flyover

zijstrook de
side lane

VERKEERSTUNNEL
ROAD TUNNEL

verbindingsgang de
connecting gallery

noodstation het
emergency station

technische ruimte de
technical room

schuilgelegenheid de
shelter

hulpverleningsvoertuig het
emergency truck

veiligheidsnis de
safety niche

parkeerplaats de
vehicle rest area

vluchtruimte de
pressurized refuge

luchtkanaal het
fresh-air duct

trap de
stairs

rijbaan de
roadway

vluchtweg de
evacuation route

uitlaatgassenafvoer de
exhaust air duct

TRANSPORT EN ZWARE MACHINERIE

VASTE BRUGGEN
FIXED BRIDGES

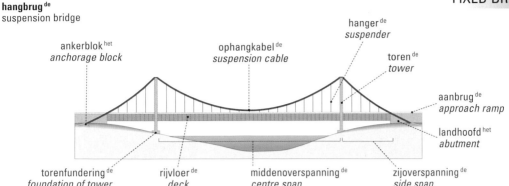

hangbrug^{de}
suspension bridge

ankerblok^{het}
anchorage block

ophangkabel^{de}
suspension cable

hanger^{de}
suspender

toren^{de}
tower

aanbrug^{de}
approach ramp

landhoofd^{het}
abutment

torenfundering^{de}
foundation of tower

rijvloer^{de}
deck

middenoverspanning^{de}
centre span

zijoverspanning^{de}
side span

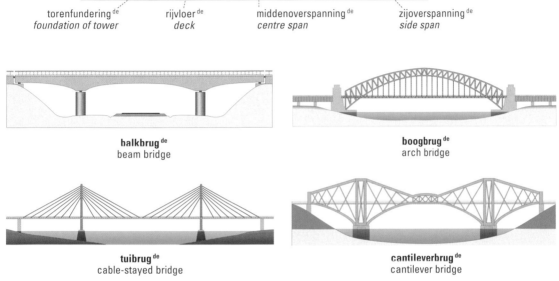

balkbrug^{de}
beam bridge

boogbrug^{de}
arch bridge

tuibrug^{de}
cable-stayed bridge

cantileverbrug^{de}
cantilever bridge

BEWEEGBARE BRUGGEN
MOVABLE BRIDGES

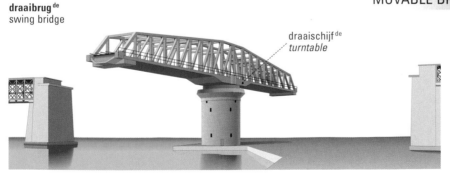

draaibrug^{de}
swing bridge

draaischijf^{de}
turntable

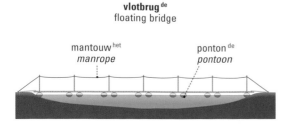

vlotbrug^{de}
floating bridge

mantouw^{het}
manrope

ponton^{de}
pontoon

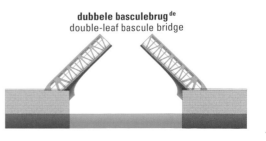

dubbele basculebrug^{de}
double-leaf bascule bridge

AUTO
CAR

carrosserie de
body

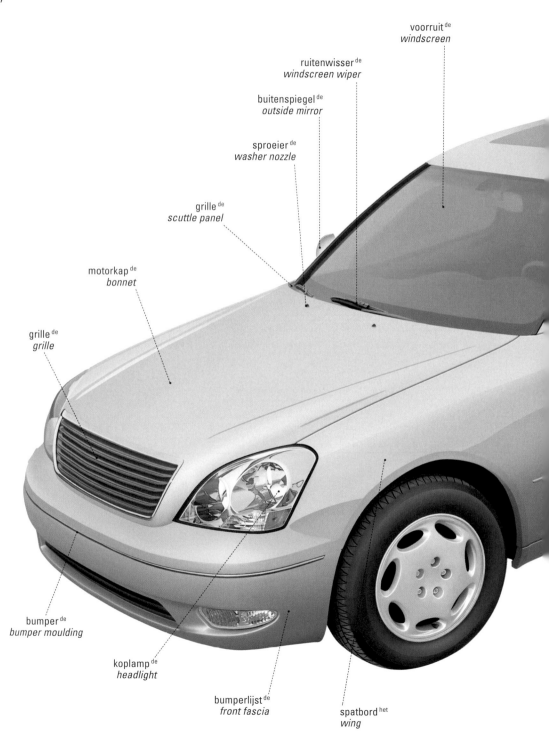

voorruit de
windscreen

ruitenwisser de
windscreen wiper

buitenspiegel de
outside mirror

sproeier de
washer nozzle

grille de
scuttle panel

motorkap de
bonnet

grille de
grille

bumper de
bumper moulding

koplamp de
headlight

bumperlijst de
front fascia

spatbord het
wing

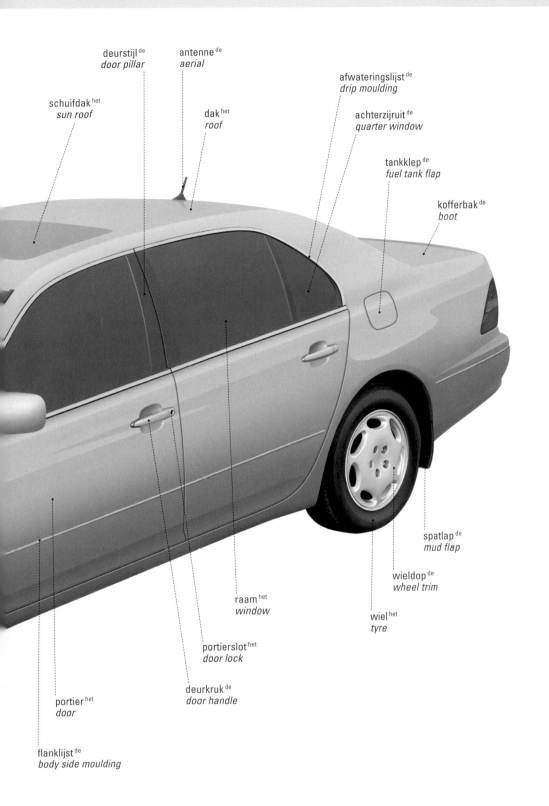

deurstijl ^{de}
door pillar

antenne ^{de}
aerial

afwateringslijst ^{de}
drip moulding

schuifdak ^{het}
sun roof

dak ^{het}
roof

achterzijruit ^{de}
quarter window

tankklep ^{de}
fuel tank flap

kofferbak ^{de}
boot

spatlap ^{de}
mud flap

wieldop ^{de}
wheel trim

raam ^{het}
window

wiel ^{het}
tyre

portierslot ^{het}
door lock

deurkruk ^{de}
door handle

portier ^{het}
door

flanklijst ^{de}
body side moulding

TRANSPORT EN ZWARE MACHINERIE

185

soorten auto's
examples of bodywork

TRANSPORT EN ZWARE MACHINERIE

sportwagen de
sports car

micro compact car de
Micro Compact Car

hatchback de
hatchback

coupé de
coupé

cabriolet de
convertible

sedan de
four-door saloon

stationcar de
estate car

minibus de
minibus

terreinwagen de
all-terrain vehicle

pick-up de
pickup truck

limousine de
stretch-limousine

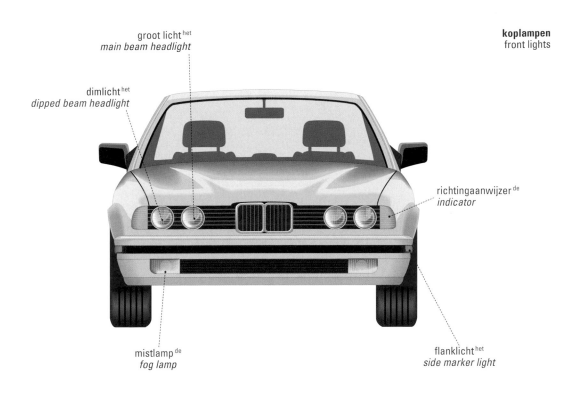

groot licht^{het}
main beam headlight

dimlicht^{het}
dipped beam headlight

koplampen
front lights

richtingaanwijzer^{de}
indicator

mistlamp^{de}
fog lamp

flanklicht^{het}
side marker light

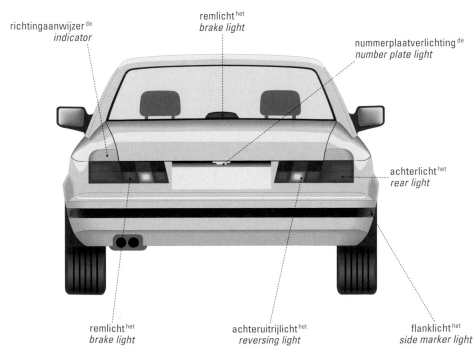

richtingaanwijzer^{de}
indicator

remlicht^{het}
brake light

achterlichten
rear lights

nummerplaatverlichting^{de}
number plate light

achterlicht^{het}
rear light

remlicht^{het}
brake light

achteruitrijlicht^{het}
reversing light

flanklicht^{het}
side marker light

TRANSPORT EN ZWARE MACHINERIE

187

dashboard^{het}
dashboard

achteruitkijkspiegel^{de}
rearview mirror

boordcomputer^{de}
on-board computer

ruitenwisserbediening^{de}
wiper control

spiegeltje^{het}
vanity mirror

contactslot^{het}
ignition switch

zonneklep^{de}
sun visor

cruise control^{de}
cruise control

handschoenenkastje^{het}
glove compartment

grootlicht/richtingaanwijzer^{de}
dipping/indicator stalk

ventilatieopening^{de}
vent

stuur^{het}
steering wheel

verwarmingsbediening^{de}
climate control

claxon^{de}
horn

autoradio^{de}
sound system

koppelingspedaal^{de/het}
clutch pedal

versnellingspook^{de}
gearchange lever

rempedaal^{de/het}
brake pedal

gaspedaal^{de/het}
accelerator pedal

middenconsole^{de}
centre console

handrem^{de}
handbrake lever

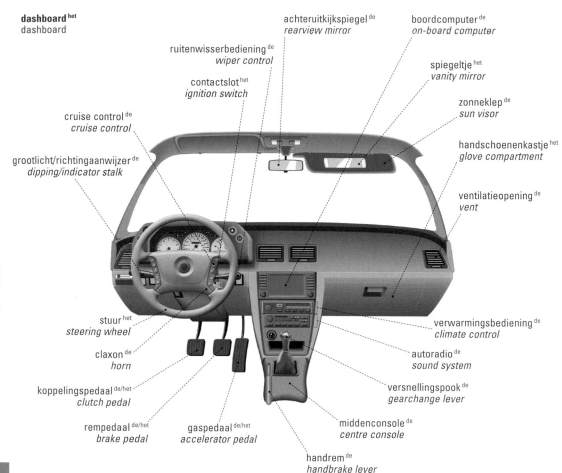

instrumentenpaneel^{het}
instrument panel

knipperlichtindicator^{de}
indicator telltale

grootlichtindicator^{de}
main beam indicator light

waarschuwingslichten
warning lights

brandstofmeter^{de}
fuel gauge

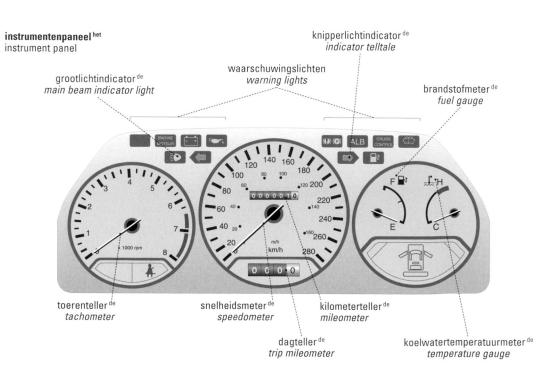

toerenteller^{de}
tachometer

snelheidsmeter^{de}
speedometer

kilometerteller^{de}
mileometer

dagteller^{de}
trip mileometer

koelwatertemperatuurmeter^{de}
temperature gauge

hordeur^{de}
screen door

dak^{het}
roof

luifel^{de}
canopy

raam^{het}
window

slaapruimte^{de}
bunk

reserveband^{de}
spare tyre

uitdraaisteun^{de}
stabilizer jack

romp^{de}
body

vouwkampeerwagen^{de}
trailer tent

bagagerek^{het}
luggage rack

airconditioning^{de}
air conditioner

ladder^{de}
ladder

kampeerwagen^{de}
camper

toercaravan^{de}
trailer caravan

BUSSEN
BUSES

TRANSPORT EN ZWARE MACHINERIE

schoolbus de
school bus

dubbeldekker de
double-decker bus

stadsbus de
city bus

minibus de
minibus

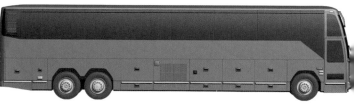

touringcar de
coach

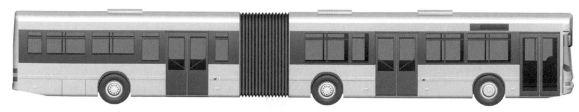

harmonicabus de
articulated bus

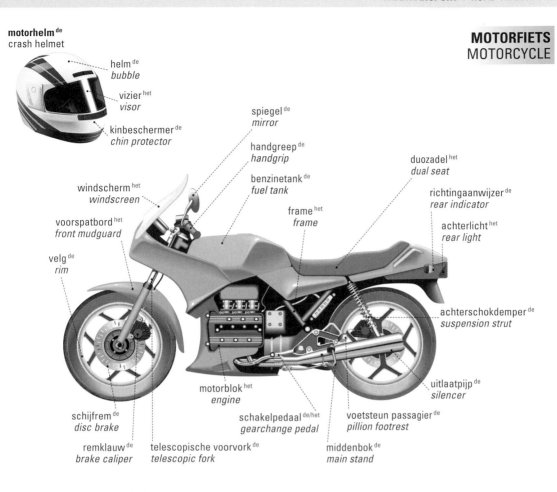

motorhelm ^{de}
crash helmet

helm ^{de}
bubble

vizier ^{het}
visor

kinbeschermer ^{de}
chin protector

spiegel ^{de}
mirror

handgreep ^{de}
handgrip

benzinetank ^{de}
fuel tank

duozadel ^{het}
dual seat

richtingaanwijzer ^{de}
rear indicator

windscherm ^{het}
windscreen

frame ^{het}
frame

achterlicht ^{het}
rear light

voorspatbord ^{het}
front mudguard

velg ^{de}
rim

achterschokdemper ^{de}
suspension strut

motorblok ^{het}
engine

uitlaatpijp ^{de}
silencer

schijfrem ^{de}
disc brake

schakelpedaal ^{de/het}
gearchange pedal

voetsteun passagier ^{de}
pillion footrest

remklauw ^{de}
brake caliper

telescopische voorvork ^{de}
telescopic fork

middenbok ^{de}
main stand

belangrijkste soorten motoren
examples of motorcycles

off-the-roadmotor ^{de}
off-road motorcycle

bromfiets ^{de}
moped

spatscherm ^{het}
apron

spiegel ^{de}
mirror

zitting ^{de}
seat

bagagerek ^{het}
luggage rack

bodemplaat ^{de}
floorboard

toermotor ^{de}
touring motorcycle

motorscooter ^{de}
motor scooter

TRANSPORT EN ZWARE MACHINERIE

VRACHTWAGENS
TRUCKING

truck ^{de}
tractor unit

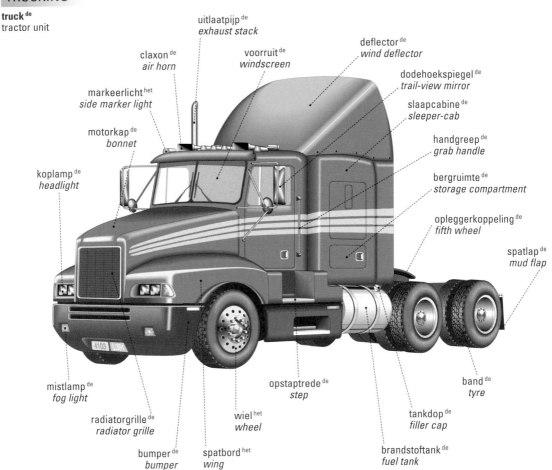

uitlaatpijp ^{de}
exhaust stack

claxon ^{de}
air horn

voorruit ^{de}
windscreen

deflector ^{de}
wind deflector

dodehoekspiegel ^{de}
trail-view mirror

markeerlicht ^{het}
side marker light

slaapcabine ^{de}
sleeper-cab

motorkap ^{de}
bonnet

handgreep ^{de}
grab handle

koplamp ^{de}
headlight

bergruimte ^{de}
storage compartment

opleggerkoppeling ^{de}
fifth wheel

spatlap ^{de}
mud flap

mistlamp ^{de}
fog light

opstaptrede ^{de}
step

band ^{de}
tyre

radiatorgrille ^{de}
radiator grille

wiel ^{het}
wheel

tankdop ^{de}
filler cap

bumper ^{de}
bumper

spatbord ^{het}
wing

brandstoftank ^{de}
fuel tank

belangrijkste soorten vrachtwagens
examples of trucks

beerwagen ^{de}
cesspit emptier

dumptruck ^{de}
tipper truck

containerwagen ^{de}
detachable body

truck ^{de}
tractor unit

oplegger ^{de}
semitrailer

sleepwagen de
tow truck

giek de
boom

lier de
winch

kabel de
cable

haak de
hook

sleepinrichting de
towing device

lierbediening de
winch controls

hefcilinder de
elevating cylinder

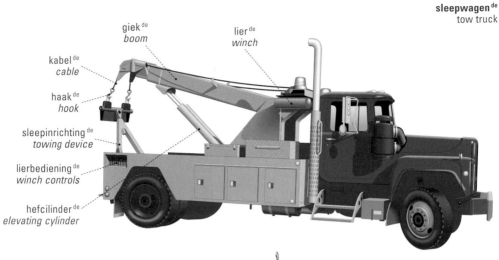

vuilniswagen de
collection truck

tanker de
tanker

sneeuwblazer de
snowblower

betonwagen de
concrete mixer truck

bestelwagen de
van

vrachtwagencombinatie met aanhanger de
articulated lorry with trailer

aanhangwagen de
truck trailer

bezemwagen de
street sweeper

193

FIETS
BICYCLE

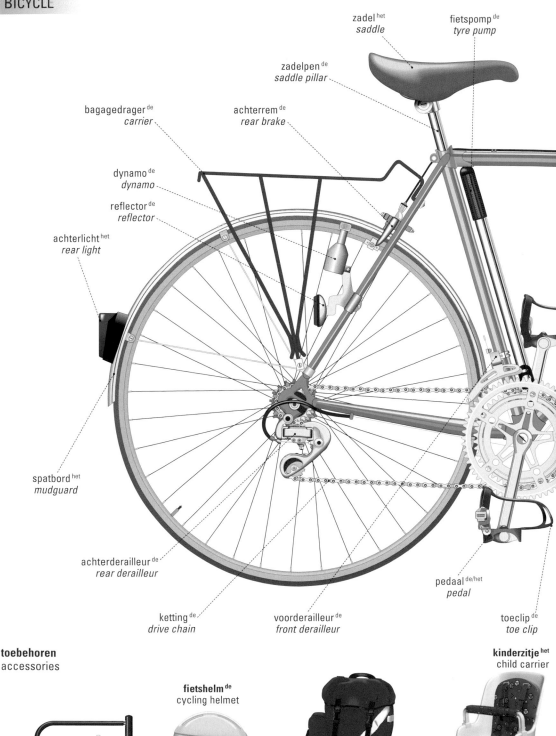

zadel ^{het}
saddle

fietspomp ^{de}
tyre pump

zadelpen ^{de}
saddle pillar

bagagedrager ^{de}
carrier

achterrem ^{de}
rear brake

dynamo ^{de}
dynamo

reflector ^{de}
reflector

achterlicht ^{het}
rear light

spatbord ^{het}
mudguard

achterderailleur ^{de}
rear derailleur

ketting ^{de}
drive chain

voorderailleur ^{de}
front derailleur

pedaal ^{de/het}
pedal

toeclip ^{de}
toe clip

toebehoren
accessories

slot ^{het}
cycle lock

fietshelm ^{de}
cycling helmet

fietstas ^{de}
pannier bag

kinderzitje ^{het}
child carrier

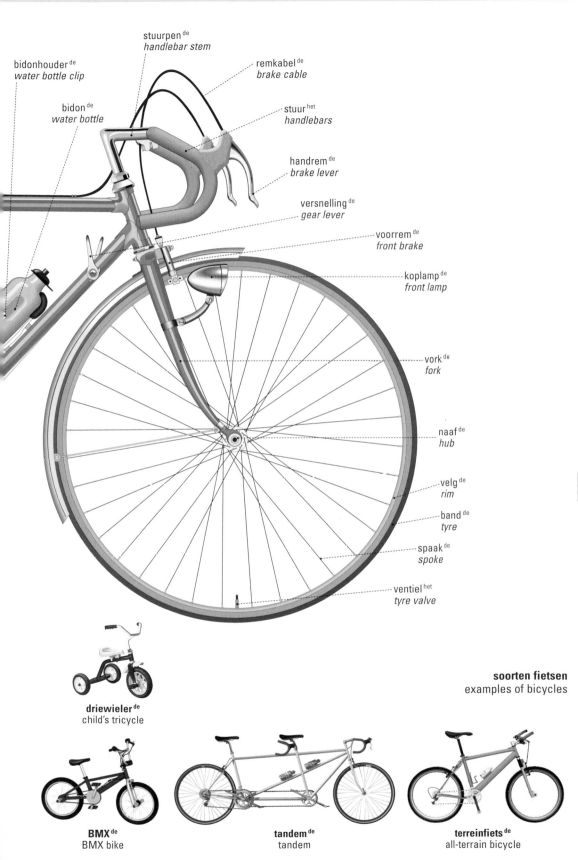

stuurpen ^{de}
handlebar stem

bidonhouder ^{de}
water bottle clip

remkabel ^{de}
brake cable

bidon ^{de}
water bottle

stuur ^{het}
handlebars

handrem ^{de}
brake lever

versnelling ^{de}
gear lever

voorrem ^{de}
front brake

koplamp ^{de}
front lamp

vork ^{de}
fork

naaf ^{de}
hub

velg ^{de}
rim

band ^{de}
tyre

spaak ^{de}
spoke

ventiel ^{het}
tyre valve

soorten fietsen
examples of bicycles

driewieler ^{de}
child's tricycle

BMX ^{de}
BMX bike

tandem ^{de}
tandem

terreinfiets ^{de}
all-terrain bicycle

In de 19e eeuw was de trein het populairste transportmiddel. Uok nu nog yeven vecl reizigers de voorkeur aan de trein boven de auto of het vliegtuig. Geavanceerde hogesnelheidstreinen in Europa, Amerika en Azië vervoeren passagiers met een snelheid van meer dan 300 km/u. In stedelijke gebieden wordt het personenvervoer per spoor grotendeels verzorgd door de metro en de tram.

PERSONENTREIN
PASSENGER TRAIN

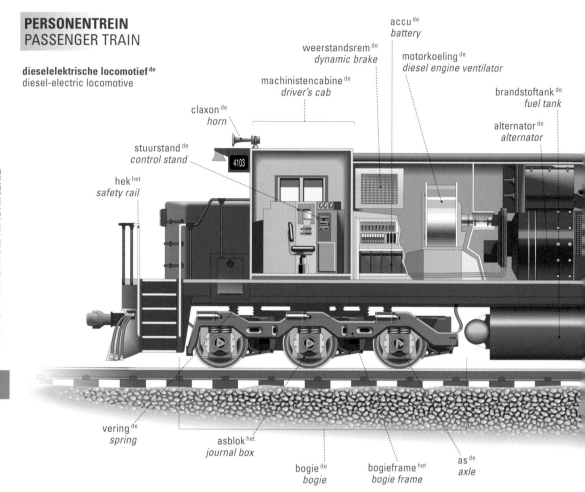

accu ^{de}
battery

weerstandsrem ^{de}
dynamic brake

motorkoeling ^{de}
diesel engine ventilator

machinistencabine ^{de}
driver's cab

dieselelektrische locomotief ^{de}
diesel-electric locomotive

brandstoftank ^{de}
fuel tank

claxon ^{de}
horn

alternator ^{de}
alternator

stuurstand ^{de}
control stand

hek ^{het}
safety rail

vering ^{de}
spring

asblok ^{het}
journal box

bogie ^{de}
bogie

bogieframe ^{het}
bogie frame

as ^{de}
axle

soorten goederenwagons
examples of freight wagons

open wagon ^{de}
bogie goods truck

diepladerwagon ^{de}
well wagon

platte wagon met kopschotten ^{de}
bulkhead flat truck

platte wagon ^{de}
flat truck

opleggerwagon ^{de}
piggyback flat truck

koelwagon ^{de}
refrigerator van

tankwagon ^{de}
bogie tank wagon

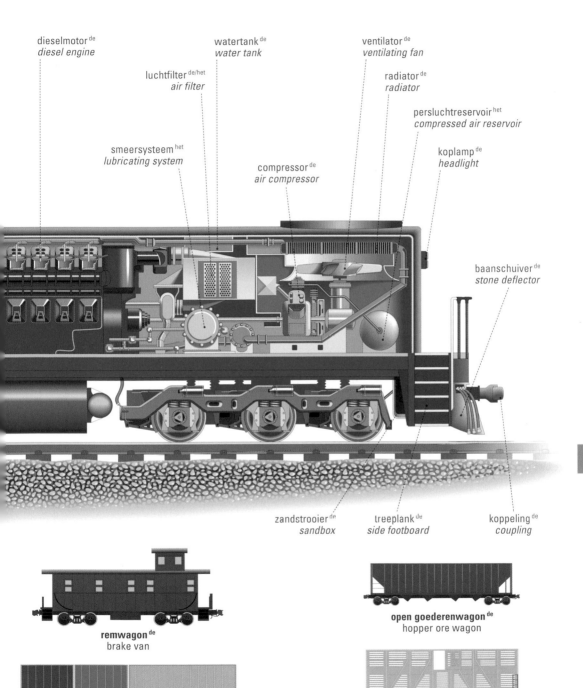

dieselmotor ^{de}
diesel engine

watertank ^{de}
water tank

ventilator ^{de}
ventilating fan

luchtfilter ^{de/het}
air filter

radiator ^{de}
radiator

persluchtreservoir ^{het}
compressed air reservoir

smeersysteem ^{het}
lubricating system

compressor ^{de}
air compressor

koplamp ^{de}
headlight

baanschuiver ^{de}
stone deflector

zandstrooier ^{de}
sandbox

treeplank ^{de}
side footboard

koppeling ^{de}
coupling

TRANSPORT EN ZWARE MACHINERIE

remwagon ^{de}
brake van

containerwagon ^{de}
container truck

autotransportwagon ^{de}
three-tier car carrier

open goederenwagon ^{de}
hopper ore wagon

veewagon ^{de}
livestock van

goederenwagon ^{de}
bogie goods van

hogesnelheidstrein de **(HST)**
high-speed train

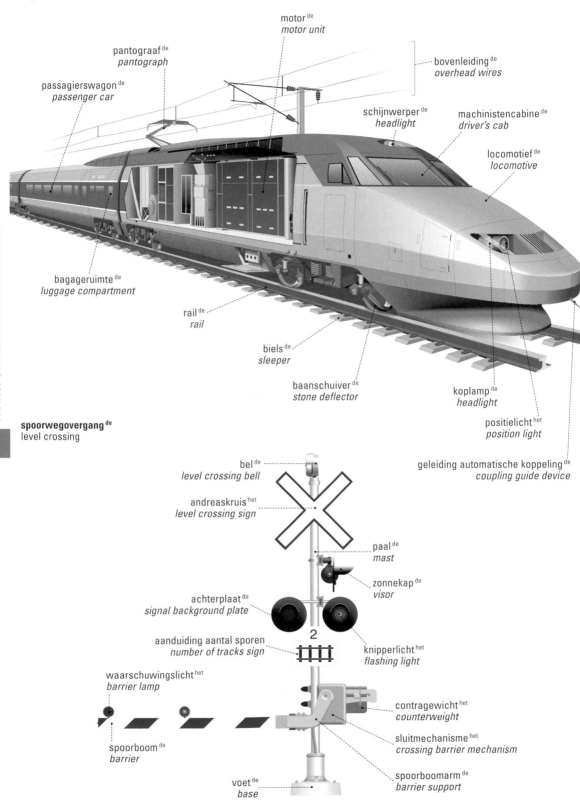

pantograaf de
pantograph

passagierswagon de
passenger car

motor de
motor unit

bovenleiding de
overhead wires

schijnwerper de
headlight

machinistencabine de
driver's cab

locomotief de
locomotive

bagageruimte de
luggage compartment

rail de
rail

biels de
sleeper

baanschuiver de
stone deflector

koplamp de
headlight

positielicht het
position light

geleiding automatische koppeling de
coupling guide device

spoorwegovergang de
level crossing

bel de
level crossing bell

andreaskruis het
level crossing sign

paal de
mast

zonnekap de
visor

achterplaat de
signal background plate

aanduiding aantal sporen
number of tracks sign

2

knipperlicht het
flashing light

waarschuwingslicht het
barrier lamp

contragewicht het
counterweight

sluitmechanisme het
crossing barrier mechanism

spoorboom de
barrier

spoorboomarm de
barrier support

voet de
base

198

passagierswagon ^{de}
passenger car

noodrem ^{de}
emergency brake

zijleuning ^{de}
side handrail

verlichting ^{de}
light

deur ^{de}
side door

omroepsysteem ^{het}
communication set

tweezitsbankje ^{het}
double seat

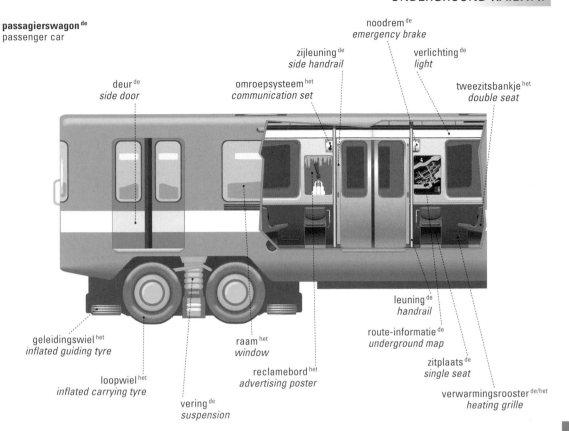

geleidingswiel ^{het}
inflated guiding tyre

raam ^{het}
window

leuning ^{de}
handrail

route-informatie ^{de}
underground map

loopwiel ^{het}
inflated carrying tyre

reclamebord ^{het}
advertising poster

zitplaats ^{de}
single seat

vering ^{de}
suspension

verwarmingsrooster ^{de/het}
heating grille

metro ^{de}
underground train

motorwagen ^{de}
motor car

metrowagon ^{de}
trailer car

motorwagen ^{de}
motor car

bovenleiding ^{de}
catenary

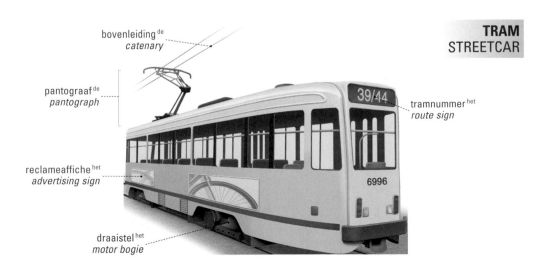

pantograaf ^{de}
pantograph

tramnummer ^{het}
route sign

reclameaffiche ^{het}
advertising sign

draaistel ^{het}
motor bogie

TRANSPORT EN ZWARE MACHINERIE

199

Samen met de ezel en de kameel is de boot het oudste transportmiddel. Tegen de 14e eeuw begon mcn handel te drijven met onbekende landen en dat leidde tot de ontwikkeling van grote en efficiënte zeilschepen. Tegen de 19e eeuw bouwde men enorme stoomschepen en waren zeelieden niet meer afhankelijk van de onbetrouwbare windkracht. Tegenwoordig gebruikt men de internationale zeewegen voornamelijk om tegen een lage prijs goederen te transporteren.

HAVEN
HARBOUR

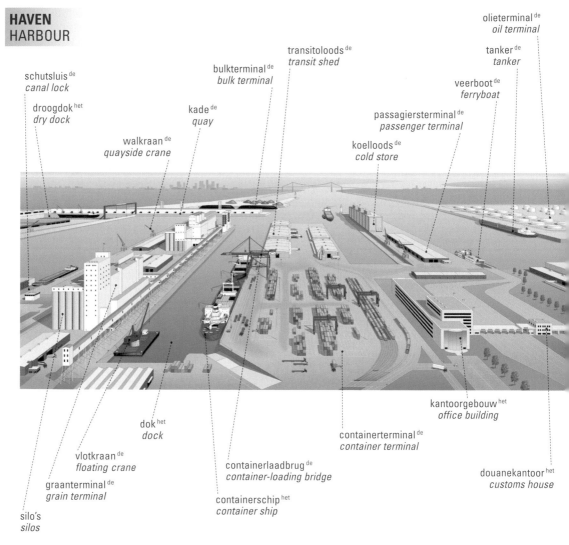

olieterminal^{de}
oil terminal

transitoloods^{de}
transit shed

tanker^{de}
tanker

schutsluis^{de}
canal lock

bulkterminal^{de}
bulk terminal

veerboot^{de}
ferryboat

droogdok^{het}
dry dock

kade^{de}
quay

passagiersterminal^{de}
passenger terminal

walkraan^{de}
quayside crane

koelloods^{de}
cold store

kantoorgebouw^{het}
office building

dok^{het}
dock

containerterminal^{de}
container terminal

vlotkraan^{de}
floating crane

containerlaadbrug^{de}
container-loading bridge

douanekantoor^{het}
customs house

graanterminal^{de}
grain terminal

containerschip^{het}
container ship

silo's
silos

PASSAGIERSSCHIP
CRUISELINER

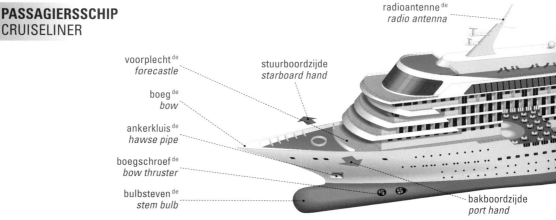

radioantenne^{de}
radio antenna

voorplecht^{de}
forecastle

stuurboordzijde
starboard hand

boeg^{de}
bow

ankerkluis^{de}
hawse pipe

boegschroef^{de}
bow thruster

bulbsteven^{de}
stem bulb

bakboordzijde
port hand

VIERMASTER
FOUR-MASTED BARQUE

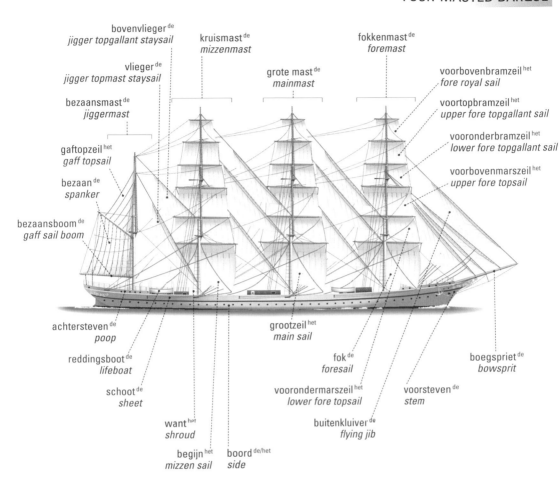

bovenvlieger ^{de}
jigger topgallant staysail

kruismast ^{de}
mizzenmast

fokkenmast ^{de}
foremast

vlieger ^{de}
jigger topmast staysail

grote mast ^{de}
mainmast

voorbovenbramzeil ^{het}
fore royal sail

bezaansmast ^{de}
jiggermast

voortopbramzeil ^{het}
upper fore topgallant sail

gaftopzeil ^{het}
gaff topsail

vooronderbramzeil ^{het}
lower fore topgallant sail

bezaan ^{de}
spanker

voorbovenmarszeil ^{het}
upper fore topsail

bezaansboom ^{de}
gaff sail boom

achtersteven ^{de}
poop

grootzeil ^{het}
main sail

reddingsboot ^{de}
lifeboat

fok ^{de}
foresail

boegspriet ^{de}
bowsprit

schoot ^{de}
sheet

voorondermarszeil ^{het}
lower fore topsail

voorsteven ^{de}
stem

want ^{het}
shroud

buitenkluiver ^{de}
flying jib

begijn ^{het}
mizzen sail

boord ^{de/het}
side

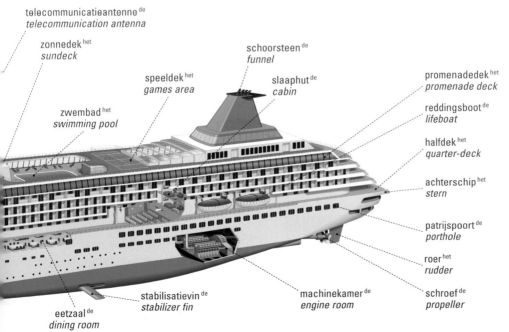

telecommunicatieantenne ^{de}
telecommunication antenna

zonnedek ^{het}
sundeck

schoorsteen ^{de}
funnel

speeldek ^{het}
games area

slaaphut ^{de}
cabin

promenadedek ^{het}
promenade deck

zwembad ^{het}
swimming pool

reddingsboot ^{de}
lifeboat

halfdek ^{het}
quarter-deck

achterschip ^{het}
stern

patrijspoort ^{de}
porthole

roer ^{het}
rudder

eetzaal ^{de}
dining room

stabilisatievin ^{de}
stabilizer fin

machinekamer ^{de}
engine room

schroef ^{de}
propeller

SOORTEN BOTEN EN SCHEPEN
EXAMPLES OF BOATS AND SHIPS

speedboot de
runabout

motorjacht het
motor yacht

woonboot de
houseboat

sleepboot de
tug

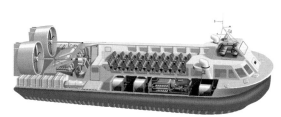

hovercraft de
hovercraft

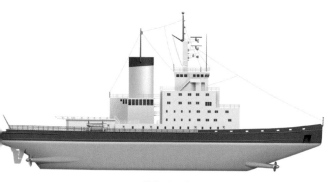

draagvleugelboot de
hydrofoil boat

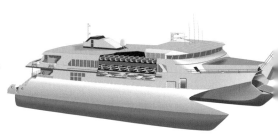

veerboot de
ferry

ijsbreker de
ice-breaker

trawler de
trawler

Vóór de uitvinding van de helikopter en het vliegtuig waren de trein en de boot de enige praktische vervoersmiddelen voor lange afstanden. Rond 1950 introduceerde men het revolutionaire straalvliegtuig, dat passagiers in korte tijd over grote afstanden kon vervoeren. Helikopters zijn vooral nuttig bij reddingsoperaties, omdat ze kunnen landen en opstijgen op plaatsen die voor vliegtuigen onbereikbaar zijn.

HELIKOPTER
HELICOPTER

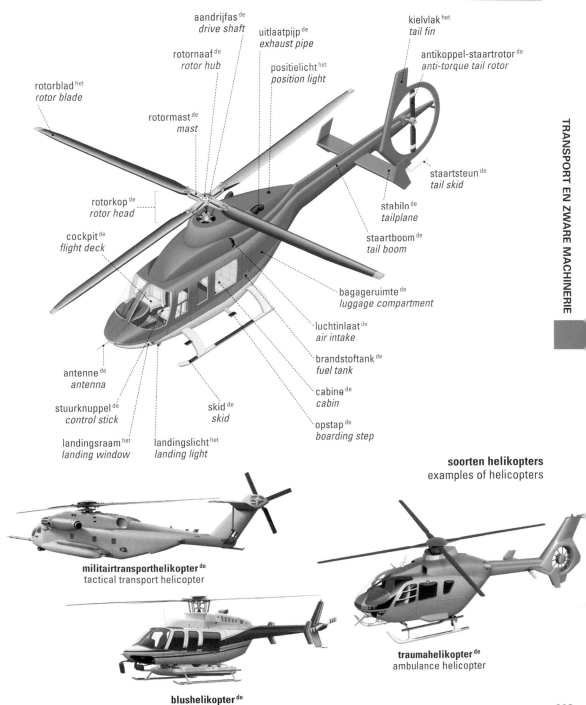

aandrijfas de
drive shaft

uitlaatpijp de
exhaust pipe

rotornaaf de
rotor hub

positielicht het
position light

rotorblad het
rotor blade

rotormast de
mast

kielvlak het
tail fin

antikoppel-staartrotor de
anti-torque tail rotor

rotorkop de
rotor head

staartsteun de
tail skid

stahilo de
tailplane

staartboom de
tail boom

cockpit de
flight deck

bagageruimte de
luggage compartment

luchtinlaat de
air intake

brandstoftank de
fuel tank

antenne de
antenna

stuurknuppel de
control stick

skid de
skid

cabine de
cabin

opstap de
boarding step

landingsraam het
landing window

landingslicht het
landing light

soorten helikopters
examples of helicopters

militairtransporthelikopter de
tactical transport helicopter

traumahelikopter de
ambulance helicopter

blushelikopter de
water-bomber helicopter

TRANSPORT EN ZWARE MACHINERIE

LUCHTHAVEN
AIRPORT

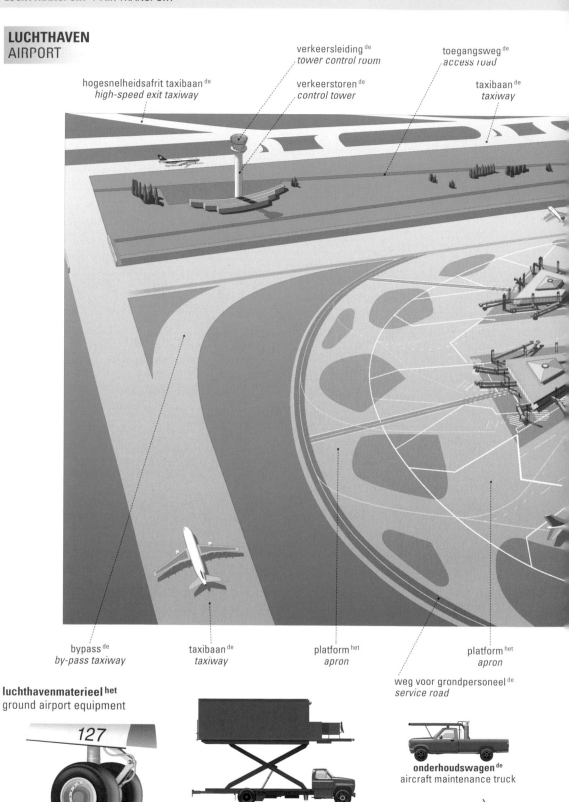

verkeersleiding ^{de}
tower control room

toegangsweg ^{de}
access road

hogesnelheidsafrit taxibaan ^{de}
high-speed exit taxiway

verkeerstoren ^{de}
control tower

taxibaan ^{de}
taxiway

bypass ^{de}
by-pass taxiway

taxibaan ^{de}
taxiway

platform ^{het}
apron

platform ^{het}
apron

weg voor grondpersoneel ^{de}
service road

luchthavenmaterieel ^{het}
ground airport equipment

wielblok ^{het}
wheel chock

cateringwagen ^{de}
catering vehicle

onderhoudswagen ^{de}
aircraft maintenance truck

trekstaaf ^{de}
tow bar

127

vertrekhal ^{de}
passenger terminal

passagierstunnel ^{de}
boarding walkway

onderhoudshangar ^{de}
maintenance hangar

parkeerterrein ^{het}
parking area

satellietterminal ^{de}
satellite terminal

TRANSPORT EN ZWARE MACHINERIE

aviobrug ^{de}
telescopic corridor

dienstenzone ^{de}
service area

taxilijn ^{de}
taxiway line

tankwagen ^{de}
jet refueller

trekker ^{de}
tractor

bagagelader ^{de}
baggage conveyor

bagagekarretjes
baggage trailer

trekker ^{de}
tow tractor

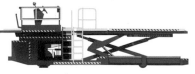

container/palletlader ^{de}
container/pallet loader

TRANSPORT EN ZWARE MACHINERIE

VLIEGTUIG
AIRPLANE

soorten vleugels
examples of wing shapes

pijlvleugel met variabele pijlstelling de
variable geometry wing

pijlvleugel met geringe pijlstelling de
swept-back wing

jumbojet de
long-range jet airliner

trapezevleugel de
tapered wing

rechte vleugel de
straight wing

deltavleugel de
delta wing

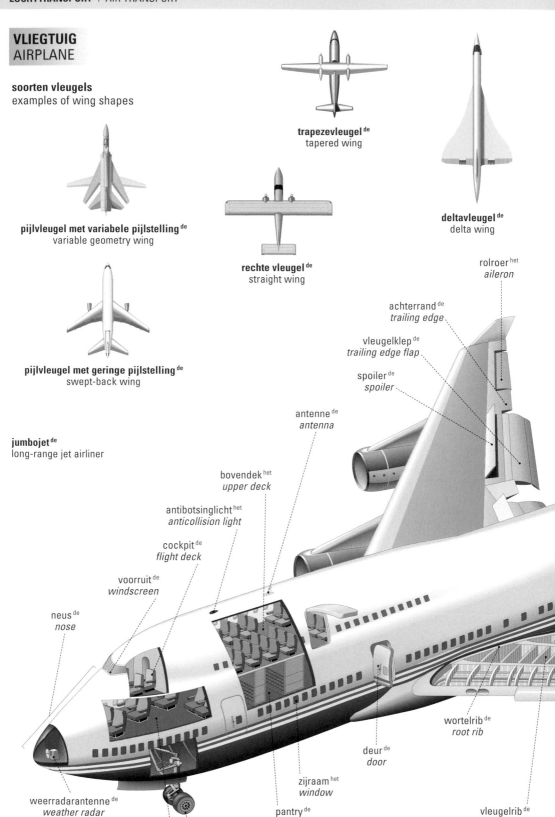

rolroer het
aileron

achterrand de
trailing edge

vleugelklep de
trailing edge flap

spoiler de
spoiler

antenne de
antenna

bovendek het
upper deck

antibotsinglicht het
anticollision light

cockpit de
flight deck

voorruit de
windscreen

neus de
nose

weerradarantenne de
weather radar

eersteklascabine de
first-class cabin

neuslandingsgestel het
nose landing gear

pantry de
galley

zijraam het
window

deur de
door

wortelrib de
root rib

vleugelrib de
wing rib

ligger de
spar

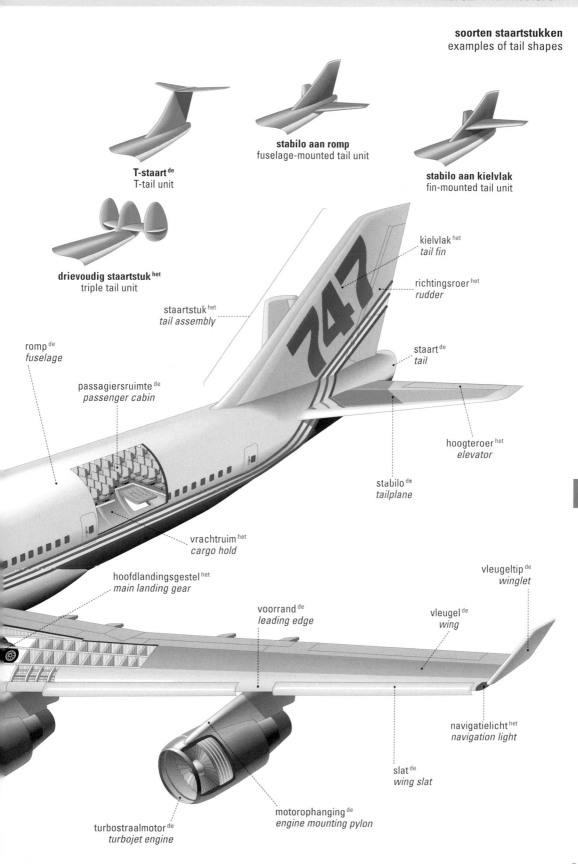

soorten staartstukken
examples of tail shapes

T-staart de
T-tail unit

stabilo aan romp
fuselage-mounted tail unit

stabilo aan kielvlak
fin-mounted tail unit

drievoudig staartstuk het
triple tail unit

kielvlak het
tail fin

richtingsroer het
rudder

staartstuk het
tail assembly

romp de
fuselage

staart de
tail

passagiersruimte de
passenger cabin

hoogteroer het
elevator

stabilo de
tailplane

vrachtruim het
cargo hold

vleugeltip de
winglet

hoofdlandingsgestel het
main landing gear

voorrand de
leading edge

vleugel de
wing

navigatielicht het
navigation light

slat de
wing slat

turbostraalmotor de
turbojet engine

motorophanging de
engine mounting pylon

soorten luchtvaartuigen
examples of aircraft

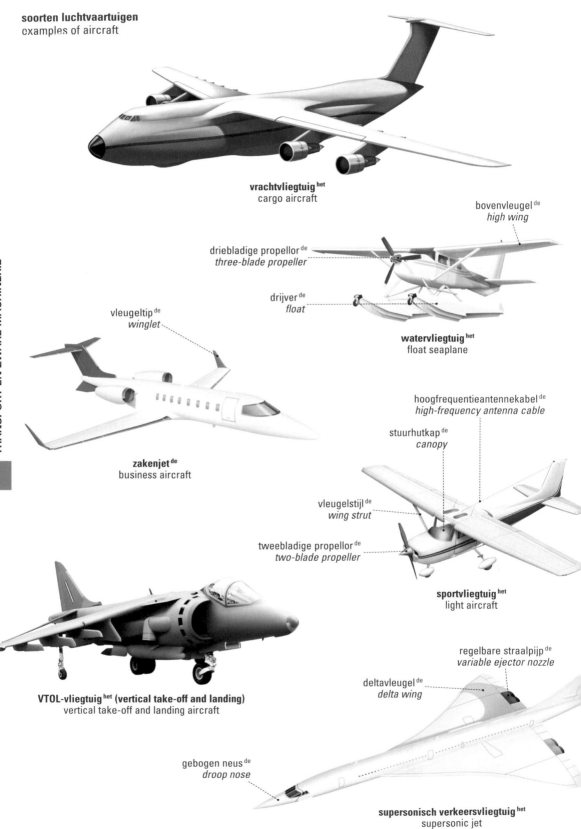

vrachtvliegtuig het
cargo aircraft

bovenvleugel de
high wing

driebladige propellor de
three-blade propeller

drijver de
float

watervliegtuig het
float seaplane

vleugeltip de
winglet

zakenjet de
business aircraft

hoogfrequentieantennekabel de
high-frequency antenna cable

stuurhutkap de
canopy

vleugelstijl de
wing strut

tweebladige propellor de
two-blade propeller

sportvliegtuig het
light aircraft

VTOL-vliegtuig het **(vertical take-off and landing)**
vertical take-off and landing aircraft

regelbare straalpijp de
variable ejector nozzle

deltavleugel de
delta wing

gebogen neus de
droop nose

supersonisch verkeersvliegtuig het
supersonic jet

Zware machinerie vormt een aparte categorie motorvoertuigen. Deze voertuigen, die men zelden op de weg ziet, zijn te vinden op bouwterreinen, bij steengroeven en bij mijnen. Ze zijn vaak uitgerust met rupsbanden, waardoor ze moeiteloos over oneffen terrein kunnen bewegen. Dankzij hun grote gewicht en krachtige motoren kunnen ze diep in de aarde graven of grote ladingen materiaal van de ene naar de andere plek overbrengen.

laad-graafcombinatie de
backhoe loader

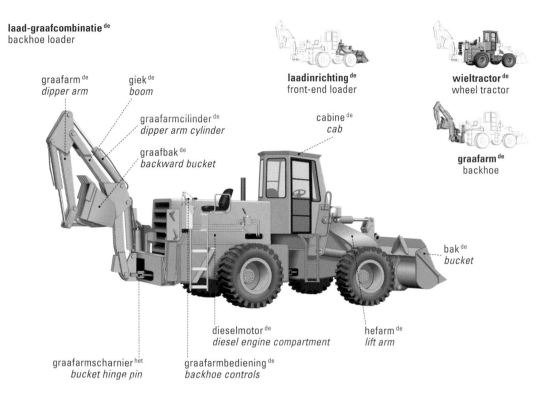

laadinrichting de
front-end loader

wieltractor de
wheel tractor

graafarm de
backhoe

graafarm de
dipper arm

giek de
boom

graafarmcilinder de
dipper arm cylinder

graafbak de
backward bucket

cabine de
cab

bak de
bucket

hefarm de
lift arm

dieselmotor de
diesel engine compartment

graafarmbediening de
backhoe controls

graafarmscharnier het
bucket hinge pin

hydraulische graafmachine de
hydraulic shovel

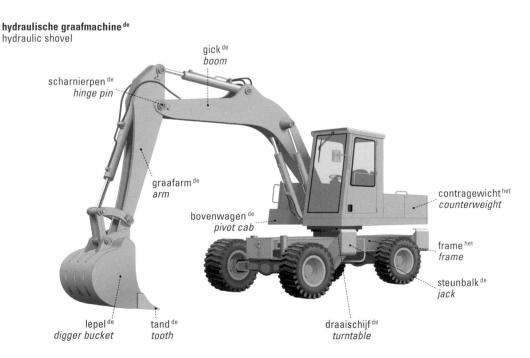

gick de
boom

scharnierpen de
hinge pin

graafarm de
arm

bovenwagen de
pivot cab

contragewicht het
counterweight

frame het
frame

steunbalk de
jack

lepel de
digger bucket

tand de
tooth

draaischijf de
turntable

bulldozer ^{de}
bulldozer

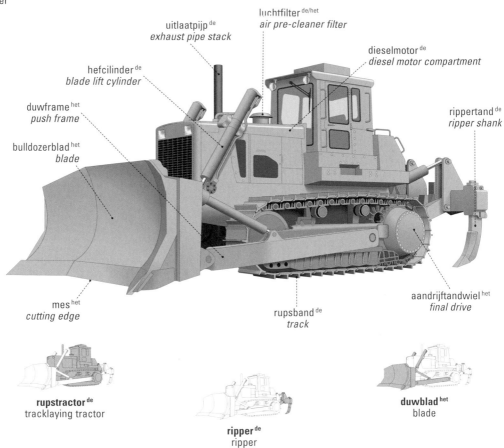

luchtfilter ^{de/het}
air pre-cleaner filter

uitlaatpijp ^{de}
exhaust pipe stack

dieselmotor ^{de}
diesel motor compartment

hefcilinder ^{de}
blade lift cylinder

rippertand ^{de}
ripper shank

duwframe ^{het}
push frame

bulldozerblad ^{het}
blade

mes ^{het}
cutting edge

rupsband ^{de}
track

aandrijftandwiel ^{het}
final drive

rupstractor ^{de}
tracklaying tractor

ripper ^{de}
ripper

duwblad ^{het}
blade

kiepauto ^{de}
tipper truck

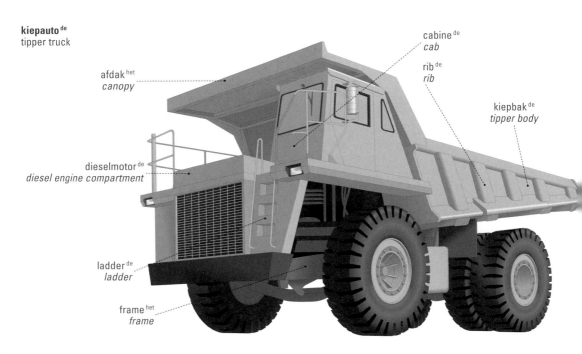

cabine ^{de}
cab

afdak ^{het}
canopy

rib ^{de}
rib

kiepbak ^{de}
tipper body

dieselmotor ^{de}
diesel engine compartment

ladder ^{de}
ladder

frame ^{het}
frame

Tegenwoordig verwijst de term "schone kunsten" alleen naar de grafische en de beeldende kunst. Sinds het begin van de beschaving hebben mensen hun gevoelens en hun indrukken van de wereld vertaald naar kunst, bijvoorbeeld door te schilderen of te beeldhouwen. Kunstenaars kunnen uit een enorme reeks materialen kiezen, waarmee ze hun werk een geheel eigen stijl kunnen geven.

SCHILDEREN EN TEKENEN
PAINTING AND DRAWING

kleurencirkel de
colour circle

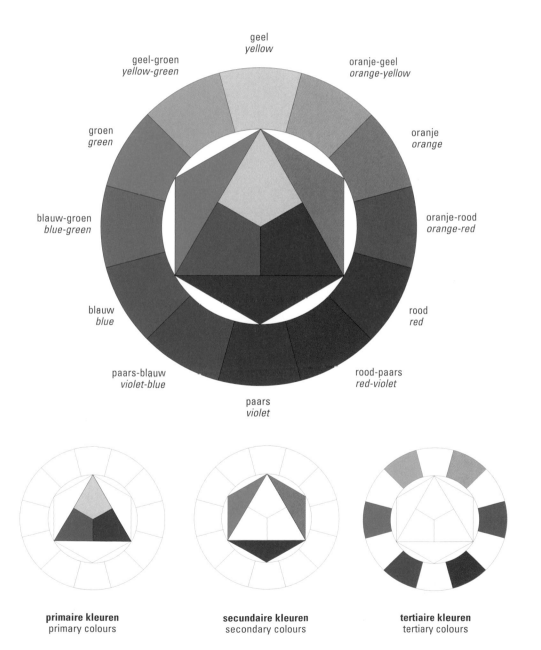

geel
yellow

geel-groen
yellow-green

oranje-geel
orange-yellow

groen
green

oranje
orange

blauw-groen
blue-green

oranje-rood
orange-red

blauw
blue

rood
red

paars-blauw
violet-blue

rood-paars
red-violet

paars
violet

primaire kleuren
primary colours

secundaire kleuren
secondary colours

tertiaire kleuren
tertiary colours

KUNST

tekenbenodigheden
drawing supplies

waspastel^{het}
soft pastel

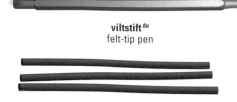

viltstift^{de}
felt-tip pen

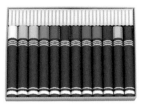

oliepastel^{het}
oil pastel

houtskool^{de}
charcoal

waskrijtjes
wax crayons

kleurpotloden
colouring pencils

schilderbenodigdheden
painting supplies

penseel^{het}
brush

blokjes plakaatverf
watercolour/gouache cakes

verfmes^{het}
painting knife

olieverf^{de}
oil paint

waaierkwast^{de}
fan brush

tube plakaatverf^{de}
watercolour/gouache tube

KUNST

HOUTSNIJDEN
WOOD CARVING

stap voor stap
steps

soorten gereedschap
examples of tools

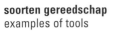

groefvijl de
riffler

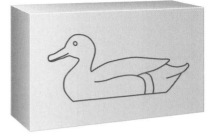

tekenen
drawing

mes het
knife

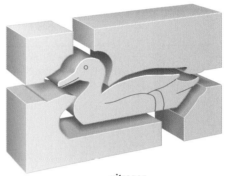

uitzagen
roughing out

guts de
burin

snijden
carving

steekbeitel de
firmer chisel

vijl de
rasp

afwerken
finishing

KUNST

213

HANDWERKEN | CRAFTS

Naaien en breien zijn zeer oude handwerkvormen. Tot voor kort werd dit soort handenarbeid meestal door vrouwen bedreven. In de tijd dat alle kleding nog met de hand werd vervaardigd, naaide en breide men alleen om praktisch redenen. In de moderne samenleving zijn deze vormen van handwerken echter hobbies geworden voor een klein aantal liefhebbers.

NAAIEN EN BREIEN
SEWING AND KNITTING

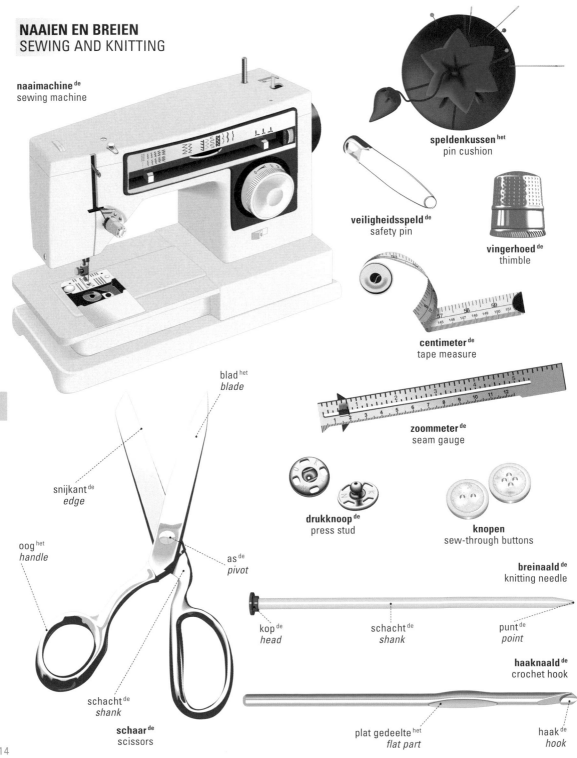

naaimachine de
sewing machine

speldenkussen het
pin cushion

veiligheidsspeld de
safety pin

vingerhoed de
thimble

centimeter de
tape measure

blad het
blade

zoommeter de
seam gauge

snijkant de
edge

drukknoop de
press stud

knopen
sew-through buttons

oog het
handle

as de
pivot

breinaald de
knitting needle

kop de
head

schacht de
shank

punt de
point

haaknaald de
crochet hook

schacht de
shank

schaar de
scissors

plat gedeelte het
flat part

haak de
hook

214

Overal ter wereld bouwen mensen hun onderkomen van materiaal dat plaatselijk voorhanden is. Traditionele huizen kunnen dus gemaakt zijn van bladmetaal, modder, stenen, takken, stro, gras of zelfs bevroren sneeuw. Hoewel veel huizen volgens plaatselijk traditioneel ontwerp gebouwd zijn, lijken moderne gebouwen in de oosterse en westerse wereld vaak zeer op elkaar.

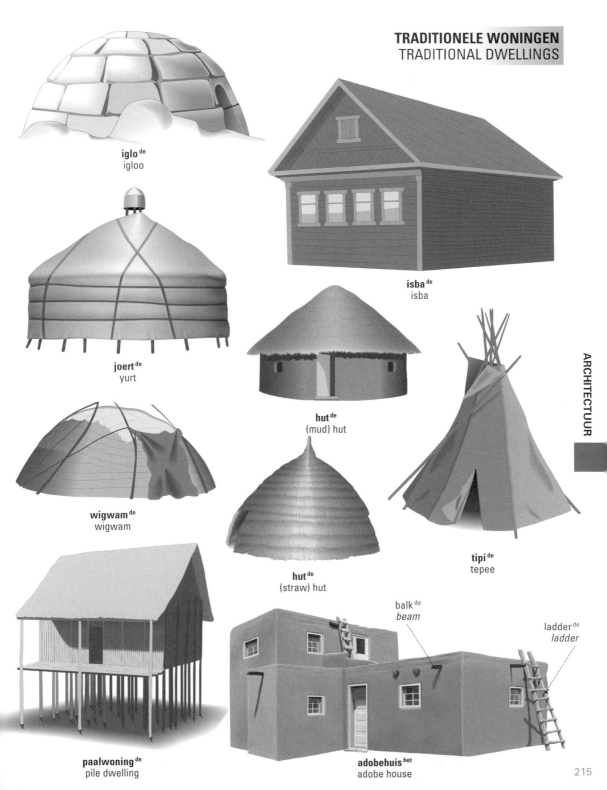

iglode
igloo

isbade
isba

joertde
yurt

hutde
(mud) hut

wigwamde
wigwam

hutde
(straw) hut

tipide
tepee

balk de
beam

ladder de
ladder

paalwoningde
pile dwelling

adobehuishet
adobe house

ARCHITECTUUR

215

HUIZEN
TOWN HOUSES

twee-onder-een-kapwoningen
semi-detached houses

eengezinswoning de
one-storey-house

vrijstaande woning de
two-storey house

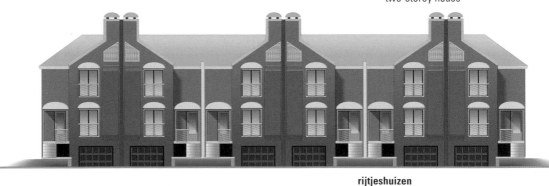

rijtjeshuizen
terraced houses

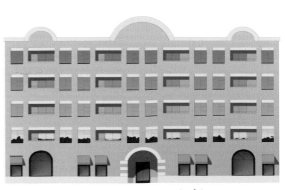

flatgebouw het
high-rise block

appartementencomplex het
freehold flats

ARCHITECTUUR

Door verschillende bouwstijlen te vergelijken en de vele meesterwerken te bestuderen die kenmerkend zijn voor een bepaalde periode, kan men de wereldgeschiedenis in kaart brengen. Elk bouwkundig element houdt verband met de beoogde functie van het gebouw. Zo heeft een kasteeltoren praktische waarde, terwijl een hemelshoge klokkentoren op een kathedraal vooral symbolische waarde heeft.

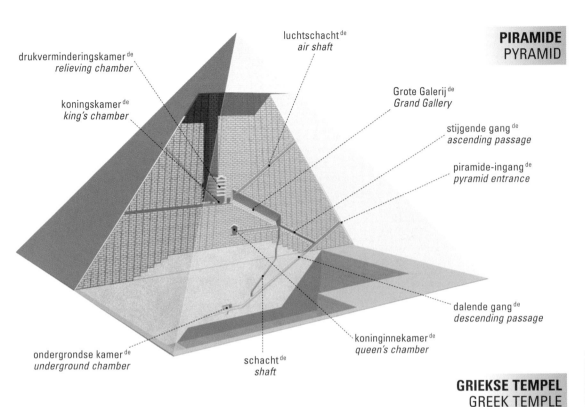

PIRAMIDE
PYRAMID

luchtschacht^{de}
air shaft

drukverminderingskamer^{de}
relieving chamber

koningskamer^{de}
king's chamber

Grote Galerij^{de}
Grand Gallery

stijgende gang^{de}
ascending passage

piramide-ingang^{de}
pyramid entrance

dalende gang^{de}
descending passage

koninginnekamer^{de}
queen's chamber

ondergrondse kamer^{de}
underground chamber

schacht^{de}
shaft

GRIEKSE TEMPEL
GREEK TEMPLE

timpaan^{het}
tympanum

acroterion^{het}
acroterion

antefix^{de}
antefix

fronton^{het}
pediment

balk^{de}
roof timber

tegula^{de}
tile

opgaande kroonlijst^{de}
sloping cornice

kroonlijst^{de}
cornice

fries^{de/het}
frieze

architraaf^{de}
architrave

zuil^{de}
column

crepidoma^{de}
crepidoma

hoofdgestel^{het}
entablature

naos^{de}
naos

pronaos^{de}
pronaos

rampa^{de}
ramp

traliehek^{het}
grille

ARCHITECTUUR

ROMEINSE VILLA
ROMAN HOUSE

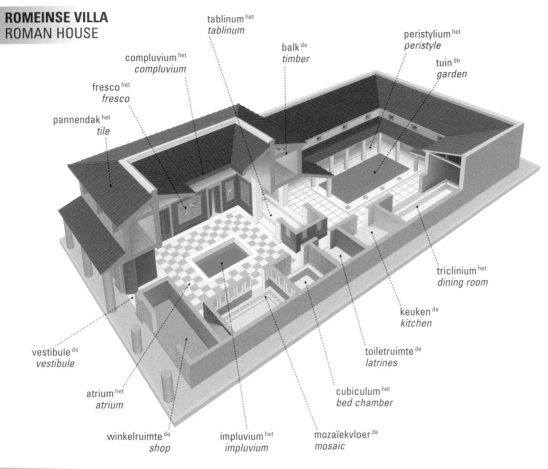

tablinum^{het}
tablinum

compluvium^{het}
compluvium

fresco^{het}
fresco

pannendak^{het}
tile

balk^{de}
timber

peristylium^{het}
peristyle

tuin^{de}
garden

triclinium^{het}
dining room

keuken^{de}
kitchen

toiletruimte^{de}
latrines

cubiculum^{het}
bed chamber

vestibule^{de}
vestibule

atrium^{het}
atrium

winkelruimte^{de}
shop

impluvium^{het}
impluvium

mozaïekvloer^{de}
mosaic

ROMEINS AMFITHEATER
ROMAN AMPHITHEATRE

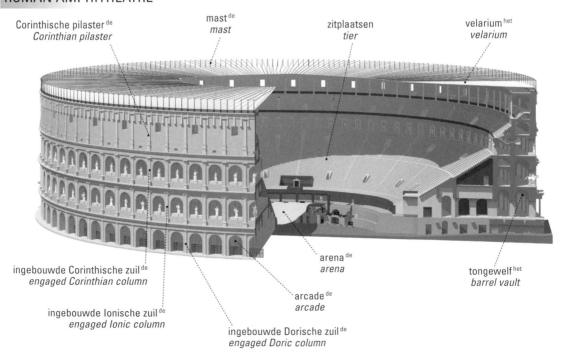

Corinthische pilaster^{de}
Corinthian pilaster

mast^{de}
mast

zitplaatsen
tier

velarium^{het}
velarium

ingebouwde Corinthische zuil^{de}
engaged Corinthian column

ingebouwde Ionische zuil^{de}
engaged Ionic column

ingebouwde Dorische zuil^{de}
engaged Doric column

arcade^{de}
arcade

arena^{de}
arena

tongewelf^{het}
barrel vault

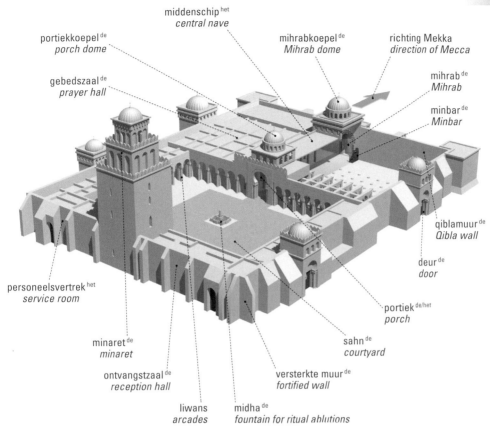

middenschip ^{het}
central nave

portiekkoepel ^{de}
porch dome

mihrabkoepel ^{de}
Mihrab dome

richting Mekka
direction of Mecca

gebedszaal ^{de}
prayer hall

mihrab ^{de}
Mihrab

minbar ^{de}
Minbar

qiblamuur ^{de}
Qibla wall

deur ^{de}
door

personeelsvertrek ^{het}
service room

portiek ^{de/het}
porch

minaret ^{de}
minaret

sahn ^{de}
courtyard

ontvangstzaal ^{de}
reception hall

versterkte muur ^{de}
fortified wall

liwans
arcades

midha ^{de}
fountain for ritual ablutions

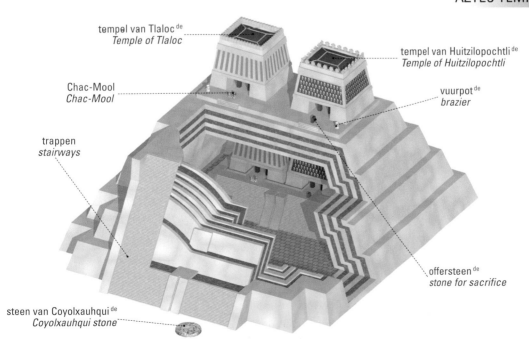

tempel van Tlaloc ^{de}
Temple of Tlaloc

tempel van Huitzilopochtli ^{de}
Temple of Huitzilopochtli

Chac-Mool
Chac-Mool

vuurpot ^{de}
brazier

trappen
stairways

offersteen ^{de}
stone for sacrifice

steen van Coyolxauhqui ^{de}
Coyolxauhqui stone

ARCHITECTUUR

219

KASTEEL het
CASTLE

kantelen
machicolation

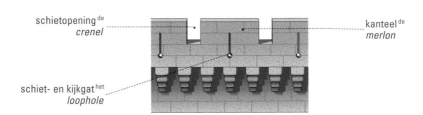

schietopening de
crenel

kanteel de
merlon

schiet- en kijkgat het
loophole

kasteel het
castle

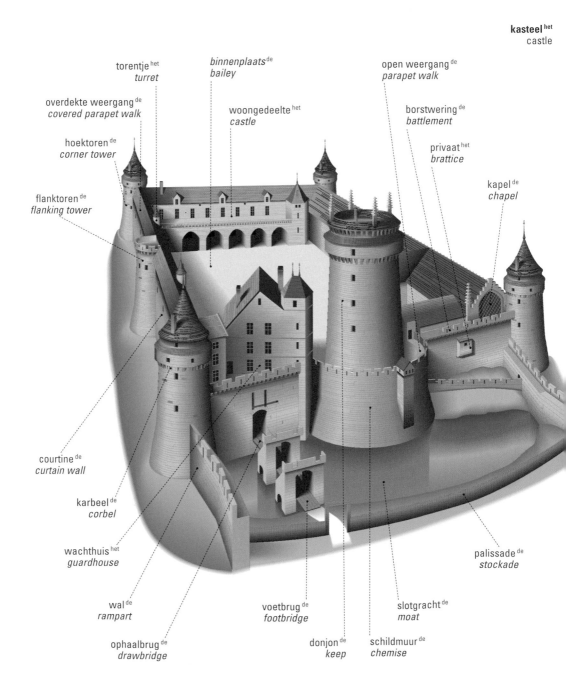

torentje het
turret

binnenplaats de
bailey

open weergang de
parapet walk

overdekte weergang de
covered parapet walk

woongedeelte het
castle

borstwering de
battlement

hoektoren de
corner tower

privaat het
brattice

kapel de
chapel

flanktoren de
flanking tower

courtine de
curtain wall

karbeel de
corbel

wachthuis het
guardhouse

palissade de
stockade

wal de
rampart

voetbrug de
footbridge

slotgracht de
moat

ophaalbrug de
drawbridge

donjon de
keep

schildmuur de
chemise

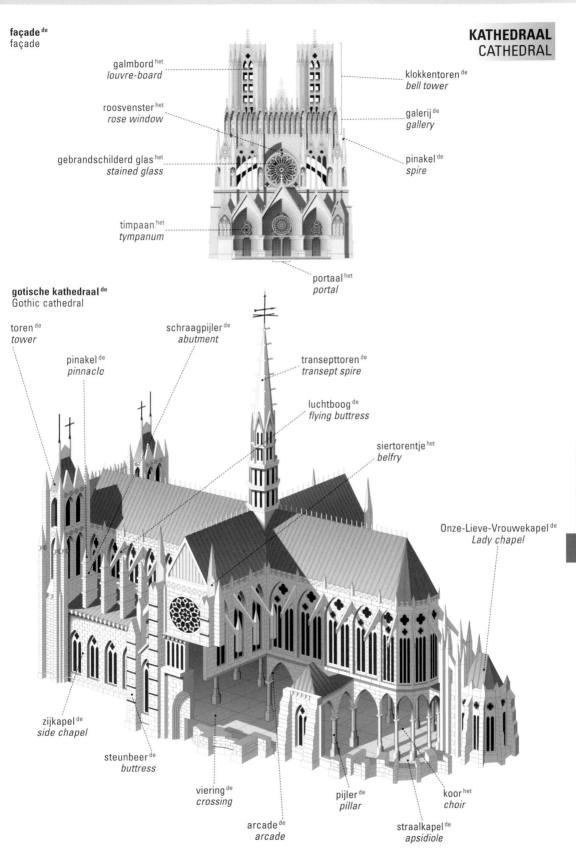

façade de
façade

KATHEDRAAL
CATHEDRAL

galmbord het
louvre-board

klokkentoren de
bell tower

roosvenster het
rose window

galerij de
gallery

gebrandschilderd glas het
stained glass

pinakel de
spire

timpaan het
tympanum

portaal het
portal

gotische kathedraal de
Gothic cathedral

toren de
tower

schraagpijler de
abutment

transepttoren de
transept spire

pinakel de
pinnacle

luchtboog de
flying buttress

siertorentje het
belfry

Onze-Lieve-Vrouwekapel de
Lady chapel

zijkapel de
side chapel

steunbeer de
buttress

viering de
crossing

pijler de
pillar

koor het
choir

arcade de
arcade

straalkapel de
apsidiole

ARCHITECTUUR

Dankzij het muziekschrift kunnen de vele elementen die nodig zijn voor de uitvoering van een muziekstuk genoteerd worden op een vijfregelige notenbalk. De honderden verschillende symbolen die bijvoorbeeld tonen, toonhoogte en toonduur weergeven maken het tot een waardevol hulpmiddel, een universele taal die musici uit alle culturen toegang geeft tot dezelfde wereldwijde muziekbibliotheek.

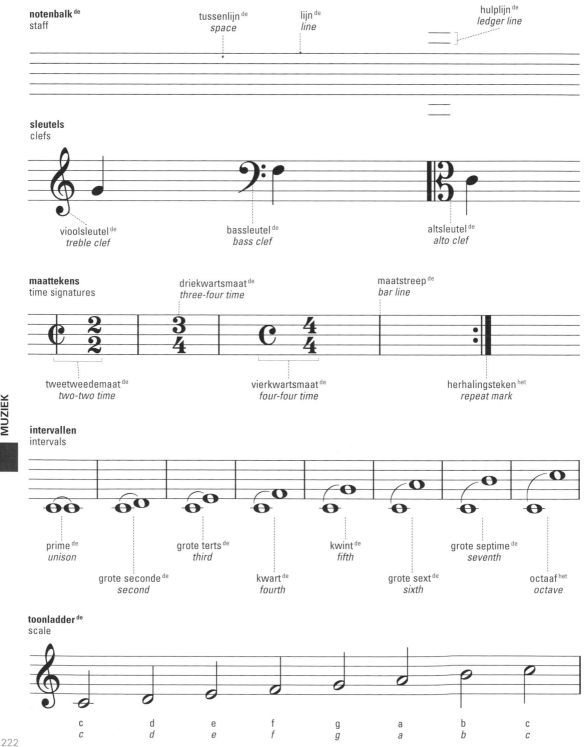

notenbalk de
staff

tussenlijn de
space

lijn de
line

hulplijn de
ledger line

sleutels
clefs

vioolsleutel de
treble clef

bassleutel de
bass clef

altsleutel de
alto clef

maattekens
time signatures

driekwartsmaat de
three-four time

maatstreep de
bar line

tweetweedemaat de
two-two time

vierkwartsmaat de
four-four time

herhalingsteken het
repeat mark

intervallen
intervals

prime de
unison

grote terts de
third

kwint de
fifth

grote septime de
seventh

grote seconde de
second

kwart de
fourth

grote sext de
sixth

octaaf het
octave

toonladder de
scale

c	d	e	f	g	a	b	c
c	*d*	*e*	*f*	*g*	*a*	*b*	*c*

MUZIEK

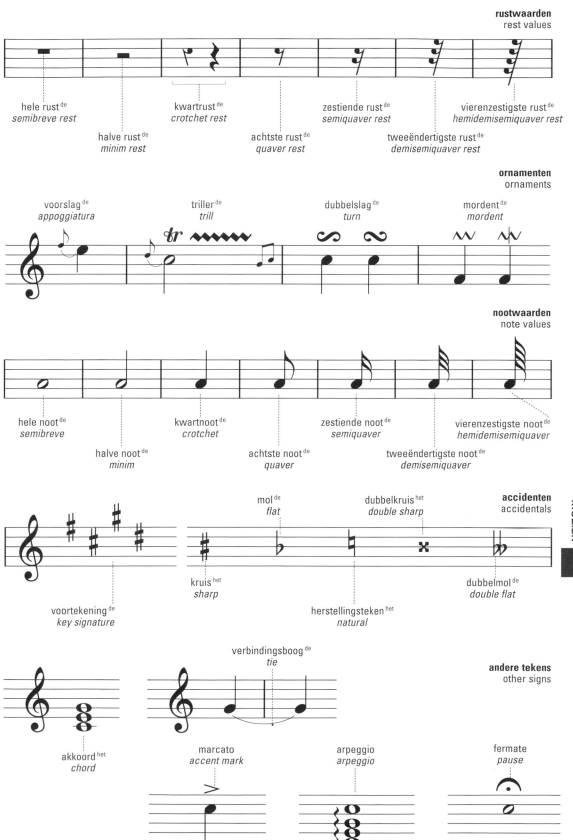

rustwaarden
rest values

hele rust^{de}
semibreve rest

halve rust^{de}
minim rest

kwartrust^{de}
crotchet rest

achtste rust^{de}
quaver rest

zestiende rust^{de}
semiquaver rest

tweeëndertigste rust^{de}
demisemiquaver rest

vierenzestigste rust^{de}
hemidemisemiquaver rest

ornamenten
ornaments

voorslag^{de}
appoggiatura

triller^{de}
trill

dubbelslag^{de}
turn

mordent^{de}
mordent

nootwaarden
note values

hele noot^{de}
semibreve

halve noot^{de}
minim

kwartnoot^{de}
crotchet

achtste noot^{de}
quaver

zestiende noot^{de}
semiquaver

tweeëndertigste noot^{de}
demisemiquaver

vierenzestigste noot^{de}
hemidemisemiquaver

accidenten
accidentals

mol^{de}
flat

dubbelkruis^{het}
double sharp

voortekening^{de}
key signature

kruis^{het}
sharp

herstellingsteken^{het}
natural

dubbelmol^{de}
double flat

andere tekens
other signs

verbindingsboog^{de}
tie

akkoord^{het}
chord

marcato
accent mark

arpeggio
arpeggio

fermate
pause

MUZIEK

In elke cultuur hebben mensen manieren gevonden om met verschillende soorten voorwerpen muziek te maken. Tegenwoordig bestaan er duizenden muziekinstrumenten, uiteenlopend van traditioneel tot elektronisch, die elk bij een speciale muziekstijl horen. Instrumenten kunnen ingedeeld worden in drie basiscategorieën: blaas-, snaar- en slaginstrumenten. We onderscheiden echter ook andere categorieën, zoals toetsinstrumenten.

TRADITIONELE MUZIEKINSTRUMENTEN
TRADITIONAL MUSICAL INSTRUMENTS

bastoetsen
bass keyboard

accordeon het/de
accordion

discantregister het
treble register

knop de
button

klavier het
treble keyboard

basregister het
bass register

toets de
key

balg de
bellows

grill de
grille

doedelzak de
bagpipes

mondharmonica de
harmonica

bourdonpijp de
drone pipe

windpijp de
blow pipe

panfluit de
panpipe

windzak de
windbag

melodiepijp de
chanter

banjo de
banjo

MUZIEK

talking drum de
talking drum

trommelstok de
drumstick

djembé de
djembe

mandoline de
mandolin

citer de
zither

balalaika de
balalaika

plectrum het
plectrum

lier de
lyre

kora de
kora

TOETSINSTRUMENTEN
KEYBOARD INSTRUMENTS

buffetpiano de
upright piano

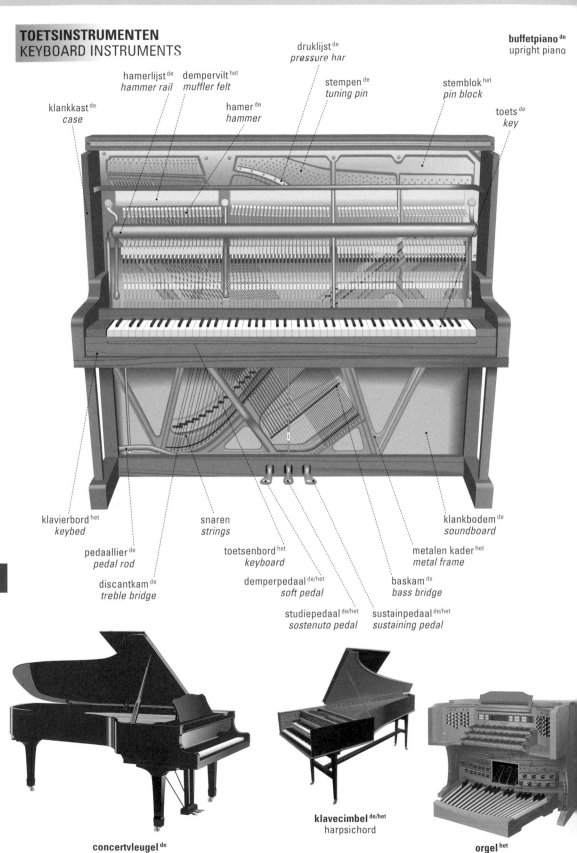

druklijst de
pressure bar

hamerlijst de
hammer rail

dempervilt het
muffler felt

hamer de
hammer

stempen de
tuning pin

stemblok het
pin block

klankkast de
case

toets de
key

klavierbord het
keybed

snaren
strings

klankbodem de
soundboard

pedaallier de
pedal rod

toetsenbord het
keyboard

metalen kader het
metal frame

discantkam de
treble bridge

demperpedaal de/het
soft pedal

baskam de
bass bridge

studiepedaal de/het
sostenuto pedal

sustainpedaal de/het
sustaining pedal

concertvleugel de
concert grand

klavecimbel de/het
harpsichord

orgel het
organ

MUZIEK

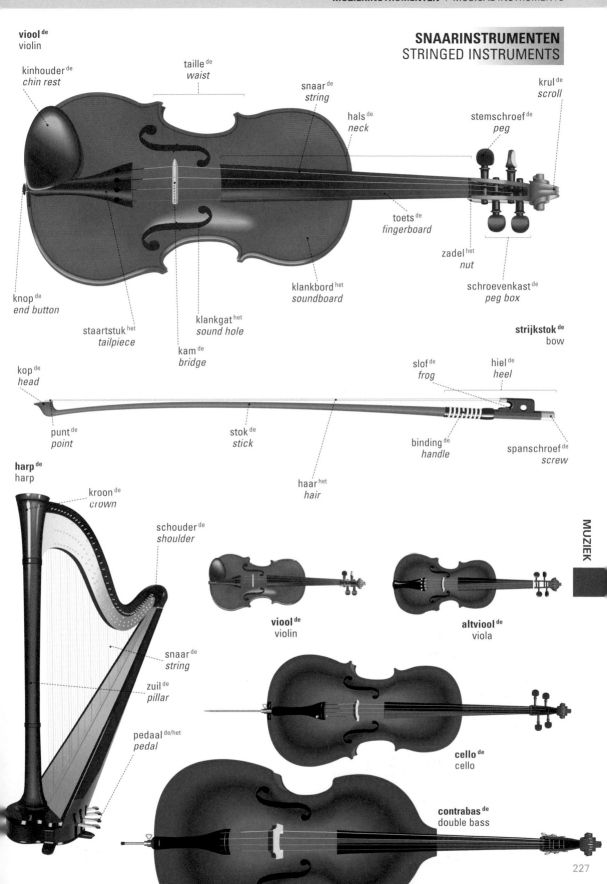

viool de
violin

kinhouder de
chin rest

taille de
waist

snaar de
string

krul de
scroll

hals de
neck

stemschroef de
peg

toets de
fingerboard

zadel het
nut

klankbord het
soundboard

schroevenkast de
peg box

knop de
end button

staartstuk het
tailpiece

klankgat het
sound hole

kam de
bridge

strijkstok de
bow

kop de
head

slof de
frog

hiel de
heel

punt de
point

stok de
stick

binding de
handle

spanschroef de
screw

harp de
harp

haar het
hair

kroon de
crown

schouder de
shoulder

snaar de
string

zuil de
pillar

pedaal de/het
pedal

viool de
violin

altviool de
viola

cello de
cello

contrabas de
double bass

MUZIEK

227

elektrische gitaar^{de}
electric guitar

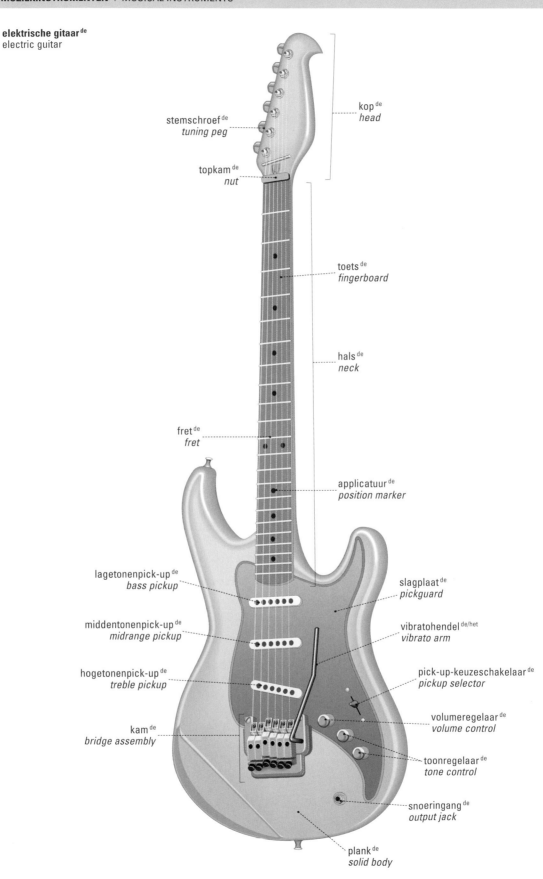

stemschroef^{de}
tuning peg

kop^{de}
head

topkam^{de}
nut

toets^{de}
fingerboard

hals^{de}
neck

fret^{de}
fret

applicatuur^{de}
position marker

lagetonenpick-up^{de}
bass pickup

slagplaat^{de}
pickguard

middentonenpick-up^{de}
midrange pickup

vibratohendel^{de/het}
vibrato arm

hogetonenpick-up^{de}
treble pickup

pick-up-keuzeschakelaar^{de}
pickup selector

volumeregelaar^{de}
volume control

kam^{de}
bridge assembly

toonregelaar^{de}
tone control

snoeringang^{de}
output jack

plank^{de}
solid body

basgitaar de
bass guitar

stemschroef de
tuning peg

topkam de
nut

fret de
fret

plank de
body

pick-ups
pickups

riembevestiging de
strap system

kop de
head

kam de
bridge

hals de
neck

toets de
fingerboard

applicatuur de
position marker

lagetonenregelaar de
bass tone control

hogetonenregelaar de
treble tone control

akoestische gitaar de
acoustic guitar

balansregelaar de
balancer

stemschroef de
peg

volumeregelaar de
volume control

kop de
head

klankkast de
body

klankbord het
soundboard

hals de
neck

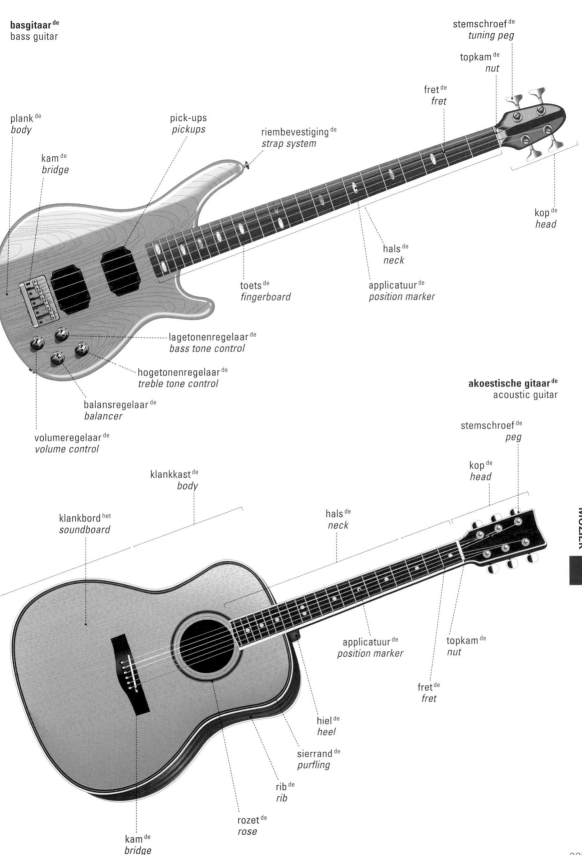

applicatuur de
position marker

topkam de
nut

fret de
fret

hiel de
heel

sierrand de
purfling

rib de
rib

rozet de
rose

kam de
bridge

MUZIEK

BLAASINSTRUMENTEN
WIND INSTRUMENTS

trompet ^{de}
trumpet

ventielknop ^{de}
finger button

pinkhaak ^{de}
little finger hook

klankbeker ^{de}
bell

leadpipe ^{de}
mouthpipe

ringvingerstemhaak ^{de}
ring

mondstukfitting ^{de}
mouthpiece receiver

mondstuk ^{het}
mouthpiece

stemschuif ^{de}
tuning slide

eerste ventielbuis ^{de}
first valve slide

derde ventielbuis ^{de}
third valve slide

vochtuitlaat ^{de}
water key

duimhaak ^{de}
thumb hook

ventiel ^{het}
valve

ventielhuis ^{het}
valve casing

tweede ventielbuis ^{de}
second valve slide

kornet ^{de}
cornet

bugel ^{de}
bugle

demper ^{de}
mute

trombone ^{de}
trombone

waldhoorn ^{de}
French horn

saxhoorn ^{de}
saxhorn

tuba ^{de}
tuba

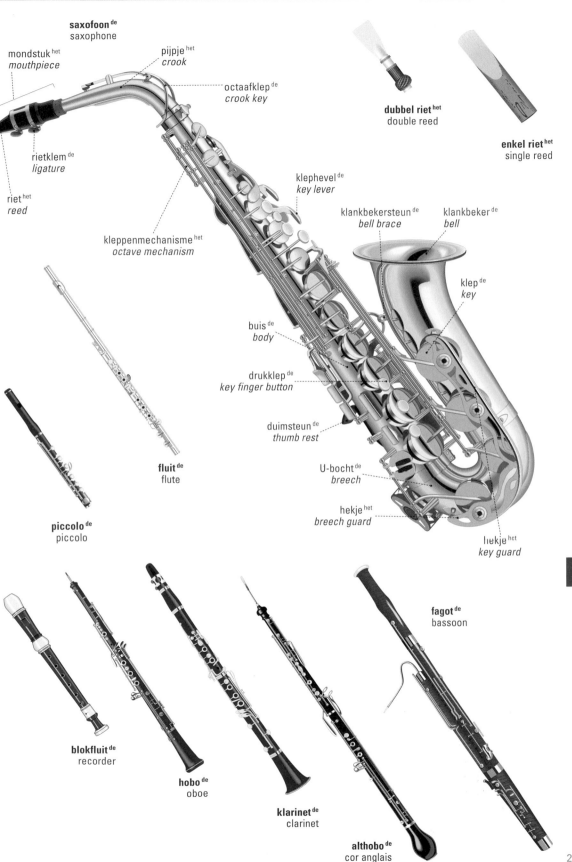

saxofoon de
saxophone

mondstuk het
mouthpiece

pijpje het
crook

octaafklep de
crook key

rietklem de
ligature

riet het
reed

klephevel de
key lever

kleppenmechanisme het
octave mechanism

dubbel riet het
double reed

enkel riet het
single reed

klankbekersteun de
bell brace

klankbeker de
bell

klep de
key

buis de
body

drukklep de
key finger button

duimsteun de
thumb rest

U-bocht de
breech

hekje het
breech guard

hekje het
key guard

fluit de
flute

piccolo de
piccolo

blokfluit de
recorder

hobo de
oboe

klarinet de
clarinet

fagot de
bassoon

althobo de
cor anglais

MUZIEK

231

SLAGINSTRUMENTEN
PERCUSSION INSTRUMENTS

drumstel het
drums

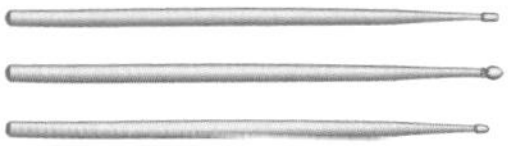

hangend bekken het
cymbal

tomtom de
tom-tom

drumstokken
sticks

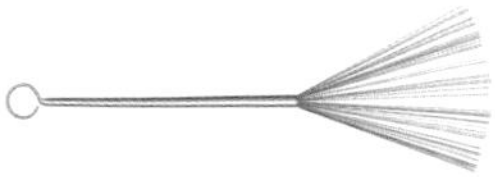

voetcimbaal de
Charleston cymbal

borstel de
wire brush

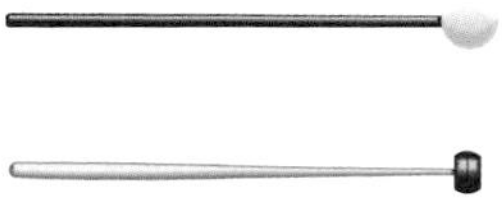

slagvel het
drumhead

roertrom de
tenor drum

snaartrommel de
snare drum

grote trom de
bass drum

driepoot de
tripod stand

klopper de
mallet

kloppers
mallets

pedaal de/het
pedal

triangelstok de
metal rod

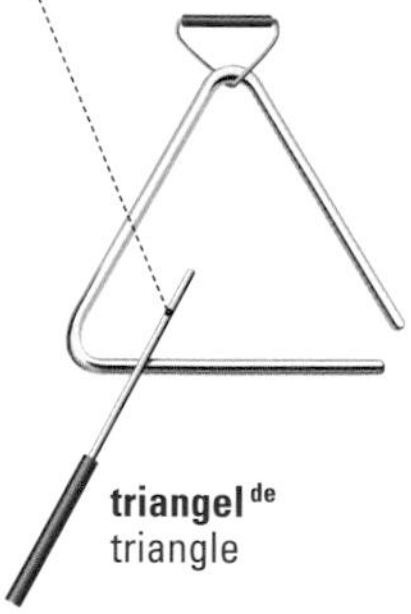

triangel de
triangle

sleebellen
sleigh bells

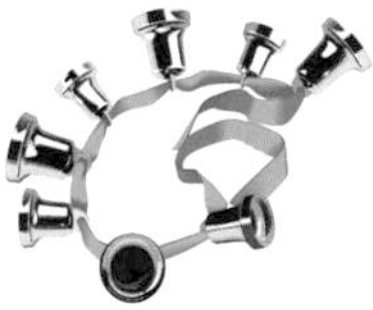

klokkenspel het
set of bells

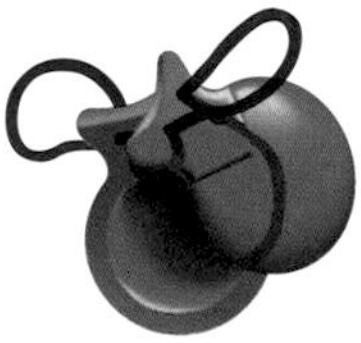

castagnetten
castanets

sistrum het
sistrum

bongo's
bongos

schel de
jingle

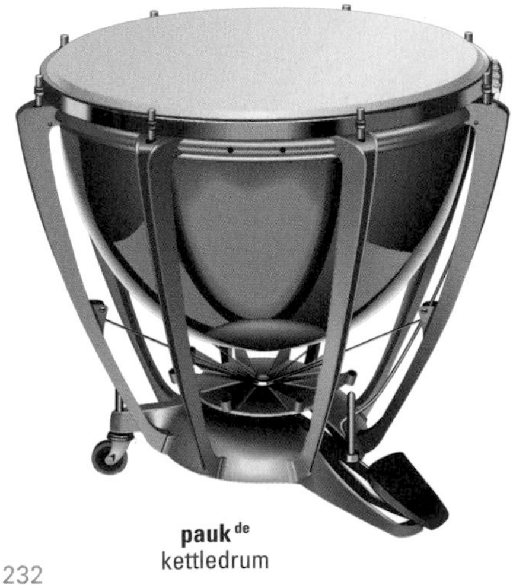

pauk de
kettledrum

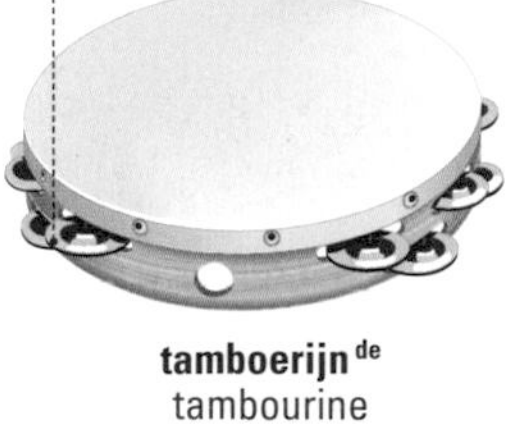

tamboerijn de
tambourine

xylofoon de
xylophone

MUZIEK

ELEKTRONISCHE INSTRUMENTEN
ELECTRONIC INSTRUMENTS

synthesizer de
synthesizer

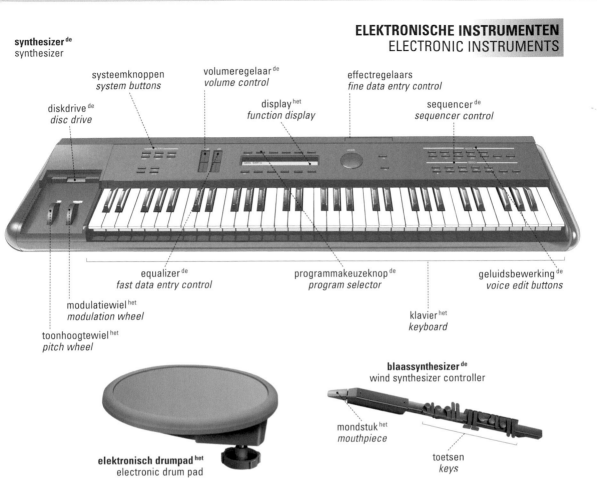

systeemknoppen
system buttons

volumeregelaar de
volume control

effectregelaars
fine data entry control

diskdrive de
disc drive

display het
function display

sequencer de
sequencer control

equalizer de
fast data entry control

programmakeuzeknop de
program selector

geluidsbewerking de
voice edit buttons

modulatiewiel het
modulation wheel

klavier het
keyboard

toonhoogtewiel het
pitch wheel

elektronisch drumpad het
electronic drum pad

blaassynthesizer de
wind synthesizer controller

mondstuk het
mouthpiece

toetsen
keys

elektronische piano de
electronic piano

muziekstandaard de
music rest

ritmekeuzeknop de
rhythm selector

volumeregeling de
volume control

temporegeling de
tempo control

aan/uit-schakelaar de
power switch

koptelefoonaansluiting de
headphone jack

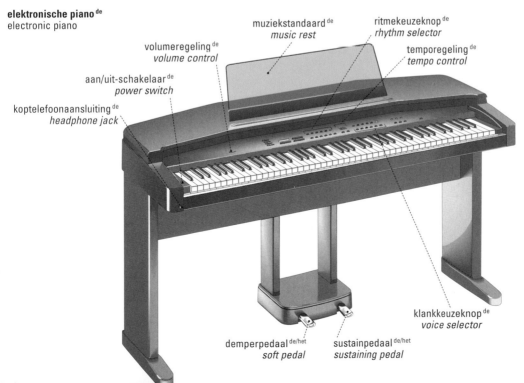

klankkeuzeknop de
voice selector

demperpedaal de/het
soft pedal

sustainpedaal de/het
sustaining pedal

MUZIEK

233

Een orkest is een groep muzikanten die samen een muzikaal ensemble vormen. De diverse soorten ensembles onderscheiden zich door het aantal en het soort instrumenten dat wordt bespeeld. Het sym- fonieorkest is het grootst. Het bestaat uit 100 tot 150 instrumenten, onderverdeeld in vier secties: strijkers, houtblazers, koperblazers en slaginstrumenten. De musici spelen onder leiding van een dirigent.

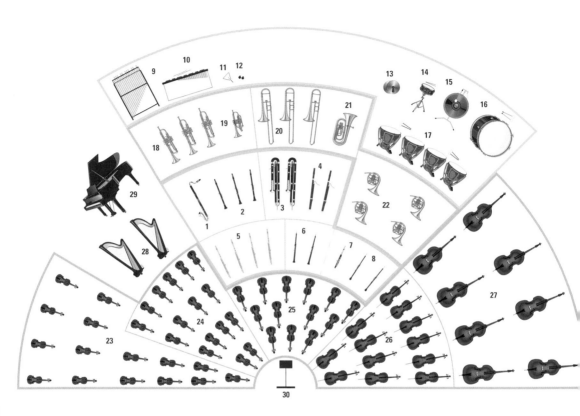

MUZIEK

houtblazers
woodwind family

1	basklarinetten *bass clarinet*
2	klarinetten *clarinets*
3	contrafagotten *contrabassoons*
4	fagotten *bassoons*
5	fluiten *flutes*
6	hobo's *oboes*
7	piccolo[de] *piccolo*
8	althobo's *cors anglais*

slaginstrumenten
percussion instruments

9	buisklokken *tubular bells*
10	xylofoon[de] *xylophone*
11	triangel[de] *triangle*
12	castagnetten *castanets*
13	cimbalen *cymbals*
14	snaartrom[de] *snare drum*
15	gong[de] *gong*
16	grote trom[de] *bass drum*
17	pauken *timpani*

koperblazers
brass family

18	trompetten *trumpets*
19	kornet[de] *cornet*
20	trombones *trombones*
21	tuba[de] *tuba*
22	waldhoorns *French horns*

strijkers
violin family

23	eerste violen *first violins*
24	tweede violen *second violins*
25	altviolen *violas*
26	cello's *cellos*
27	contrabassen *double basses*

28	harpen *harps*
29	vleugel[de] *piano*
30	dirigentenbok[de] *conductor's podium*

Als men een foto neemt, wordt op een lichtgevoelige film in de camera een beeld vastgelegd. Nadat de film aan het licht is blootgesteld, wordt deze ontwikkeld en wordt er een negatief van gemaakt. Wanneer het negatief op wit fotopapier wordt geprojecteerd, verschijnt het gefotografeerde beeld. Er bestaan tegenwoordig vele verschillende soorten camera's; de laatste ontwikkeling is de digitale camera.

spiegelreflexcamerade
single-lens reflex camera

terugspoelknop de
film rewind knob

accessoireschoen de
accessory shoe

uitleesvenster het
data panel

flitscontact het
hot-shoe contact

regelknop de
program selector

filmtransport het
film advance mode

filmsnelheid de
film speed

belichtingsknop de
exposure mode

lensdopde
lens cap

afstandsbedieningsaansluiting de
remote control terminal

zoomlens de
zoom lens

focusknop de
focus mode selector

cameralichaam het
camera body

sluiterknop de
shutter release button

objectief het
lens

fotografische accessoires
photographic accessories

elektronenflitserde
electronic flash

flitsbuis de
flashtube

compact flash geheugenkaart de
compact flash memory card

fotodiskette de
still video film disc

foto-elektrische cel de
photoelectric cell

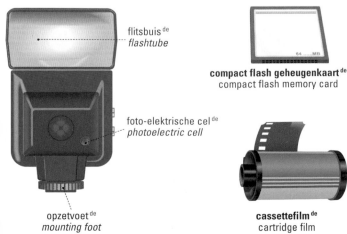

opzetvoet de
mounting foot

cassettefilm de
cartridge film

diskfilm de
film disc

soorten fotocamera's
examples of still cameras

polaroidcamera de
Polaroid® Land camera

pocketcamera de
pocket camera

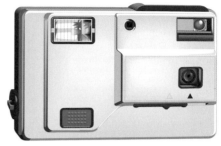

diskcamera de
disc camera

zoekercamera de
rangefinder camera

onderwatercamera de
underwater camera

digitale camera de
digital camera

wegwerpcamera de
disposable camera

technische camera de
view camera

Via de radio kan belangrijk nieuws van ver weg rechtstreeks uitgezonden worden. Tijdens een radio-uitzending wordt de stem van de presentator door een microfoon omgevormd tot elektronische signa-len, die het radiostation vervolgens omzet in radio-golven. Als een radiotoestel of een ontvanger deze golven opvangt, worden ze weer omgevormd tot geluiden.

radio de **(studio en controlekamer)**
radio (studio and control room)

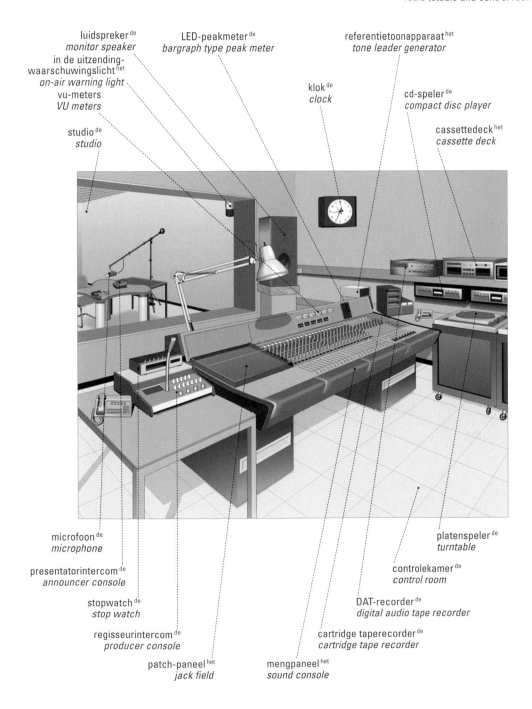

luidspreker de
monitor speaker
in de uitzending-
waarschuwingslicht het
on-air warning light
vu-meters
VU meters
studio de
studio

LED-peakmeter de
bargraph type peak meter

klok de
clock

referentietoonapparaat het
tone leader generator

cd-speler de
compact disc player

cassettedeck het
cassette deck

microfoon de
microphone
presentatorintercom de
announcer console
stopwatch de
stop watch
regisseurintercom de
producer console
patch-paneel het
jack field

mengpaneel het
sound console

cartridge taperecorder de
cartridge tape recorder

DAT-recorder de
digital audio tape recorder

controlekamer de
control room

platenspeler de
turntable

COMMUNICATIE

237

De videocamera's en microfoons in een televisiestu-dio vormen beelden en geluiden om tot elektronische signalen. Deze signalen worden door het televisiestation omgezet in radiogolven en ver-volgens uitgezonden. Televisieprogramma's worden verzonden via de satelliet, de kabel of rechtstreeks naar de kijker. Een televisietoestel kan ook signalen ontvangen van een videorecorder of dvd-speler.

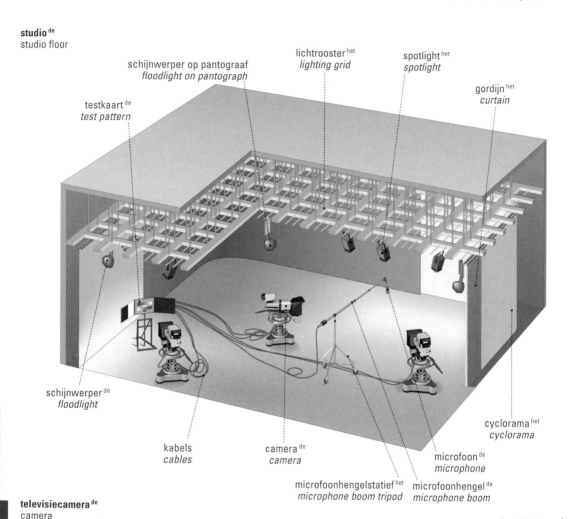

studio de
studio floor

schijnwerper op pantograaf
floodlight on pantograph

lichtrooster het
lighting grid

spotlight het
spotlight

gordijn het
curtain

testkaart de
test pattern

schijnwerper de
floodlight

kabels
cables

camera de
camera

microfoonhengelstatief het
microphone boom tripod

microfoonhengel de
microphone boom

microfoon de
microphone

cyclorama het
cyclorama

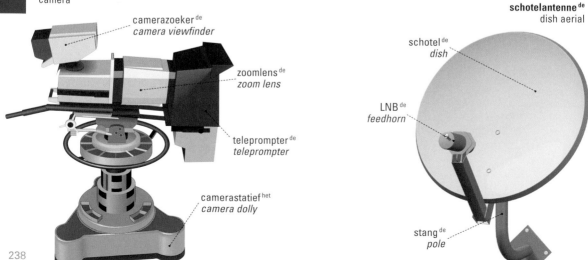

televisiecamera de
camera

camerazoeker de
camera viewfinder

zoomlens de
zoom lens

teleprompter de
teleprompter

camerastatief het
camera dolly

schotelantenne de
dish aerial

schotel de
dish

LNB de
feedhorn

stang de
pole

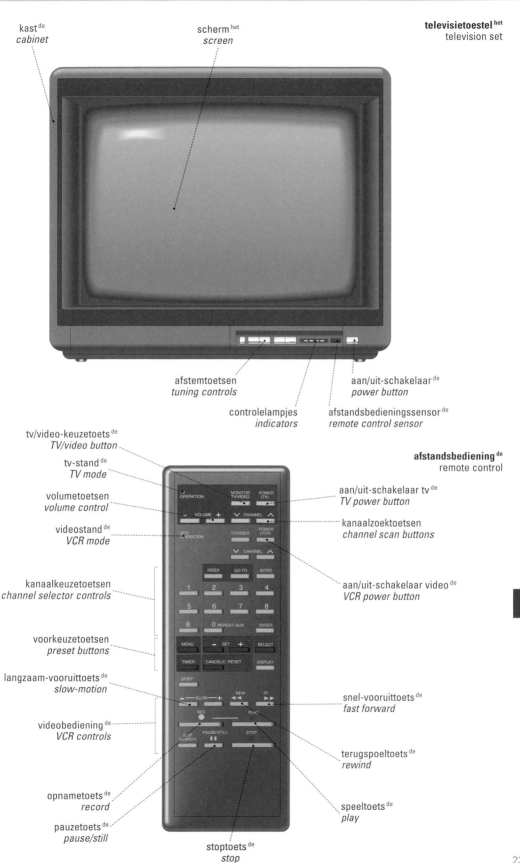

kast^{de}
cabinet

scherm^{het}
screen

televisietoestel^{het}
television set

afstemtoetsen
tuning controls

controlelampjes
indicators

aan/uit-schakelaar^{de}
power button

afstandsbedieningssensor^{de}
remote control sensor

tv/video-keuzetoets^{de}
TV/video button

tv-stand^{de}
TV mode

volumetoetsen
volume control

videostand^{de}
VCR mode

kanaalkeuzetoetsen
channel selector controls

voorkeuzetoetsen
preset buttons

langzaam-vooruittoets^{de}
slow-motion

videobediening^{de}
VCR controls

opnametoets^{de}
record

pauzetoets^{de}
pause/still

stoptoets^{de}
stop

afstandsbediening^{de}
remote control

aan/uit-schakelaar tv^{de}
TV power button

kanaalzoektoetsen
channel scan buttons

aan/uit-schakelaar video^{de}
VCR power button

snel-vooruittoets^{de}
fast forward

terugspoeltoets^{de}
rewind

speeltoets^{de}
play

COMMUNICATIE

239

videorecorder de
videocassette recorder

videocassette de
video cassette

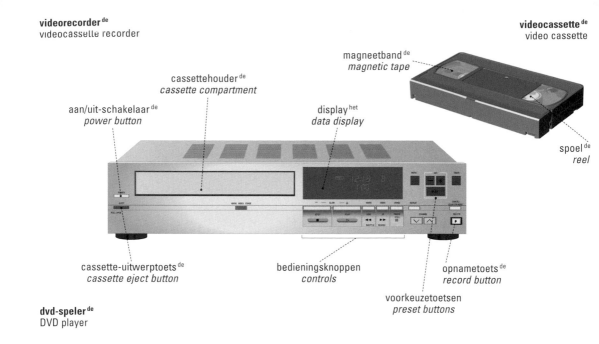

magneetband de
magnetic tape

cassettehouder de
cassette compartment

aan/uit-schakelaar de
power button

display het
data display

spoel de
reel

cassette-uitwerptoets de
cassette eject button

bedieningsknoppen
controls

opnametoets de
record button

voorkeuzetoetsen
preset buttons

dvd-speler de
DVD player

aan/uit-schakelaar de
power button

display het
display

disklader de
disc tray

dvd de **(digitale videodisk)**
digital versatile disc (DVD)

analoge videocamera de
analog camcorder

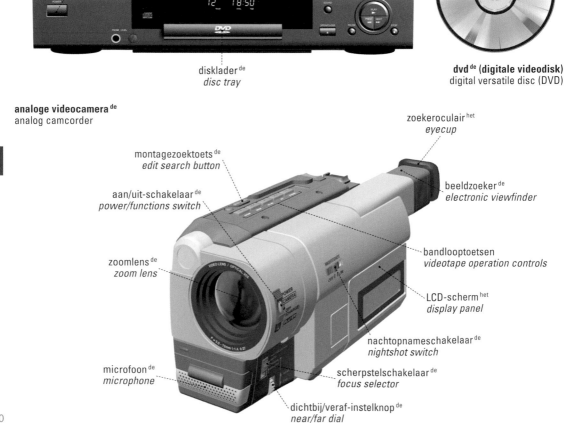

zoekeroculair het
eyecup

montagezoektoets de
edit search button

beeldzoeker de
electronic viewfinder

aan/uit-schakelaar de
power/functions switch

bandlooptoetsen
videotape operation controls

zoomlens de
zoom lens

LCD-scherm het
display panel

nachtopnameschakelaar de
nightshot switch

microfoon de
microphone

scherpstelschakelaar de
focus selector

dichtbij/veraf-instelknop de
near/far dial

In de afgelopen eeuw is de geluidskwaliteit op het gebied van de opname en weergave van muziek voortdurend verbeterd dankzij technologische ontwikkelingen. Muziekliefhebbers hebben tegenwoordig een ruime keuze aan muziekappara-tuur. Cassettes en cd's kunnen op losse componenten afgespeeld worden of op complete ministereo's. Sommige huishoudens hebben nog een pick-up om oude grammofoonplaten te beluisteren.

systeemcomponenten
system components

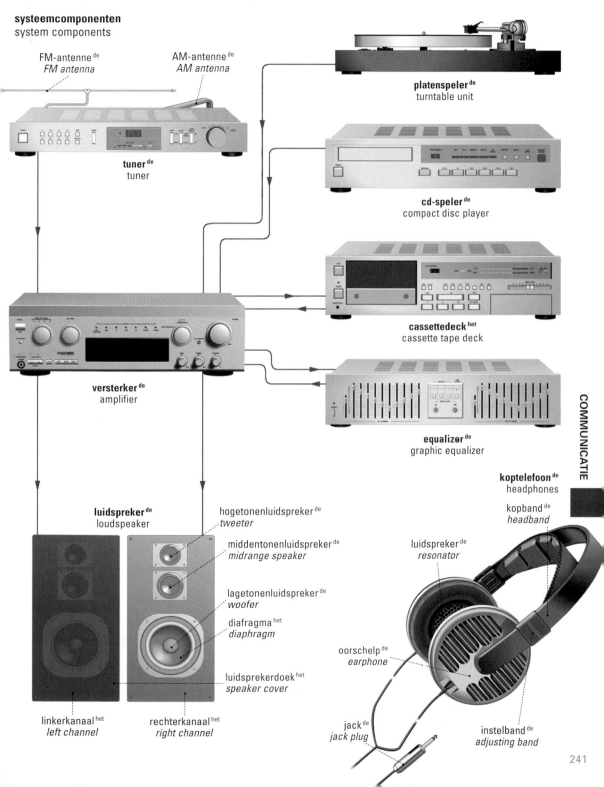

FM-antenne^{de}
FM antenna

AM-antenne^{de}
AM antenna

platenspeler^{de}
turntable unit

tuner^{de}
tuner

cd-speler^{de}
compact disc player

cassettedeck^{het}
cassette tape deck

versterker^{de}
amplifier

equalizer^{de}
graphic equalizer

koptelefoon^{de}
headphones

kopband^{de}
headband

luidspreker^{de}
loudspeaker

hogetonenluidspreker^{de}
tweeter

middentonenluidspreker^{de}
midrange speaker

lagetonenluidspreker^{de}
woofer

diafragma^{het}
diaphragm

luidsprekerdoek^{het}
speaker cover

luidspreker^{de}
resonator

oorschelp^{de}
earphone

linkerkanaal^{het}
left channel

rechterkanaal^{het}
right channel

jack^{de}
jack plug

instelband^{de}
adjusting band

COMMUNICATIE

241

Elektronische componenten worden steeds kleiner en tegenwoordig kun je zonder problemen tijdens een wandeling naar je favoriete muziek luisteren. Sommige geluidsinstallaties, zoals de draagbare cd-speler, hebben maar één functie, terwijl andere draagbare apparaten op complete ministereo's lijken. Via een draagbare radiocassetterecorder met cd-speler kan men zowel naar de radio luisteren als naar muziek die vooraf is opgenomen op cassette of cd.

draagbare radiocassetterecorder^{de} **met cd-speler**^{de}
portable CD radio cassette recorder

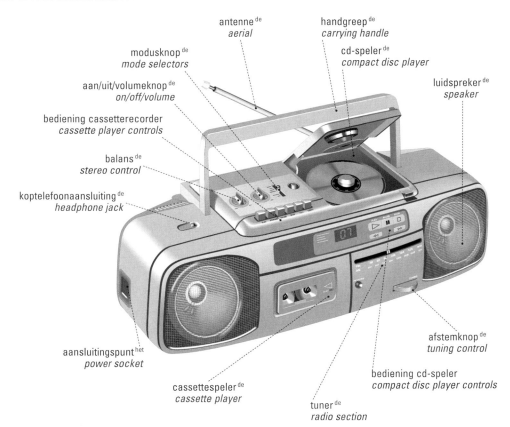

antenne^{de}
aerial

handgreep^{de}
carrying handle

modusknop^{de}
mode selectors

cd-speler^{de}
compact disc player

aan/uit/volumeknop^{de}
on/off/volume

luidspreker^{de}
speaker

bediening cassetterecorder
cassette player controls

balans^{de}
stereo control

koptelefoonaansluiting^{de}
headphone jack

aansluitingspunt^{het}
power socket

cassettespeler^{de}
cassette player

tuner^{de}
radio section

bediening cd-speler
compact disc player controls

afstemknop^{de}
tuning control

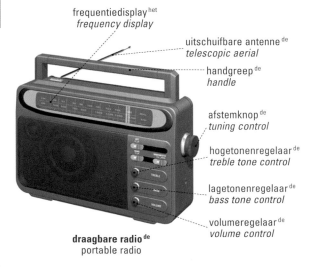

frequentiedisplay^{het}
frequency display

uitschuifbare antenne^{de}
telescopic aerial

handgreep^{de}
handle

afstemknop^{de}
tuning control

hogetonenregelaar^{de}
treble tone control

lagetonenregelaar^{de}
bass tone control

volumeregelaar^{de}
volume control

draagbare radio^{de}
portable radio

wekkerradio^{de}
clock radio

COMMUNICATIE

compact disc ^{de}
compact disc

draagbare cd-speler ^{de}
portable compact disc player

technische gegevens
technical identification band

display ^{het}
display

geperst gebied
pressed area

koptelefoon ^{de}
earphones

begin leesgebied
reading start

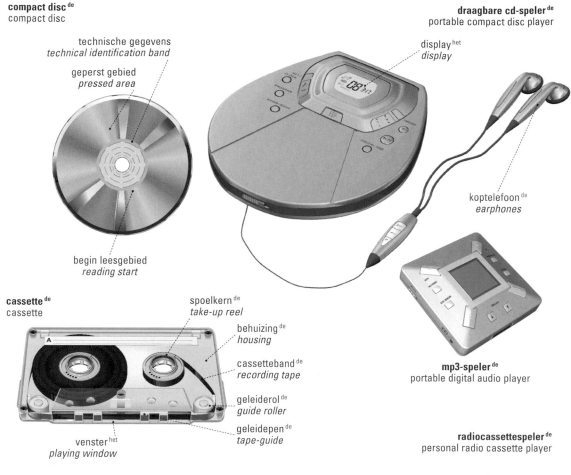

cassette ^{de}
cassette

spoelkern ^{de}
take-up reel

behuizing ^{de}
housing

cassetteband ^{de}
recording tape

geleiderol ^{de}
guide roller

geleidepen ^{de}
tape-guide

venster ^{het}
playing window

mp3-speler ^{de}
portable digital audio player

radiocassettespeler ^{de}
personal radio cassette player

koptelefoonaansluiting ^{de}
headphone plug

hoofdband ^{de}
headband

snoer ^{het}
lead

volumeknop ^{de}
volume control

aan/uit-schakelaar ^{de}
on/off

afstemknop ^{de}
tuning knob

terugspoeltoets ^{de}
rewind button

speeltoets ^{de}
play button

radio ^{de}
radio section

doorspoeltoets ^{de}
fast-forward button

koptelefoon ^{de}
headphones

automatisch terugspoelen
auto reverse button

cassettespeler ^{de}
cassette player

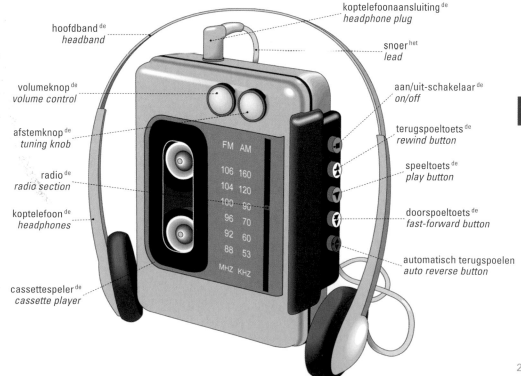

FM AM

106 160
104 120
100 90
96 70
92 60
88 53

MHZ KHZ

COMMUNICATIE

De telefoon - mobiel, vast of draadloos - is samen met televisie en radio een van de belangrijkste vormen van telecommunicatie. Twee mensen die duizenden kilometers van elkaar verwijderd zijn, kunnen een gesprek voeren, schriftelijk communiceren via internet of elkaar geschreven documenten versturen via een faxapparaat. Dankzij de technologie van bijvoorbeeld communicatiesatellieten vindt de uitwisseling van informatie met een steeds grotere snelheid plaats.

telefoontoestel het
telephone

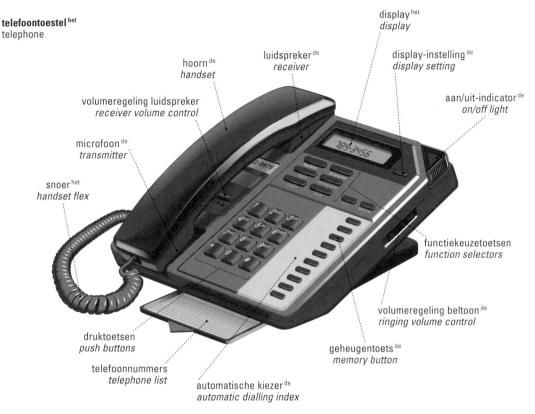

display het
display

luidspreker de
receiver

display-instelling de
display setting

hoorn de
handset

aan/uit-indicator de
on/off light

volumeregeling luidspreker
receiver volume control

microfoon de
transmitter

snoer het
handset flex

functiekeuzetoetsen
function selectors

druktoetsen
push buttons

volumeregeling beltoon de
ringing volume control

telefoonnummers
telephone list

geheugentoets de
memory button

automatische kiezer de
automatic dialling index

antwoordapparaat het
telephone answering machine

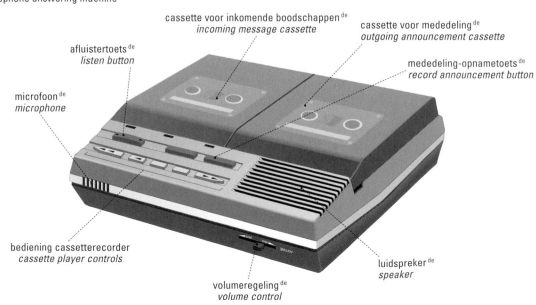

cassette voor inkomende boodschappen de
incoming message cassette

cassette voor mededeling de
outgoing announcement cassette

afluistertoets de
listen button

mededeling-opnametoets de
record announcement button

microfoon de
microphone

bediening cassetterecorder
cassette player controls

luidspreker de
speaker

volumeregeling de
volume control

openbare telefoon de
pay phone

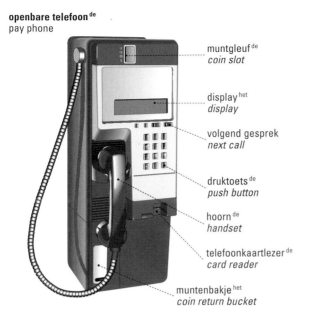

muntgleuf de
coin slot

display het
display

volgend gesprek
next call

druktoets de
push button

hoorn de
handset

telefoonkaartlezer de
card reader

muntenbakje het
coin return bucket

druktoetstelefoon de
push-button telephone

draadloze telefoon de
cordless telephone

fax de
fax machine

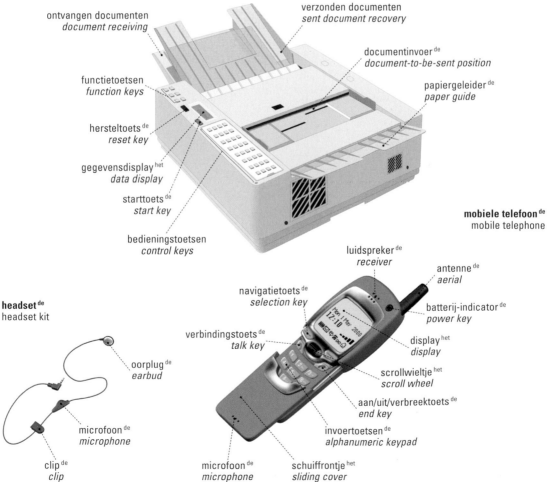

ontvangen documenten
document receiving

verzonden documenten
sent document recovery

documentinvoer de
document-to-be-sent position

functietoetsen
function keys

papiergeleider de
paper guide

hersteltoets de
reset key

gegevensdisplay het
data display

starttoets de
start key

bedieningstoetsen
control keys

mobiele telefoon de
mobile telephone

luidspreker de
receiver

antenne de
aerial

navigatietoets de
selection key

batterij-indicator de
power key

headset de
headset kit

verbindingstoets de
talk key

display het
display

oorplug de
earbud

scrollwieltje het
scroll wheel

aan/uit/verbreektoets de
end key

microfoon de
microphone

invoertoetsen de
alphanumeric keypad

clip de
clip

microfoon de
microphone

schuiffrontje het
sliding cover

Een computer is een elektronisch apparaat dat verbazend snel gecodeerde informatie kan omzetten, opslaan en verzenden. Een personal computer bestaat uit diverse hoofdelementen in een centrale behuizing en de daarbijbehorende apparatuur, zoals een muis, een toetsenbord, een beeldscherm en een printer. Tegenwoordig komen we overal computertoepassingen tegen, soms zichtbaar, soms verborgen.

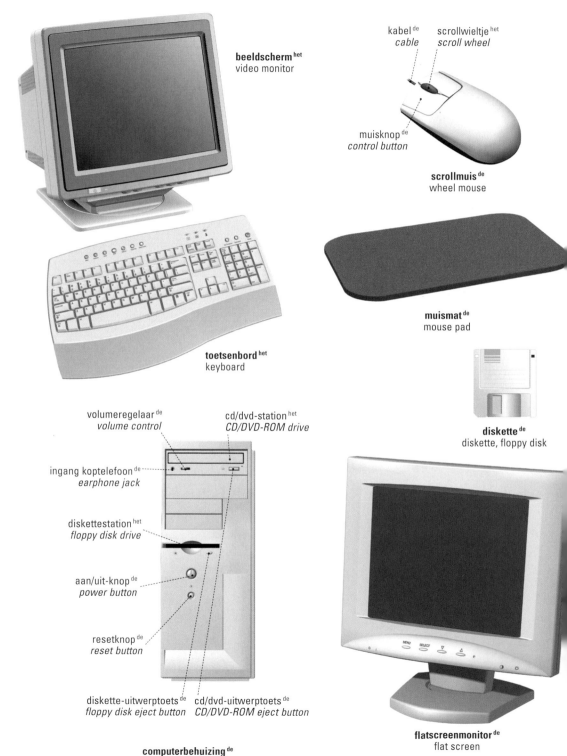

beeldscherm het
video monitor

kabel de
cable

scrollwieltje het
scroll wheel

muisknop de
control button

scrollmuis de
wheel mouse

toetsenbord het
keyboard

muismat de
mouse pad

diskette de
diskette, floppy disk

volumeregelaar de
volume control

cd/dvd-station het
CD/DVD-ROM drive

ingang koptelefoon de
earphone jack

diskettestation het
floppy disk drive

aan/uit-knop de
power button

resetknop de
reset button

diskette-uitwerptoets de
floppy disk eject button

cd/dvd-uitwerptoets de
CD/DVD-ROM eject button

computerbehuizing de
tower case

flatscreenmonitor de
flat screen

inktcartridge de
toner cartridge

scanner de
optical scanner

laserprinter de
laser printer

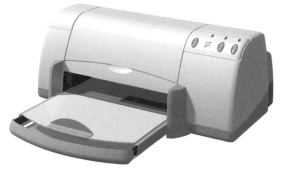

inkjetprinter de
inkjet printer

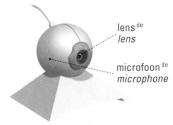

lens de
lens

microfoon de
microphone

webcam de
Webcam

cd-romspeler de
CD-ROM player

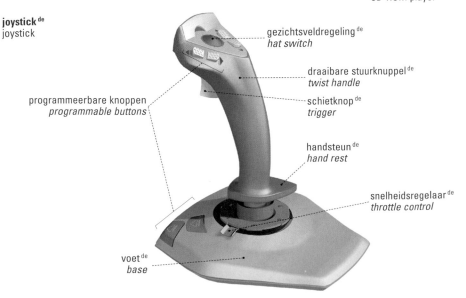

joystick de
joystick

gezichtsveldregeling de
hat switch

draaibare stuurknuppel de
twist handle

programmeerbare knoppen
programmable buttons

schietknop de
trigger

handsteun de
hand rest

snelheidsregelaar de
throttle control

voet de
base

COMMUNICATIE

247

Het internet is een zeer uitgebreid internationaal communicatiesysteem. Het bestaat uit een reeks via telefoon en kabel met elkaar verbonden computernetwerken, die in een gemeenschappelijke computertaal communiceren. Dankzij dit in 1991 in de Verenigde Staten ontwikkelde "world wide web" (www), staan wereldwijd miljoenen computers en computergebruikers met elkaar in verbinding. Hierdoor is het zeer eenvoudig om te communiceren en informatie uit te wisselen.

URL^{de} **(uniform resource locator)**
URL (uniform resource locator)

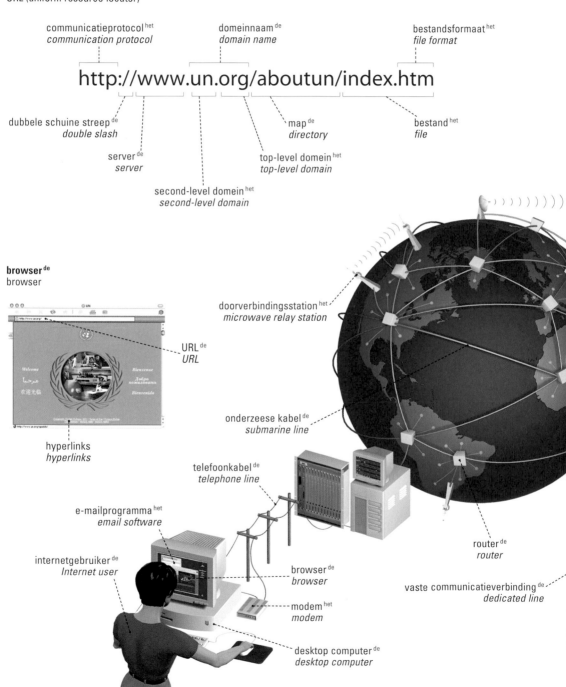

communicatieprotocol^{het}
communication protocol

domeinnaam^{de}
domain name

bestandsformaat^{het}
file format

http://www.un.org/aboutun/index.htm

dubbele schuine streep^{de}
double slash

server^{de}
server

second-level domein^{het}
second-level domain

map^{de}
directory

top-level domein^{het}
top-level domain

bestand^{het}
file

browser^{de}
browser

URL^{de}
URL

hyperlinks
hyperlinks

doorverbindingsstation^{het}
microwave relay station

onderzeese kabel^{de}
submarine line

telefoonkabel^{de}
telephone line

e-mailprogramma^{het}
email software

internetgebruiker^{de}
Internet user

browser^{de}
browser

modem^{het}
modem

desktop computer^{de}
desktop computer

router^{de}
router

vaste communicatieverbinding^{de}
dedicated line

COMMUNICATIE

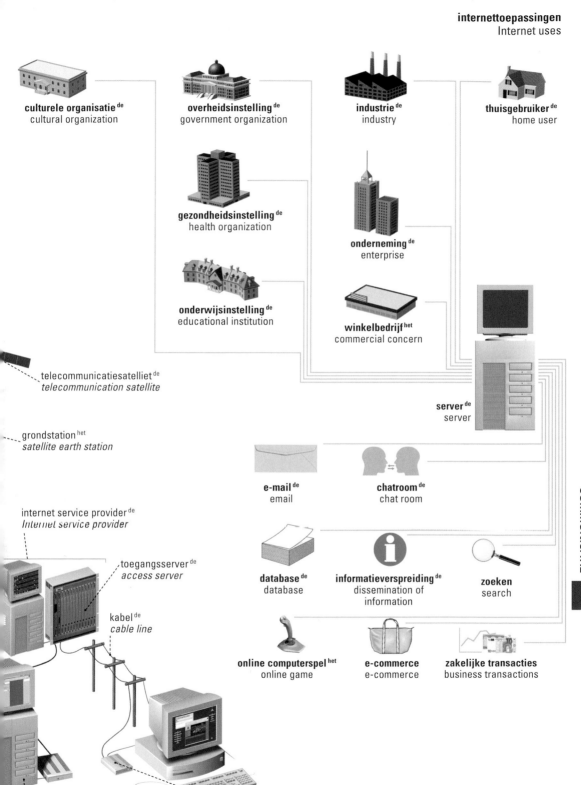

internettoepassingen
Internet uses

culturele organisatie ^{de}
cultural organization

overheidsinstelling ^{de}
government organization

industrie ^{de}
industry

thuisgebruiker ^{de}
home user

gezondheidsinstelling ^{de}
health organization

onderneming ^{de}
enterprise

onderwijsinstelling ^{de}
educational institution

winkelbedrijf ^{het}
commercial concern

telecommunicatiesatelliet^{de}
telecommunication satellite

server ^{de}
server

grondstation ^{het}
satellite earth station

e-mail ^{de}
email

chatroom ^{de}
chat room

internet service provider^{de}
Internet service provider

toegangsserver^{de}
access server

database ^{de}
database

informatieverspreiding ^{de}
dissemination of
information

zoeken
search

kabel^{de}
cable line

online computerspel ^{het}
online game

e-commerce
e-commerce

zakelijke transacties
business transactions

server^{de}
server

kabelmodem^{het}
cable modem

COMMUNICATIE

249

Steden zijn bebouwde gebieden waar zeer veel mensen samenleven. De meeste mensen leven in woonwijken en werken in industriegebieden aan de rand van de stad of in kantoren in de binnenstad. In de meeste stadscentra ligt ook een zakenwijk en er zijn diverse instellingen te vinden die een verscheidenheid aan goederen en diensten aanbieden. Voorbeelden van zulke instellingen zijn het stadhuis, universiteiten en musea.

kathedraal^{de} → kathedraal de
cathedral

congrescentrum het
convention centre

kantoorflat de
office tower

middenberm de
central reservation

plein het
square

park het
park

treinstation het
railway station

planetarium het
planetarium

spoorlijn de
railway track

snelweg de
motorway

straat de
street

leveranciersoprit de
delivery ramp

vluchtheuvel de
traffic island

boulevard de
boulevard

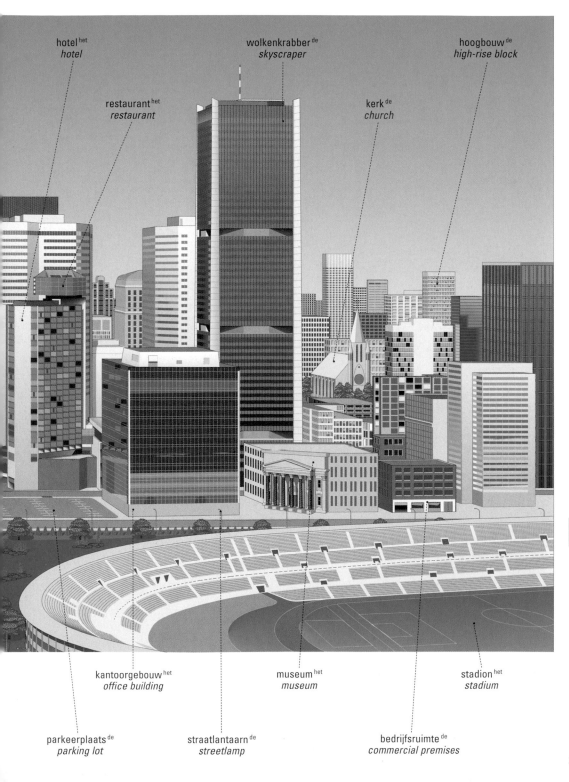

hotel ^{het}
hotel

restaurant ^{het}
restaurant

wolkenkrabber ^{de}
skyscraper

kerk ^{de}
church

hoogbouw ^{de}
high-rise block

kantoorgebouw ^{het}
office building

museum ^{het}
museum

stadion ^{het}
stadium

parkeerplaats ^{de}
parking lot

straatlantaarn ^{de}
streetlamp

bedrijfsruimte ^{de}
commercial premises

In elke stad zijn gebieden die speciaal bestemd zijn voor de aankomst en het vertrek van vervoersmiddelen zoals treinen, vliegtuigen en metro's. Luchthavens liggen altijd net buiten een grote stad, terwijl metrostations zich meestal in de stad zelf bevinden. Stations waar treinen passagiers aan boord nemen en afzetten zijn overal te vinden.

LUCHTHAVEN de
PASSENGER TERMINAL

incheckbalie de
baggage check-in counter

ticketbalie de
ticket counter

bagageafhaalruimte de
baggage claim area

hotelreserveringsbalie de
hotel reservation desk

automatische deur de
automatically-controlled door

lobby de
lobby

pendeltrein de
rail shuttle service

parkeerterrein het
car park

informatiebalie de
information counter

perron het
platform

transportban
conveyor

mobiele passagierstrap de
mobile passenger steps

universele passagierstrap de
universal passenger steps

SAMENLEVING

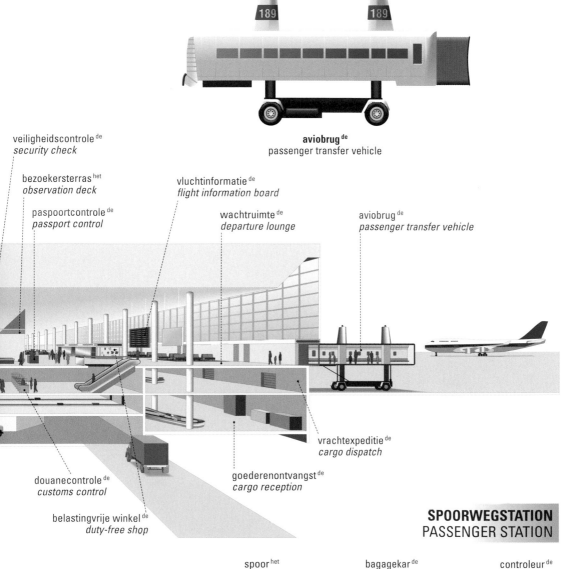

aviobrug de
passenger transfer vehicle

veiligheidscontrole de
security check

bezoekersterras het
observation deck

vluchtinformatie de
flight information board

paspoortcontrole de
passport control

wachtruimte de
departure lounge

aviobrug de
passenger transfer vehicle

vrachtexpeditie de
cargo dispatch

douanecontrole de
customs control

goederenontvangst de
cargo reception

belastingvrije winkel de
duty-free shop

SPOORWEGSTATION
PASSENGER STATION

spoor het
track

bagagekar de
luggage trolley

controleur de
ticket collector

kantoor het
office

personentrein
passenger train

bagagedepot de/het
parcels office

bagagekantoor het
left-luggage office

perron het
passenger platform

dienstregelingen
train indicator

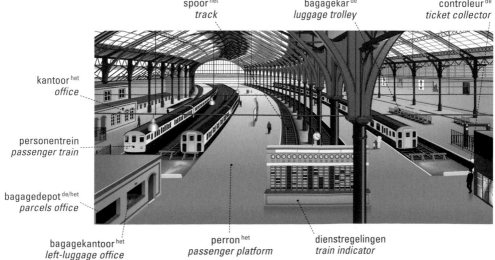

SAMENLEVING

253

METROSTATION
UNDERGROUND STATION

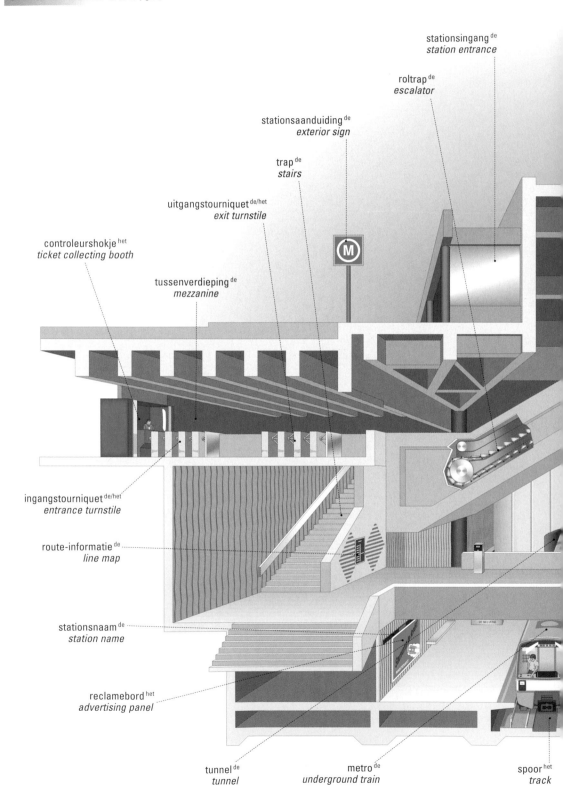

stationsingang ^{de}
station entrance

roltrap ^{de}
escalator

stationsaanduiding ^{de}
exterior sign

trap ^{de}
stairs

uitgangstourniquet ^{de/het}
exit turnstile

controleurshokje ^{het}
ticket collecting booth

tussenverdieping ^{de}
mezzanine

ingangstourniquet ^{de/het}
entrance turnstile

route-informatie ^{de}
line map

stationsnaam ^{de}
station name

reclamebord ^{het}
advertising panel

tunnel ^{de}
tunnel

metro ^{de}
underground train

spoor ^{het}
track

kaartjesautomaat^{de}
transfer ticket dispensing machine

kiosk^{de}
kiosk

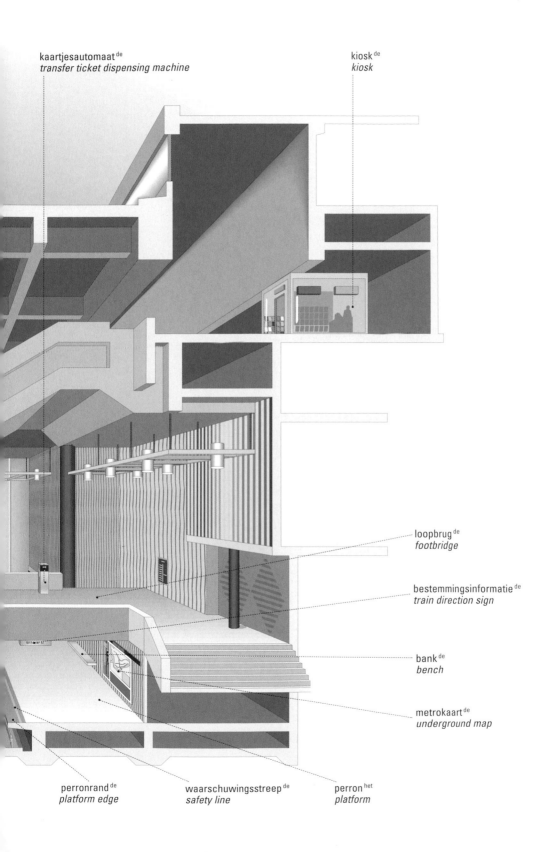

loopbrug^{de}
footbridge

bestemmingsinformatie^{de}
train direction sign

bank^{de}
bench

metrokaart^{de}
underground map

perronrand^{de}
platform edge

waarschuwingsstreep^{de}
safety line

perron^{het}
platform

SAMENLEVING

Elk stad beschikt over commerciële ondernemingen die diensten en goederen leveren aan de inwoners. Enkele voorbeelden van bedrijven die men in de meeste steden kan vinden, zijn supermarkten, winkelcentra, restaurants en benzinestations. Hier kan men allerhande soorten consumptiegoederen kopen, waaronder eten, kleding, afhaalmaaltijden en benzine.

SUPERMARKT
SUPERMARKET

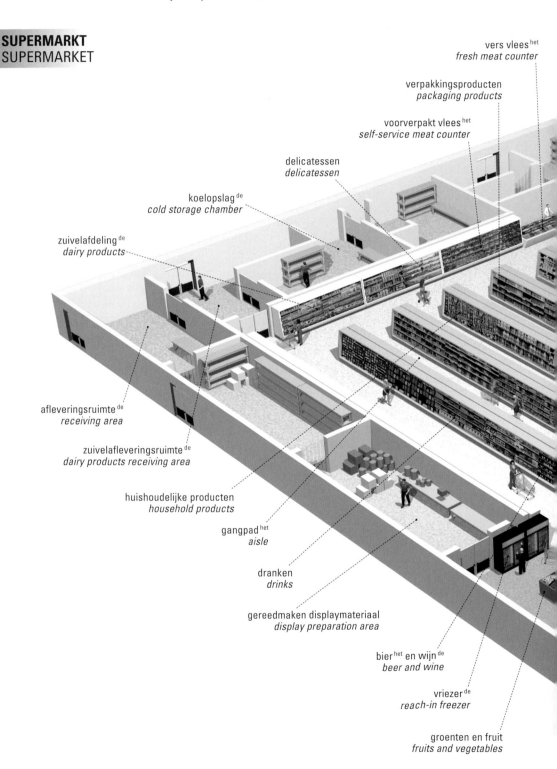

vers vlees het
fresh meat counter

verpakkingsproducten
packaging products

voorverpakt vlees het
self-service meat counter

delicatessen
delicatessen

koelopslag de
cold storage chamber

zuivelafdeling de
dairy products

afleveringsruimte de
receiving area

zuivelafleveringsruimte de
dairy products receiving area

huishoudelijke producten
household products

gangpad het
aisle

dranken
drinks

gereedmaken displaymateriaal
display preparation area

bier het en wijn de
beer and wine

vriezer de
reach-in freezer

groenten en fruit
fruits and vegetables

SAMENLEVING

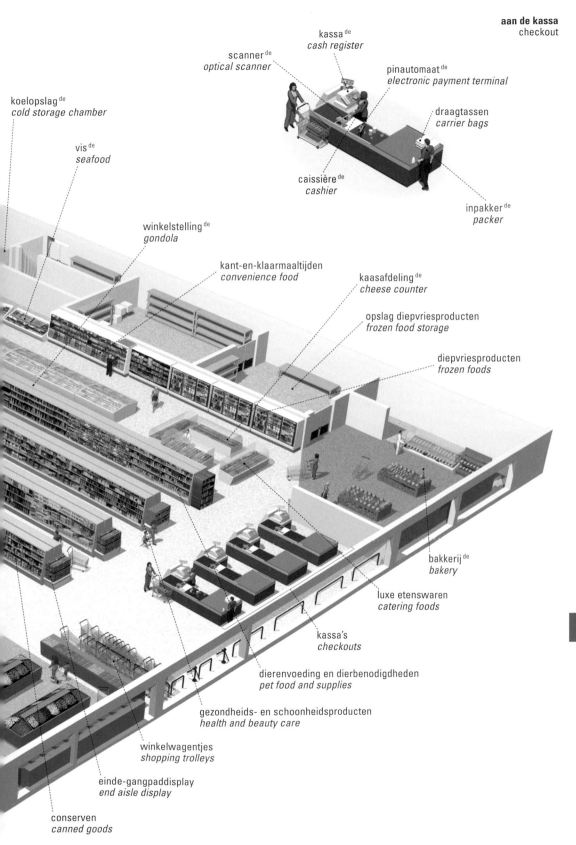

aan de kassa
checkout

kassa^{de}
cash register

scanner^{de}
optical scanner

pinautomaat^{de}
electronic payment terminal

koelopslag^{de}
cold storage chamber

draagtassen
carrier bags

vis^{de}
seafood

caissière^{de}
cashier

inpakker^{de}
packer

winkelstelling^{de}
gondola

kant-en-klaarmaaltijden
convenience food

kaasafdeling^{de}
cheese counter

opslag diepvriesproducten
frozen food storage

diepvriesproducten
frozen foods

bakkerij^{de}
bakery

luxe etenswaren
catering foods

kassa's
checkouts

dierenvoeding en dierbenodigdheden
pet food and supplies

gezondheids- en schoonheidsproducten
health and beauty care

winkelwagentjes
shopping trolleys

einde-gangpaddisplay
end aisle display

conserven
canned goods

SAMENLEVING

WINKELCENTRUM
SHOPPING CENTRE

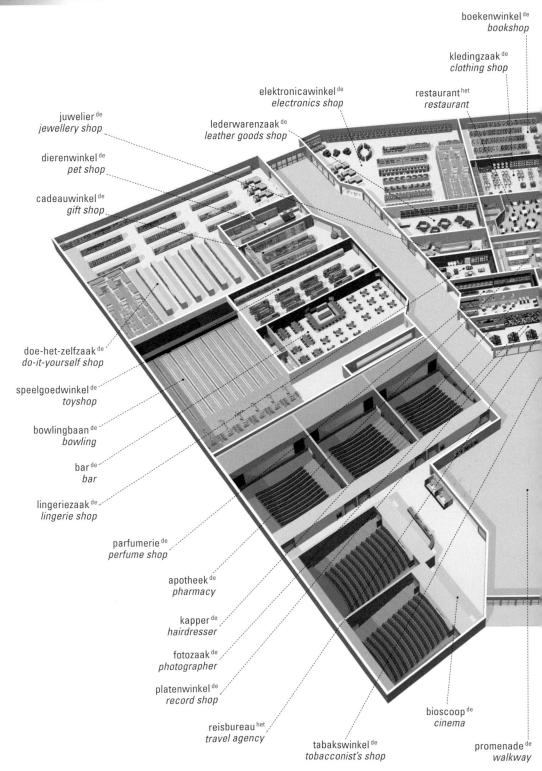

boekenwinkel [de]
bookshop

kledingzaak [de]
clothing shop

restaurant [het]
restaurant

elektronicawinkel [de]
electronics shop

juwelier [de]
jewellery shop

lederwarenzaak [de]
leather goods shop

dierenwinkel [de]
pet shop

cadeauwinkel [de]
gift shop

doe-het-zelfzaak [de]
do-it-yourself shop

speelgoedwinkel [de]
toyshop

bowlingbaan [de]
bowling

bar [de]
bar

lingeriezaak [de]
lingerie shop

parfumerie [de]
perfume shop

apotheek [de]
pharmacy

kapper [de]
hairdresser

fotozaak [de]
photographer

platenwinkel [de]
record shop

reisbureau [het]
travel agency

tabakswinkel [de]
tobacconist's shop

bioscoop [de]
cinema

promenade [de]
walkway

SAMENLEVING

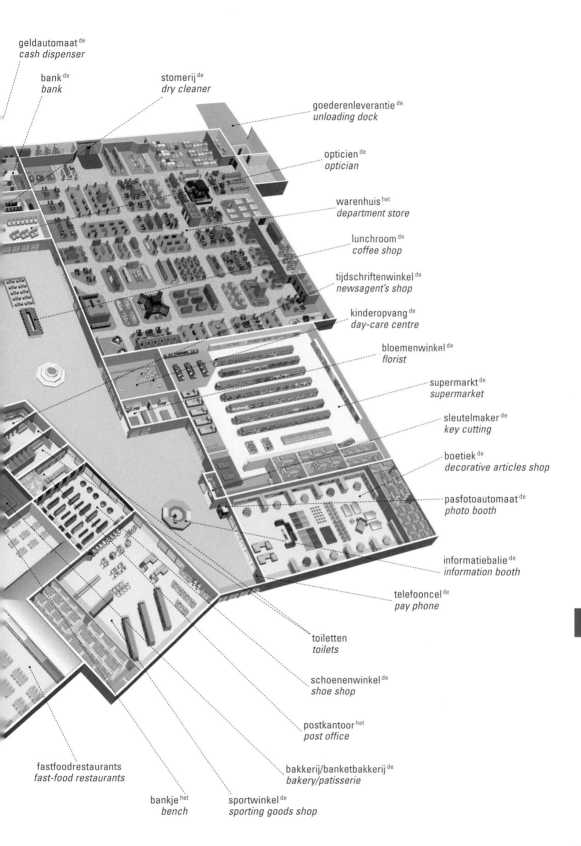

geldautomaat ^{de}
cash dispenser

bank ^{de}
bank

stomerij ^{de}
dry cleaner

goederenleverantie ^{de}
unloading dock

opticien ^{de}
optician

warenhuis ^{het}
department store

lunchroom ^{de}
coffee shop

tijdschriftenwinkel ^{de}
newsagent's shop

kinderopvang ^{de}
day-care centre

bloemenwinkel ^{de}
florist

supermarkt ^{de}
supermarket

sleutelmaker ^{de}
key cutting

boetiek ^{de}
decorative articles shop

pasfotoautomaat ^{de}
photo booth

informatiebalie ^{de}
information booth

telefooncel ^{de}
pay phone

toiletten
toilets

schoenenwinkel ^{de}
shoe shop

postkantoor ^{het}
post office

bakkerij/banketbakkerij ^{de}
bakery/patisserie

fastfoodrestaurants
fast-food restaurants

bankje ^{het}
bench

sportwinkel ^{de}
sporting goods shop

SAMENLEVING

259

RESTAURANT
RESTAURANT

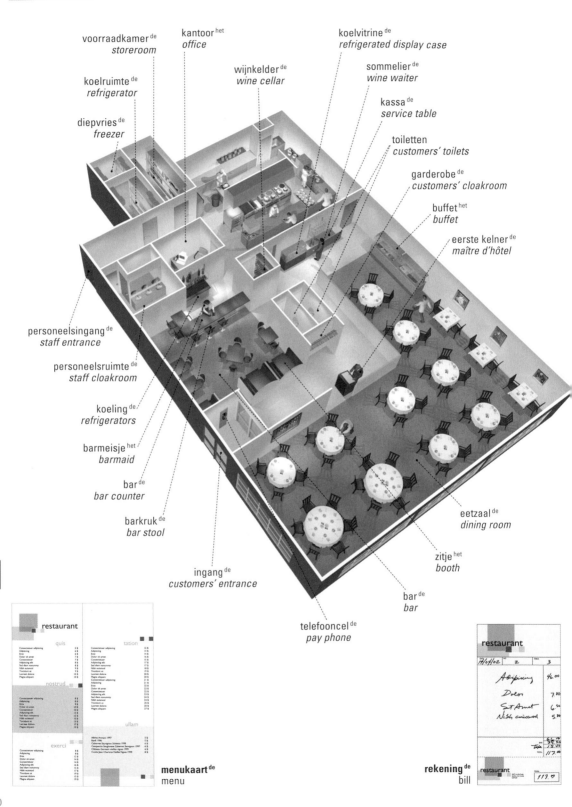

voorraadkamer^{de}
storeroom

kantoor^{het}
office

koelvitrine^{de}
refrigerated display case

koelruimte^{de}
refrigerator

wijnkelder^{de}
wine cellar

sommelier^{de}
wine waiter

diepvries^{de}
freezer

kassa^{de}
service table

toiletten
customers' toilets

garderobe^{de}
customers' cloakroom

buffet^{het}
buffet

eerste kelner^{de}
maître d'hôtel

personeelsingang^{de}
staff entrance

personeelsruimte^{de}
staff cloakroom

koeling^{de}
refrigerators

barmeisje^{het}
barmaid

bar^{de}
bar counter

barkruk^{de}
bar stool

eetzaal^{de}
dining room

zitje^{het}
booth

ingang^{de}
customers' entrance

bar^{de}
bar

telefooncel^{de}
pay phone

menukaart^{de}
menu

rekening^{de}
bill

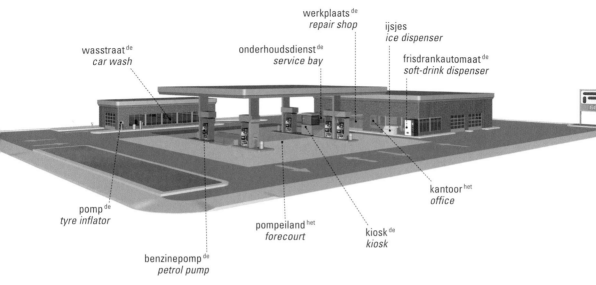

werkplaats ^{de}
repair shop

ijsjes
ice dispenser

onderhoudsdienst ^{de}
service bay

frisdrankautomaat ^{de}
soft-drink dispenser

wasstraat ^{de}
car wash

kantoor ^{het}
office

pomp ^{de}
tyre inflator

pompeiland ^{het}
forecourt

kiosk ^{de}
kiosk

benzinepomp ^{de}
petrol pump

benzinepomp ^{de}
petrol pump

uitleesvenster ^{het}
display

totaalbedrag ^{het}
cash readout

kaartlezer ^{de}
card reader slot

aantal liters
volume readout

druktoetsen
alphanumeric keyboard

literprijs ^{de}
price per gallon/litre

bon ^{de}
slip presenter

pompnummer ^{het}
pump number

brandstofsoort ^{de/het}
type of fuel

pistool ^{het}
pump nozzle

bedieningsinstructies
operating instructions

benzineslang ^{de}
petrol pump hose

SAMENLEVING

Naast brandbestrijding en het redden van slachtoffers houdt de brandweer zich op verschillende manieren bezig met de openbare veiligheid. Bij een auto-ongeluk of een overstroming is de brandweer altijd snel ter plaatse. Ook de politie is verantwoordelijk voor de veiligheid van mensen. De politie handhaaft niet alleen de orde, maar ontmoedigt ook criminaliteit door op straat te patrouilleren en surveilleren.

BRANDWEER
FIRE PREVENTION

brandweerkazerne de
fire station

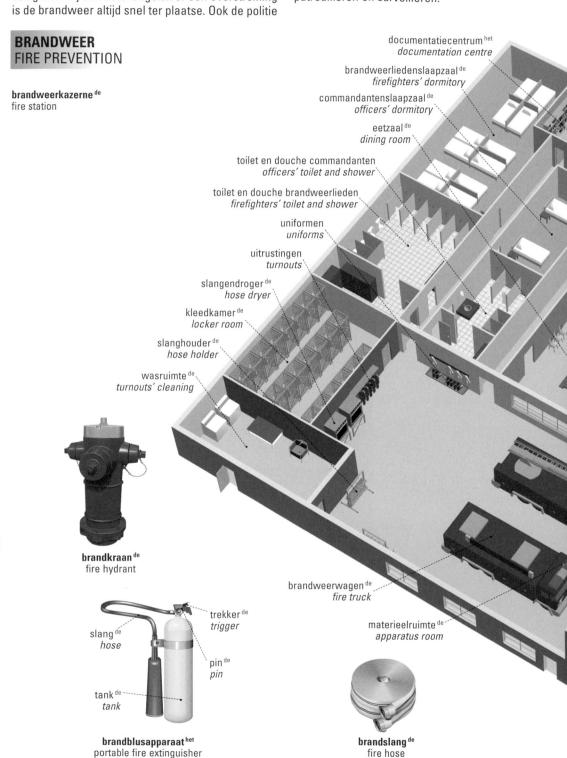

documentatiecentrum het
documentation centre

brandweerliedenslaapzaal de
firefighters' dormitory

commandantenslaapzaal de
officers' dormitory

eetzaal de
dining room

toilet en douche commandanten
officers' toilet and shower

toilet en douche brandweerlieden
firefighters' toilet and shower

uniformen
uniforms

uitrustingen
turnouts

slangendroger de
hose dryer

kleedkamer de
locker room

slanghouder de
hose holder

wasruimte de
turnouts' cleaning

brandkraan de
fire hydrant

slang de
hose

trekker de
trigger

pin de
pin

tank de
tank

brandblusapparaat het
portable fire extinguisher

brandweerwagen de
fire truck

materieelruimte de
apparatus room

brandslang de
fire hose

SAMENLEVING

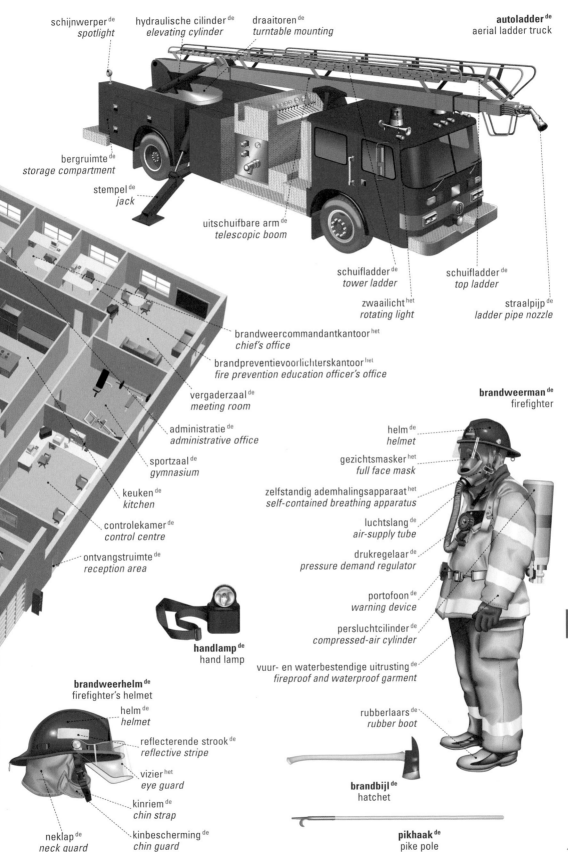

schijnwerper ^{de}
spotlight

hydraulische cilinder ^{de}
elevating cylinder

draaitoren ^{de}
turntable mounting

autoladder ^{de}
aerial ladder truck

bergruimte ^{de}
storage compartment

stempel ^{de}
jack

uitschuifbare arm ^{de}
telescopic boom

schuifladder ^{de}
tower ladder

schuifladder ^{de}
top ladder

zwaailicht ^{het}
rotating light

straalpijp ^{de}
ladder pipe nozzle

brandweercommandantkantoor ^{het}
chief's office

brandpreventievoorlichterskantoor ^{het}
fire prevention education officer's office

vergaderzaal ^{de}
meeting room

administratie ^{de}
administrative office

sportzaal ^{de}
gymnasium

keuken ^{de}
kitchen

controlekamer ^{de}
control centre

ontvangstruimte ^{de}
reception area

brandweerman ^{de}
firefighter

helm ^{de}
helmet

gezichtsmasker ^{het}
full face mask

zelfstandig ademhalingsapparaat ^{het}
self-contained breathing apparatus

luchtslang ^{de}
air-supply tube

drukregelaar ^{de}
pressure demand regulator

portofoon ^{de}
warning device

persluchtcilinder ^{de}
compressed-air cylinder

vuur- en waterbestendige uitrusting ^{de}
fireproof and waterproof garment

handlamp ^{de}
hand lamp

brandweerhelm ^{de}
firefighter's helmet

helm ^{de}
helmet

reflecterende strook ^{de}
reflective stripe

vizier ^{het}
eye guard

kinriem ^{de}
chin strap

neklap ^{de}
neck guard

kinbescherming ^{de}
chin guard

rubberlaars ^{de}
rubber boot

brandbijl ^{de}
hatchet

pikhaak ^{de}
pike pole

SAMENLEVING

MISDAADBESTRIJDING
CRIME PREVENTION

politiebureau het
police station

verhoorkamer de
interrogation room

garage de
garage

jongerencel de
juvenile cell

mannencel de
men's cell

vrouwencel de
women's cell

gedetineerdendouche de
prisoners' shower

identificatieafdeling de
identification section

controlekamer de
control room

personeelsruimte de
staff lounge

personeelskleedkamer de
staff cloakroom

personeelstoilet het
staff toilet

kantoor hoofdagent de
chief officer's office

aangiftekamer de
report-writing room

klachtenbureau het
complaints office

kantoor agent de
junior officer's office

wachtkamer de
waiting room

uitrusting de
equipment

informatiebalie de
information desk

administratie de
administrative office

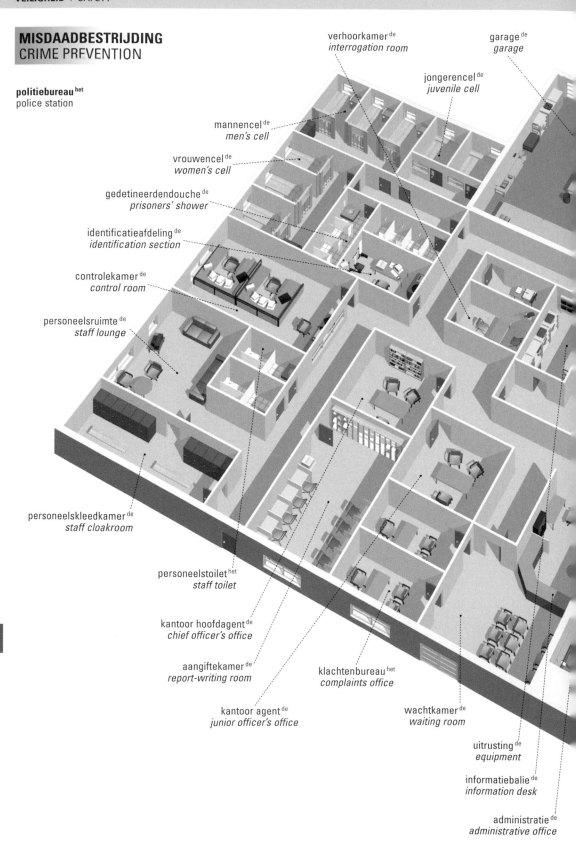

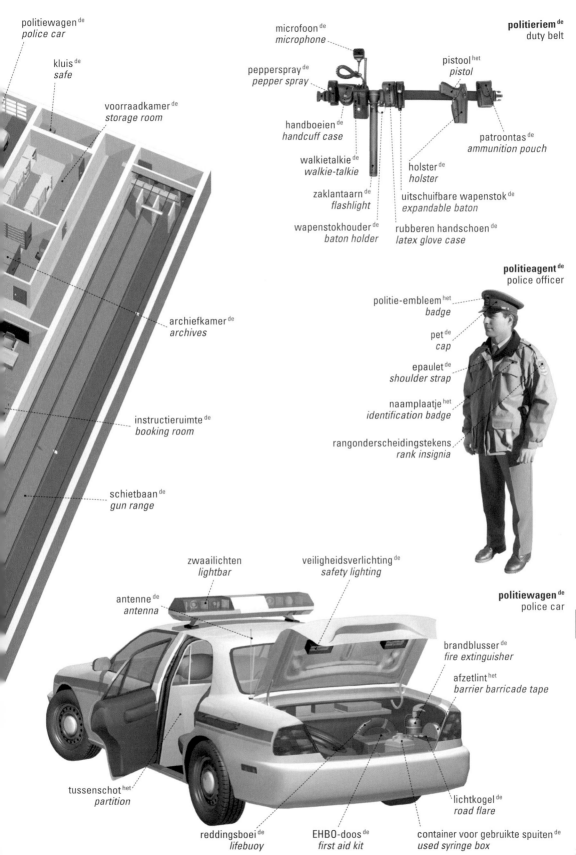

politiewagen^{de}
police car

kluis^{de}
safe

voorraadkamer^{de}
storage room

archiefkamer^{de}
archives

instructieruimte^{de}
booking room

schietbaan^{de}
gun range

microfoon^{de}
microphone

politieriem^{de}
duty belt

pepperspray^{de}
pepper spray

pistool^{het}
pistol

handboeien^{de}
handcuff case

patroontas^{de}
ammunition pouch

walkietalkie^{de}
walkie-talkie

holster^{de}
holster

zaklantaarn^{de}
flashlight

uitschuifbare wapenstok^{de}
expandable baton

wapenstokhouder^{de}
baton holder

rubberen handschoen^{de}
latex glove case

politieagent^{de}
police officer

politie-embleem^{het}
badge

pet^{de}
cap

epaulet^{de}
shoulder strap

naamplaatje^{het}
identification badge

rangonderscheidingstekens
rank insignia

zwaailichten
lightbar

veiligheidsverlichting^{de}
safety lighting

antenne^{de}
antenna

politiewagen^{de}
police car

brandblusser^{de}
fire extinguisher

afzetlint^{het}
barrier barricade tape

tussenschot^{het}
partition

lichtkogel^{de}
road flare

reddingsboei^{de}
lifebuoy

EHBO-doos^{de}
first aid kit

container voor gebruikte spuiten^{de}
used syringe box

265

Ziekenhuizen zijn gezondheidsinstellingen die complete zorg leveren. In grote steden staan ziekenhuizen die zich hebben ontwikkeld tot uitgebreide centra met gespecialiseerd personeel op elk medisch gebied. Ziekenhuizen bieden dag en nacht op maat gesneden zorg aan zieken en gewonden.

ziekenzaal^{de}
patient room

arts in opleiding^{de}
junior doctor

arts^{de}
physician

bedlampje^{het}
bedside lamp

zuurstofapparaat^{het}
oxygen outlet

infuusstandaard^{de}
intravenous stand

patiënt^{de}
patient

douche^{de}
shower

badkamer^{de}
bathroom

toilet^{het}
toilet

nachtkastje^{het}
bedside table

ziekenhuisbed^{het}
hospital bed

verpleegster^{de}
nurse

zwenktafel^{de}
overbed table

gordijn^{het}
privacy curtain

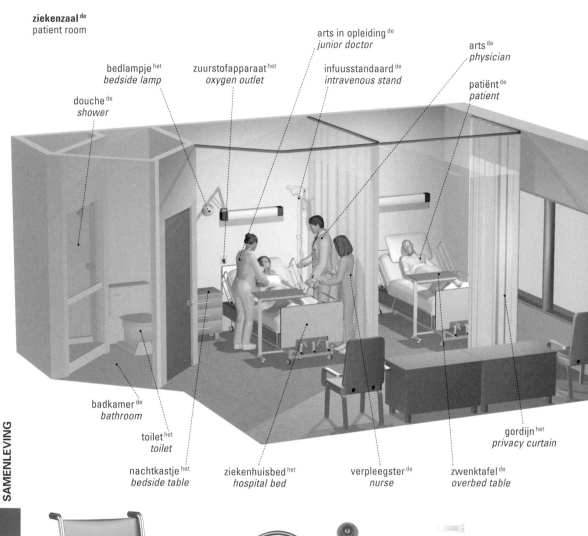

rolstoel^{de}
wheelchair

stethoscoop^{de}
stethoscope

injectiespuit^{de}
syringe

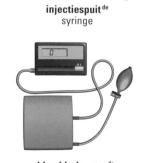

bloeddrukmeter^{de}
blood pressure monitor

266

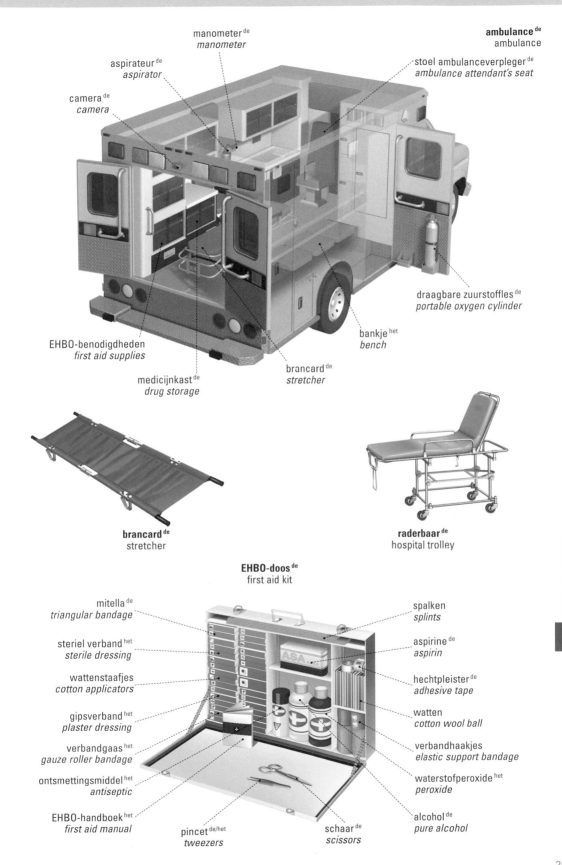

manometer ^{de}
manometer

aspirateur ^{de}
aspirator

camera ^{de}
camera

ambulance ^{de}
ambulance

stoel ambulanceverpleger ^{de}
ambulance attendant's seat

draagbare zuurstoffles ^{de}
portable oxygen cylinder

bankje ^{het}
bench

EHBO-benodigdheden
first aid supplies

medicijnkast ^{de}
drug storage

brancard ^{de}
stretcher

brancard ^{de}
stretcher

raderbaar ^{de}
hospital trolley

EHBO-doos ^{de}
first aid kit

mitella ^{de}
triangular bandage

steriel verband ^{het}
sterile dressing

wattenstaafjes
cotton applicators

gipsverband ^{het}
plaster dressing

verbandgaas ^{het}
gauze roller bandage

ontsmettingsmiddel ^{het}
antiseptic

EHBO-handboek ^{het}
first aid manual

pincet ^{de/het}
tweezers

schaar ^{de}
scissors

spalken
splints

aspirine ^{de}
aspirin

hechtpleister ^{de}
adhesive tape

watten
cotton wool ball

verbandhaakjes
elastic support bandage

waterstofperoxide ^{het}
peroxide

alcohol ^{de}
pure alcohol

SAMENLEVING

267

In de meeste ontwikkelde landen geldt tot een bepaalde leeftijd een leerplicht. Het basisonderwijs, dat rond het vierde tot zevende levensjaar begint, is meestal gratis. Schoolgaande kinderen verbeteren niet alleen hun lees-, schrijf- en rekenvaardigheden, maar ontwikkelen zich ook op moreel, intellectueel en lichamelijk vlak. Veel kinderen in ontwikkelingslanden genieten echter vanwege een gebrek aan geld geen formeel onderwijs.

SCHOOL
SCHOOL

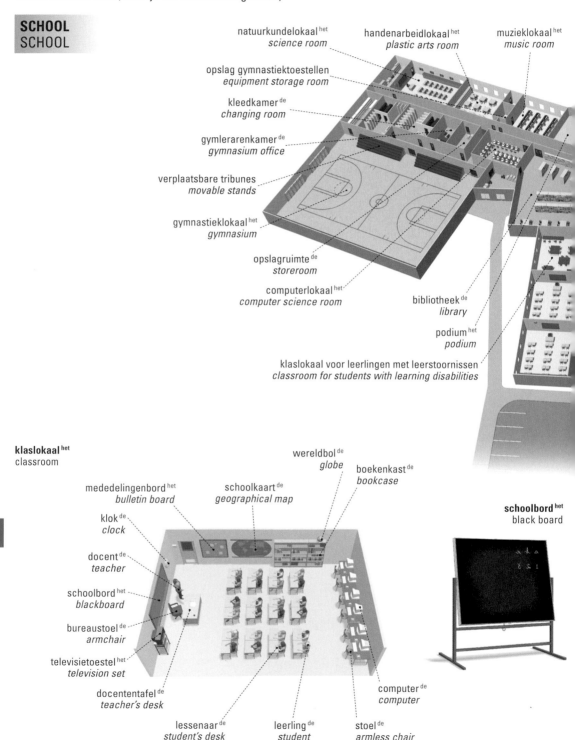

natuurkundelokaal^{het}
science room

handenarbeidlokaal^{het}
plastic arts room

muzieklokaal^{het}
music room

opslag gymnastiektoestellen
equipment storage room

kleedkamer^{de}
changing room

gymlerarenkamer^{de}
gymnasium office

verplaatsbare tribunes
movable stands

gymnastieklokaal^{het}
gymnasium

opslagruimte^{de}
storeroom

computerlokaal^{het}
computer science room

bibliotheek^{de}
library

podium^{het}
podium

klaslokaal voor leerlingen met leerstoornissen
classroom for students with learning disabilities

klaslokaal^{het}
classroom

wereldbol^{de}
globe

boekenkast^{de}
bookcase

mededelingenbord^{het}
bulletin board

schoolkaart^{de}
geographical map

schoolbord^{het}
black board

klok^{de}
clock

docent^{de}
teacher

schoolbord^{het}
blackboard

bureaustoel^{de}
armchair

televisietoestel^{het}
television set

docententafel^{de}
teacher's desk

lessenaar^{de}
student's desk

leerling^{de}
student

stoel^{de}
armless chair

computer^{de}
computer

SAMENLEVING

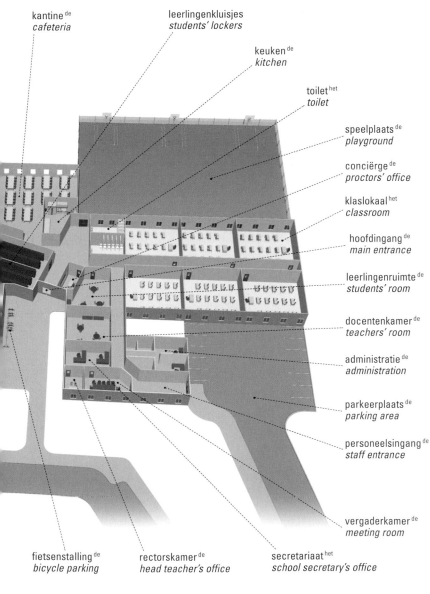

kantine ^{de}
cafeteria

leerlingenkluisjes
students' lockers

keuken ^{de}
kitchen

toilet ^{het}
toilet

speelplaats ^{de}
playground

conciërge ^{de}
proctors' office

klaslokaal ^{het}
classroom

hoofdingang ^{de}
main entrance

leerlingenruimte ^{de}
students' room

docentenkamer ^{de}
teachers' room

administratie ^{de}
administration

parkeerplaats ^{de}
parking area

personeelsingang ^{de}
staff entrance

vergaderkamer ^{de}
meeting room

fietsenstalling ^{de}
bicycle parking

rectorskamer ^{de}
head teacher's office

secretariaat ^{het}
school secretary's office

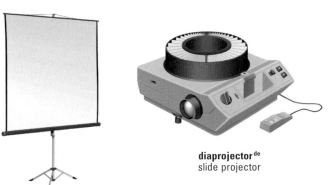

projectiescherm ^{het}
projection screen

diaprojector ^{de}
slide projector

projectiekop ^{de}
projection head

spiegel ^{de}
mirror

objectief ^{het}
optical lens

tafel ^{de}
optical stage

overheadprojector ^{de}
overhead projector

schoolbenodigdheden
school supplies

balpen de
ballpoint pen

veer de
spring

inktpatroon de
cartridge

verbinding de
joint

klem de
clip

drukknop de
push-button

punt de
point

drukmechanisme het
thrust device

drukbuisje het
thrust tube

papierklem de
clip

pen de
nib

vulpen de
fountain pen

luchtgaatje het
air hole

houder de
barrel

dop de
cap

memoblok het
memo pad

nietapparaat het
stapler

nietjes
staples

niettang de
staple remover

lijmstift de
glue stick

puntenslijper de
pencil sharpener

paperclips
paper clips

punaises
drawing pins

plakbandhouder de
tape dispenser

gum de/het
eraser

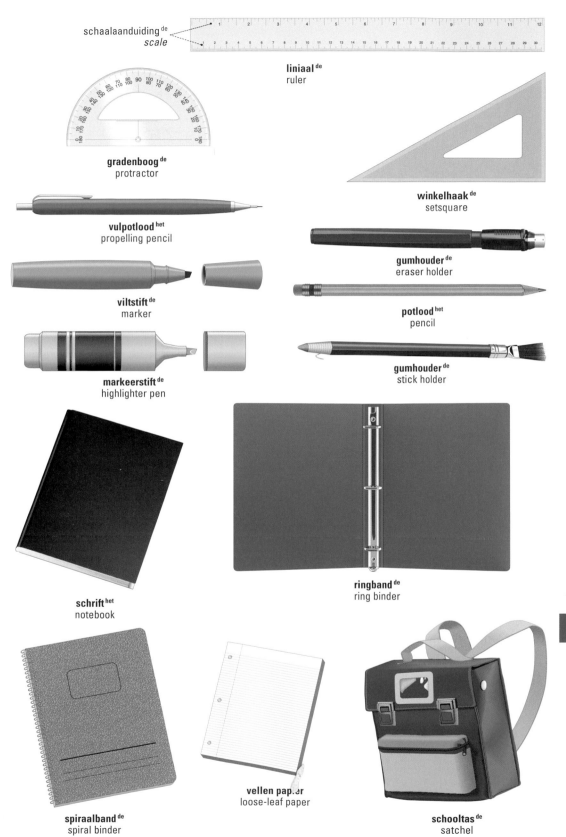

schaalaanduiding ^{de}
scale

liniaal ^{de}
ruler

gradenboog ^{de}
protractor

winkelhaak ^{de}
setsquare

vulpotlood ^{het}
propelling pencil

gumhouder ^{de}
eraser holder

viltstift ^{de}
marker

potlood ^{het}
pencil

markeerstift ^{de}
highlighter pen

gumhouder ^{de}
stick holder

schrift ^{het}
notebook

ringband ^{de}
ring binder

spiraalband ^{de}
spiral binder

vellen papier
loose-leaf paper

schooltas ^{de}
satchel

SAMENLEVING

Overal ter wereld zijn liefhebbers van bioscoopfilms te vinden, of het nu de medewerkers zijn op de filmset waar de scènes worden opgenomen, of de toeschouwers in de bioscoop die het eindproduct willen zien. Voor velen is de zevende kunst veel meer dan amusement of het fotograferen en projecteren van bewegende beelden. Via bioscoopfilms kunnen mensen vanuit hun comfortabele stoel sterke emoties ervaren en mooie avonturen beleven.

FILM
CINEMA

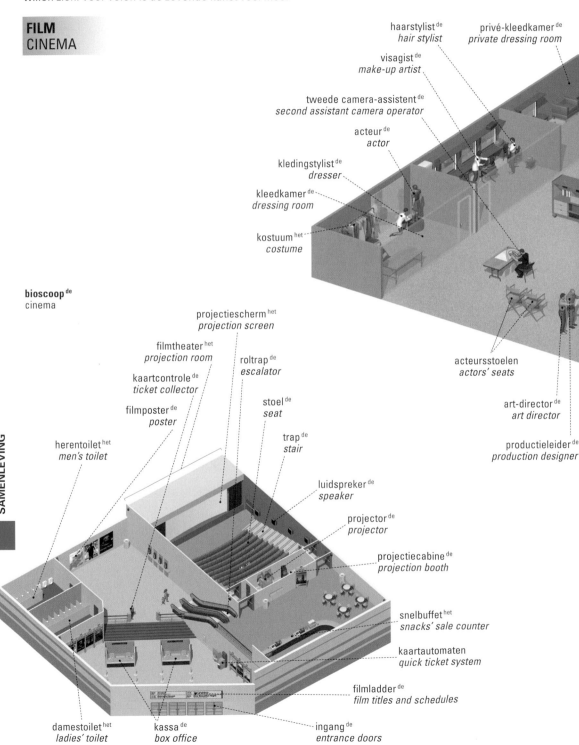

haarstylist de
hair stylist

privé-kleedkamer de
private dressing room

visagist de
make-up artist

tweede camera-assistent de
second assistant camera operator

acteur de
actor

kledingstylist de
dresser

kleedkamer de
dressing room

kostuum het
costume

bioscoop de
cinema

projectiescherm het
projection screen

filmtheater het
projection room

roltrap de
escalator

kaartcontrole de
ticket collector

stoel de
seat

filmposter de
poster

trap de
stair

herentoilet het
men's toilet

acteursstoelen
actors' seats

art-director de
art director

productieleider de
production designer

luidspreker de
speaker

projector de
projector

projectiecabine de
projection booth

snelbuffet het
snacks' sale counter

kaartautomaten
quick ticket system

filmladder de
film titles and schedules

damestoilet het
ladies' toilet

kassa de
box office

ingang de
entrance doors

filmset de
shooting stage

set de
set

cameraregisseur de
director of photography

actrice de
actress

geluidsopnameapparatuur de
sound recording equipment

grid het
lighting grid

lichttechnicus de
lighting technician

diffuser de
diffuser

tweede rekwisiteur de
assistant property man

technicus de
gaffer

spotlight het
spotlight

decorbouwer de
set dresser

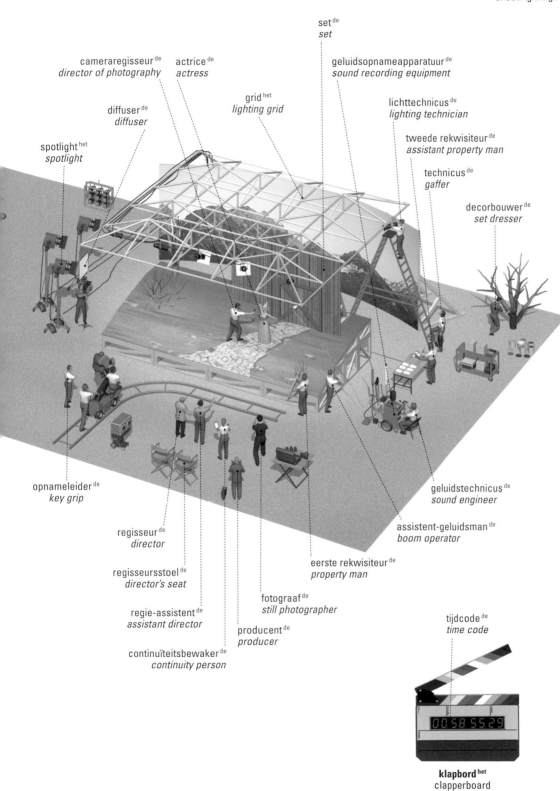

opnameleider de
key grip

geluidstechnicus de
sound engineer

assistent-geluidsman de
boom operator

regisseur de
director

regisseursstoel de
director's seat

eerste rekwisiteur de
property man

regie-assistent de
assistant director

fotograaf de
still photographer

continuïteitsbewaker de
continuity person

producent de
producer

tijdcode de
time code

klapbord het
clapperboard

273

Het doel van turnen is om bewegingen zo perfect mogelijk uit te voeren. Artistieke gymnastiek vereist handigheid, kracht en flexibiliteit. Voor ritmische gymnastiek, met onderdelen alleen voor vrouwen, is een goed gevoel voor choreografie nodig. Trampolinespringers kunnen in de lucht ingewikkelde acrobatische figuren uitvoeren.

TURNEN
GYMNASTICS

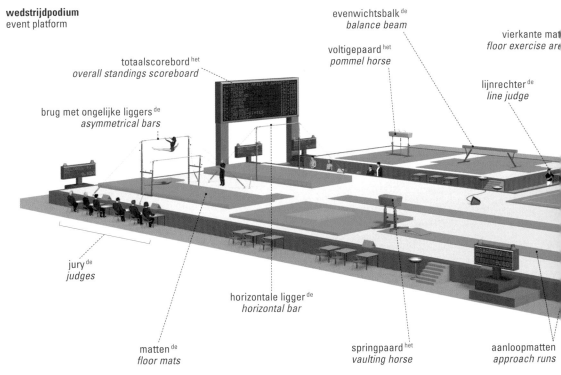

wedstrijdpodium
event platform

evenwichtsbalk de
balance beam

vierkante mat
floor exercise are

voltigepaard het
pommel horse

totaalscorebord het
overall standings scoreboard

lijnrechter de
line judge

brug met ongelijke liggers de
asymmetrical bars

jury de
judges

horizontale ligger de
horizontal bar

matten de
floor mats

springpaard het
vaulting horse

aanloopmatten
approach runs

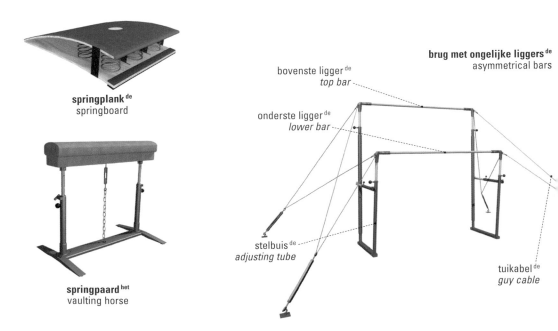

springplank de
springboard

springpaard het
vaulting horse

brug met ongelijke liggers de
asymmetrical bars

bovenste ligger de
top bar

onderste ligger de
lower bar

stelbuis de
adjusting tube

tuikabel de
guy cable

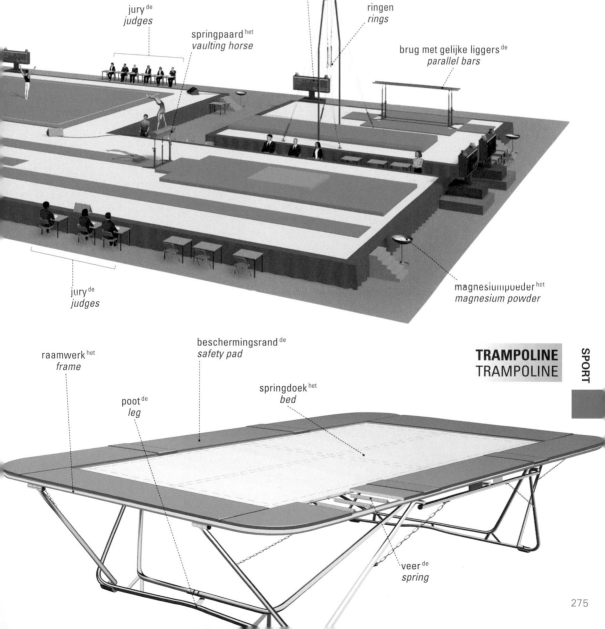

evenwichtsbalk de
balance beam

staander de
upright

hoogteregeling de
height adjustment

balk de
beam

scorebord de
current event scoreboard

jury de
judges

ringen
rings

springpaard het
vaulting horse

brug met gelijke liggers de
parallel bars

jury de
judges

magnesiumpoeder het
magnesium powder

raamwerk het
frame

beschermingsrand de
safety pad

TRAMPOLINE
TRAMPOLINE

SPORT

poot de
leg

springdoek het
bed

veer de
spring

Het doel van een zwemmer is met zo min mogelijk inspanning zo snel mogelijk door het water te glijden. Zwemmers moeten voortdurend hard trainen om hun techniek te perfectioneren. Sporters hebben zich meestal in een van de vier erkende zwemstijlen gespecialiseerd: borstcrawl, vlinderslag, schoolslag of rugslag.

startblok het
starting block

badmuts de
cap

zwembroek de
swimsuit

zwembril de
swimming goggles

platform het
platform

startgreep de (rugslag)
starting grip (backstroke)

wedstrijdzwemmen
competitive course

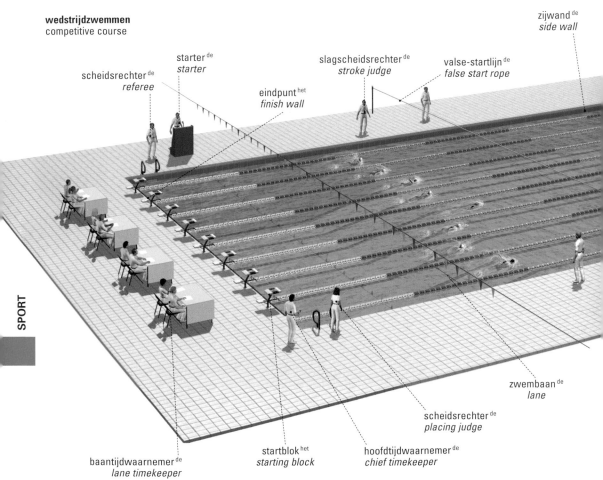

scheidsrechter de
referee

starter de
starter

eindpunt het
finish wall

slagscheidsrechter de
stroke judge

valse-startlijn de
false start rope

zijwand de
side wall

zwembaan de
lane

scheidsrechter de
placing judge

baantijdwaarnemer de
lane timekeeper

startblok het
starting block

hoofdtijdwaarnemer de
chief timekeeper

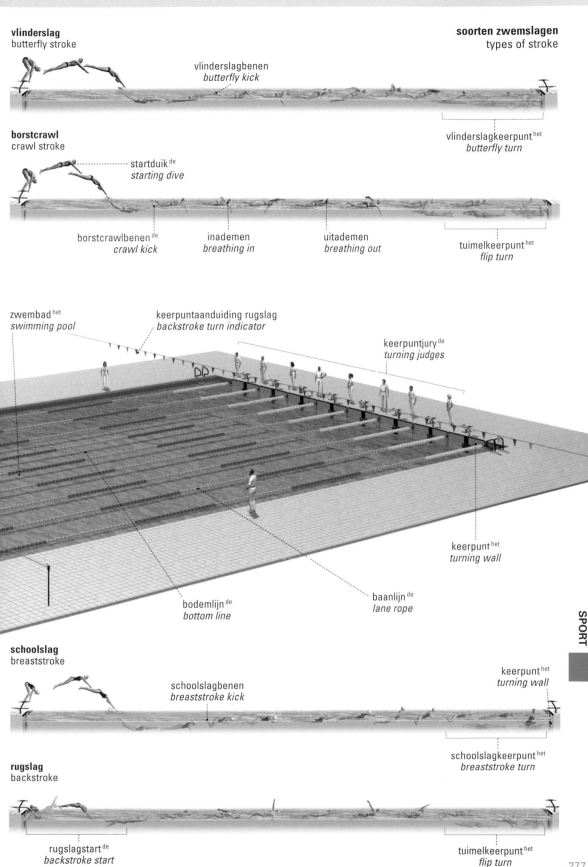

vlinderslag
butterfly stroke

vlinderslagbenen
butterfly kick

vlinderslagkeerpunt het
butterfly turn

borstcrawl
crawl stroke

startduik de
starting dive

borstcrawlbenen de
crawl kick

inademen
breathing in

uitademen
breathing out

tuimelkeerpunt het
flip turn

zwembad het
swimming pool

keerpuntaanduiding rugslag
backstroke turn indicator

keerpuntjury de
turning judges

keerpunt het
turning wall

bodemlijn de
bottom line

baanlijn de
lane rope

schoolslag
breaststroke

schoolslagbenen
breaststroke kick

keerpunt het
turning wall

schoolslagkeerpunt het
breaststroke turn

rugslag
backstroke

rugslagstart de
backstroke start

tuimelkeerpunt het
flip turn

SPORT

277

Van de sporten die op het water worden beoefend, vinden sommige, zoals roeien, alleen in teamverband plaats. Meerdere mensen moeten samenwerken en hun bewegingen synchroniseren om de finish te halen. Bij andere sporten, zoals surfen, kanoën, kajakken of windsurfen, zet de sporter als individu een prestatie neer. Voor vrijwel al deze sporten, waarbij het onder andere om snelheid gaat, zijn ook goede reflexen en een uitstekend evenwichtsgevoel nodig.

SURFPLANK
SAILBOARD

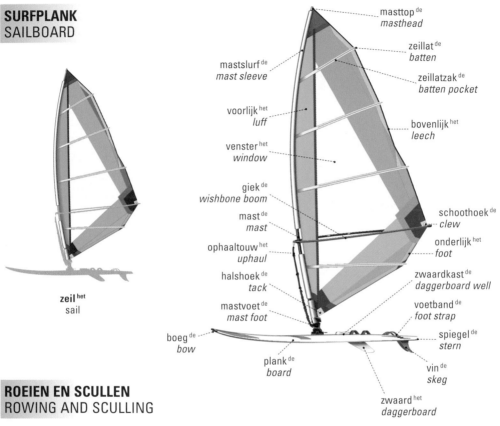

masttop ^{de} → masttop ^{de}

zeil ^{het}
sail

ROEIEN EN SCULLEN
ROWING AND SCULLING

soorten roeiriemen
types of oar

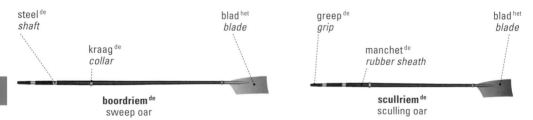

onderdelen van een roeiboot
parts of a boat

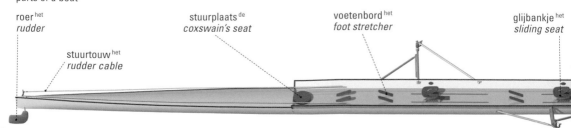

SPORT

KANOËN EN KAJAKKEN
CANOE-KAYAK

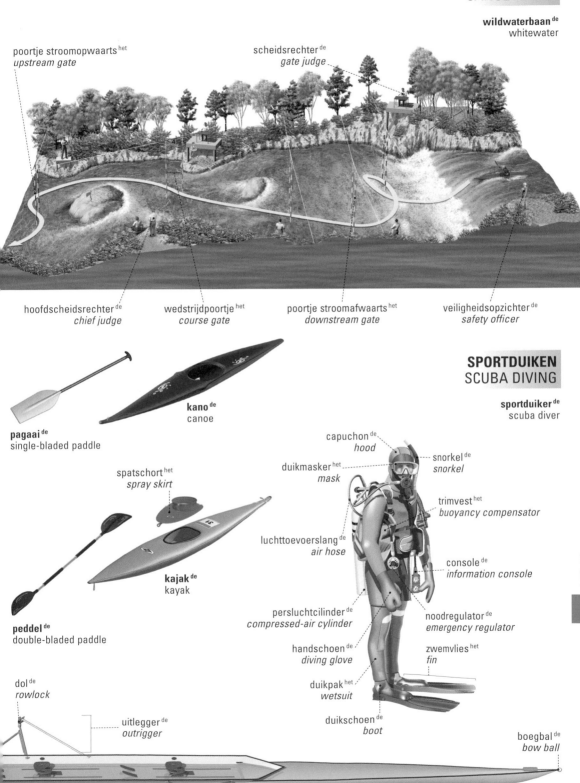

wildwaterbaan de
whitewater

poortje stroomopwaarts het
upstream gate

scheidsrechter de
gate judge

hoofdscheidsrechter de
chief judge

wedstrijdpoortje het
course gate

poortje stroomafwaarts het
downstream gate

veiligheidsopzichter de
safety officer

pagaai de
single-bladed paddle

kano de
canoe

spatschort het
spray skirt

kajak de
kayak

peddel de
double-bladed paddle

dol de
rowlock

uitlegger de
outrigger

SPORTDUIKEN
SCUBA DIVING

sportduiker de
scuba diver

capuchon de
hood

duikmasker het
mask

snorkel de
snorkel

trimvest het
buoyancy compensator

luchttoevoerslang de
air hose

console de
information console

persluchtcilinder de
compressed-air cylinder

noodregulator de
emergency regulator

handschoen de
diving glove

zwemvlies het
fin

duikpak het
wetsuit

duikschoen de
boot

boegbal de
bow ball

SPORT

Net als bij alle andere paardensporten is het bij de rensport belangrijk dat ruiter en paard een goed team vormen. Beide moeten naar perfectie streven om hun doel, de finish, te kunnen halen. De jockey neemt alle besluiten tijdens de race. Jockeys gebruiken voornamelijk hun benen en handen om hun paard te besturen.

PAARDENRENNEN
HORSE RACING (TURF)

jockey de
jockey

cap de
riding cap

neusband de
sheepskin noseband

renzadel het
saddle

teugel de
rein

zadeldek het
saddlecloth

zweep de
whip

singel de
girth

renbaan de
racetrack

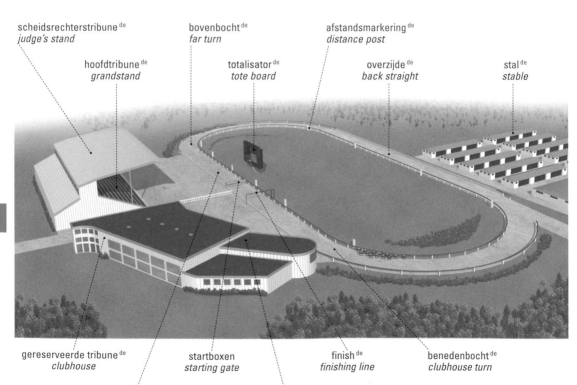

scheidsrechterstribune de
judge's stand

bovenbocht de
far turn

afstandsmarkering de
distance post

hoofdtribune de
grandstand

totalisator de
tote board

overzijde de
back straight

stal de
stable

gereserveerde tribune de
clubhouse

startboxen
starting gate

finish de
finishing line

benedenbocht de
clubhouse turn

laatste rechte eind het
home straight

paddock de
paddock

Zoals de naam al zegt, moet de beoefenaar van precisiesporten een perfecte beheersing van zijn of haar bewegingen hebben en een hoog concentratieniveau. Of de sporter een pijl afschiet, een steen over het ijs schuift, een hurlingbal wegschiet of een klein balletje raakt, elke handeling dient met grote precisie uitgevoerd te worden, zodat het desbetreffende voorwerp het doel, dat vaak op enige afstand ligt, bereikt.

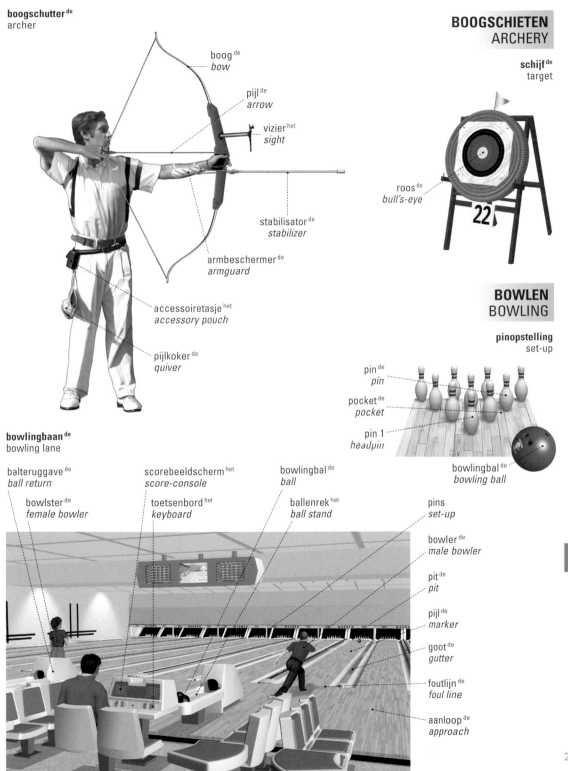

boogschutter de
archer

boog de
bow

pijl de
arrow

vizier het
sight

stabilisator de
stabilizer

armbeschermer de
armguard

accessoiretasje het
accessory pouch

pijlkoker de
quiver

BOOGSCHIETEN
ARCHERY

schijf de
target

roos de
bull's-eye

BOWLEN
BOWLING

pinopstelling
set-up

pin de
pin

pocket de
pocket

pin 1
headpin

bowlingbal de
bowling ball

bowlingbaan de
bowling lane

balteruggave de
ball return

bowlster de
female bowler

scorebeeldscherm het
score-console

toetsenbord het
keyboard

bowlingbal de
ball

ballenrek het
ball stand

pins
set-up

bowler de
male bowler

pit de
pit

pijl de
marker

goot de
gutter

foutlijn de
foul line

aanloop de
approach

GOLF
GOLF

golfbaan de
course

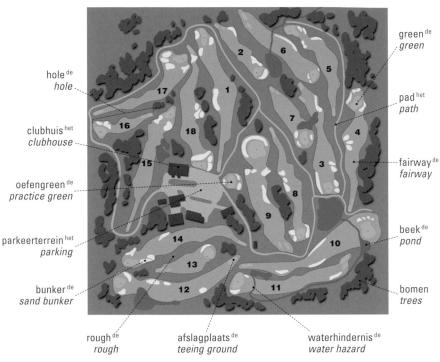

hole de
hole

clubhuis het
clubhouse

oefengreen de
practice green

parkeerterrein het
parking

bunker de
sand bunker

green de
green

pad het
path

fairway de
fairway

beek de
pond

bomen
trees

rough de
rough

afslagplaats de
teeing ground

waterhindernis de
water hazard

golfuitrusting
golf equipment and accessories

golfbal de
golf ball

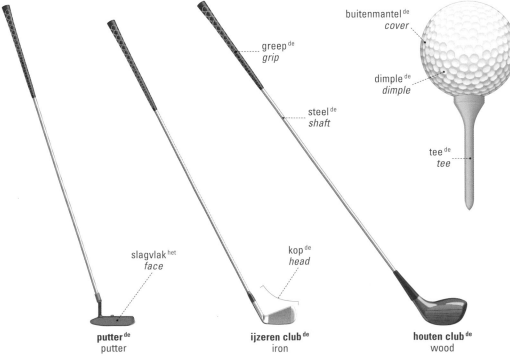

greep de
grip

steel de
shaft

buitenmantel de
cover

dimple de
dimple

tee de
tee

slagvlak het
face

kop de
head

putter de
putter

ijzeren club de
iron

houten club de
wood

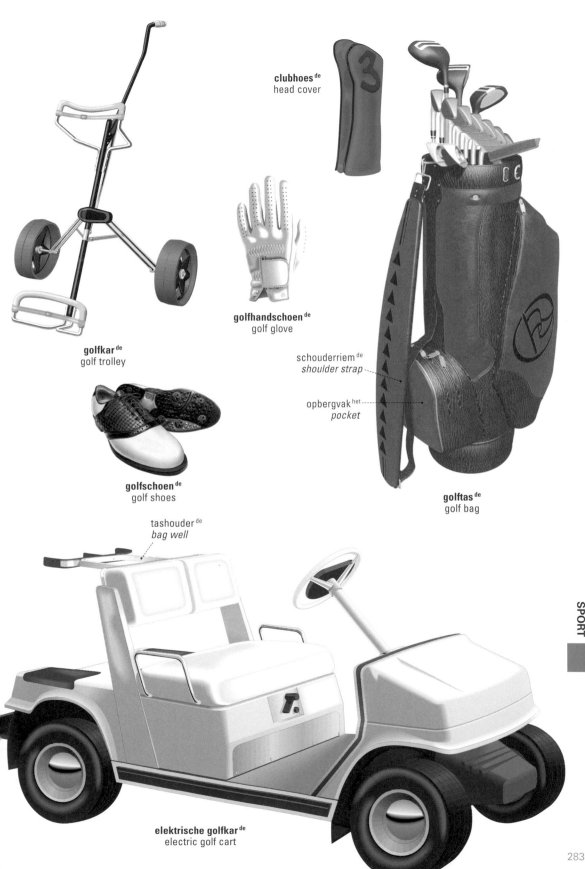

clubhoes de
head cover

golfhandschoen de
golf glove

golfkar de
golf trolley

schouderriem de
shoulder strap

opbergvak het
pocket

golfschoen de
golf shoes

golftas de
golf bag

tashouder de
bag well

elektrische golfkar de
electric golf cart

Wintersporten behoren tot de snelste niet-gemotoriseerde sporten ter wereld, of ze nu op een schaatsbaan, ijsbaan of sneeuwhelling worden beoefend. Voor deze sporten, die in een team of individueel kunnen worden beoefend, als recreatie of in wedstrijdverband, is een speciale uitrusting nodig, zoals ski's, schaatsen, sneeuwschoenen en sleeën.

IJSHOCKEY
ICE HOCKEY

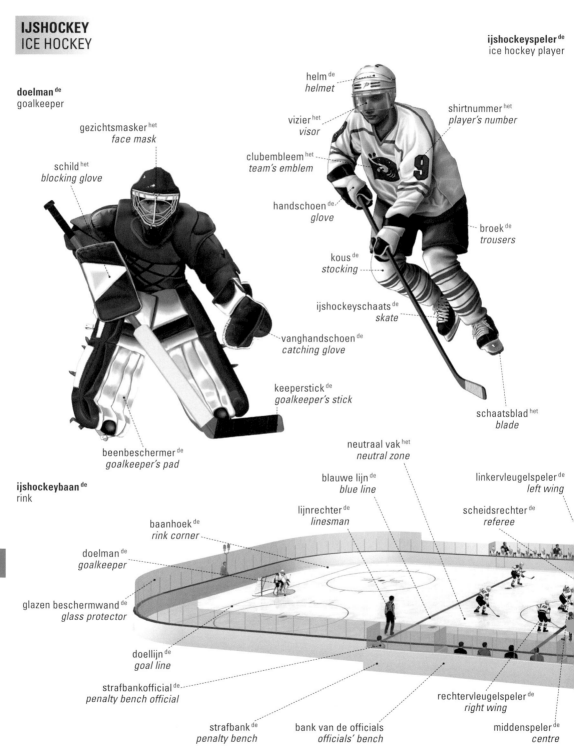

ijshockeyspeler de
ice hockey player

doelman de
goalkeeper

helm de
helmet

gezichtsmasker het
face mask

shirtnummer het
player's number

vizier het
visor

schild het
blocking glove

clubembleem het
team's emblem

handschoen de
glove

broek de
trousers

kous de
stocking

ijshockeyschaats de
skate

vanghandschoen de
catching glove

keeperstick de
goalkeeper's stick

schaatsblad het
blade

beenbeschermer de
goalkeeper's pad

neutraal vak het
neutral zone

blauwe lijn de
blue line

linkervleugelspeler de
left wing

ijshockeybaan de
rink

lijnrechter de
linesman

scheidsrechter de
referee

baanhoek de
rink corner

doelman de
goalkeeper

glazen beschermwand de
glass protector

doellijn de
goal line

strafbankofficial de
penalty bench official

rechtervleugelspeler de
right wing

strafbank de
penalty bench

bank van de officials
officials' bench

middenspeler de
centre

bescherming
protective equipment

ijshockeystick de
player's stick

keelbeschermer de
throat protector

schoudervulling de
shoulder pad

elleboogbeschermer de
elbow pad

knop de
butt end

schacht de
shaft

toque de
protective cup

hiel de
heel

scheenbeschermer de
pads

blad het
blade

keeperstick de
goalkeeper's stick

middenlijn de
centre line

rechterverdediger de
right defence

spelersbank de
players' bench

puck de
puck

coach de
coach

face-offpunt het
face-off spot

assistent-coach de
assistant coach

face-offcirkel de
face-off circle

doellichten
goal lights

doelrechter de
goal judge

doel het
goal

omheining de
boards

face-offcirkel de
centre face-off circle

linkerverdediger de
left defence

doelmondcirkel de
goal crease

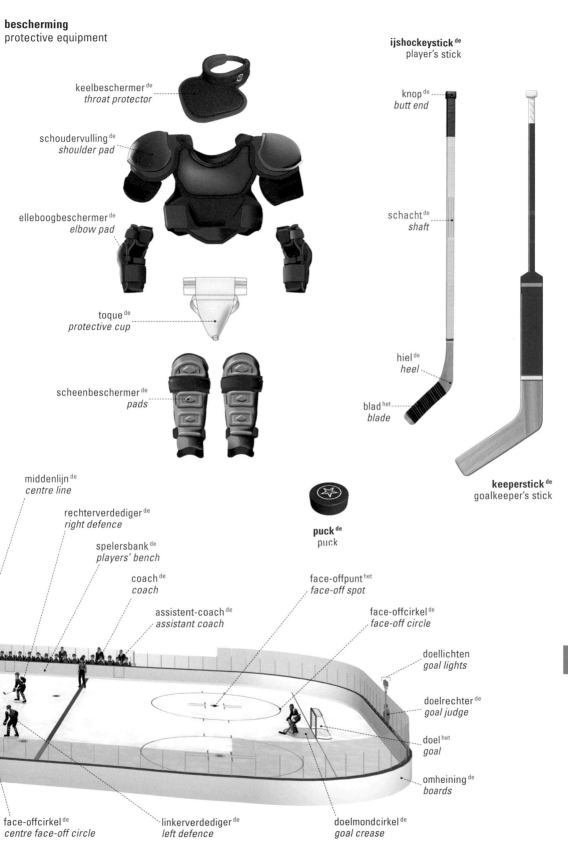

SCHAATSEN
SKATING

ijshockeyschaats de
hockey skate

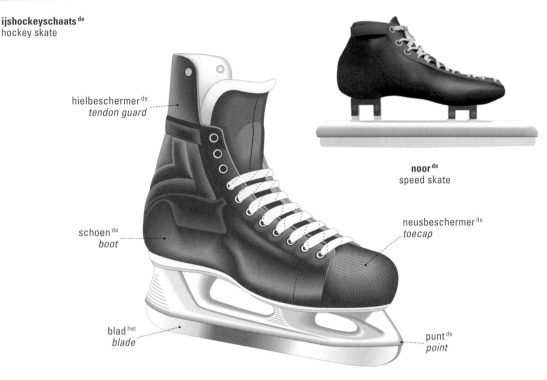

hielbeschermer de
tendon guard

noor de
speed skate

schoen de
boot

neusbeschermer de
toecap

blad het
blade

punt de
point

kunstschaats de
figure skate

voering de
lining

haakje het
hook

tong de
tongue

schacht de
backstay

schaatsbeschermer de
skate guard

schoen de
boot

veter de
lace

hak de
heel

oogje het
eyelet

steun de
stanchion

zool de
sole

snede de
edge

blad het
blade

zaag de
toe pick

SNOWBOARDEN
SNOWBOARDING

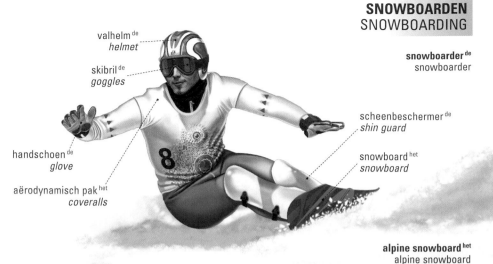

valhelm ^{de}
helmet

skibril ^{de}
goggles

handschoen ^{de}
glove

aërodynamisch pak ^{het}
coveralls

snowboarder ^{de}
snowboarder

scheenbeschermer ^{de}
shin guard

snowboard ^{het}
snowboard

alpine snowboard ^{het}
alpine snowboard

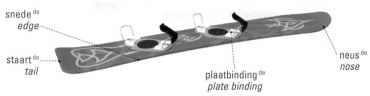

snede ^{de}
edge

staart ^{de}
tail

plaatbinding ^{de}
plate binding

neus ^{de}
nose

BOBSLEEËN, RODELEN EN SKELETON
BOBSLED, LUGE AND SKELETON

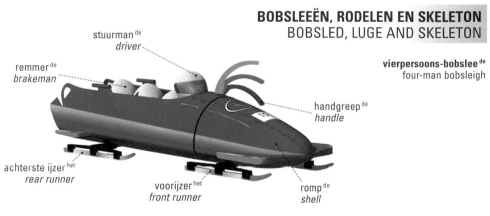

stuurman ^{de}
driver

remmer ^{de}
brakeman

vierpersoons-bobslee ^{de}
four-man bobsleigh

handgreep ^{de}
handle

achterste ijzer ^{het}
rear runner

voorijzer ^{het}
front runner

romp ^{de}
shell

rodelslee ^{de}
sled

aërodynamisch pak ^{het}
one-piece suit

rodelaar ^{de}
luge racer

valhelm ^{de}
crash helmet

vizier ^{het}
visor

handschoen ^{de}
glove

skeletonner ^{de}
skeleton sledder

schoenen met ijzeren punten
cleated shoes

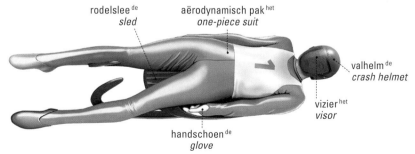

valhelm ^{de}
crash helmet

kinbeschermer ^{de}
chin guard

skeleton-slee ^{de}
skeleton

SPORT

SNEEUWSCHOENEN
SNOWSHOE

traditionele sneeuwschoen de
Michigan snowshoe

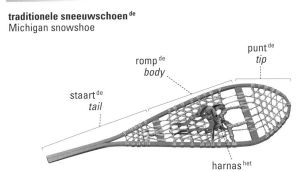

punt de
tip

romp de
body

staart de
tail

harnas het
harness

ellipsvormige sneeuwschoen de
elliptical snowshoe

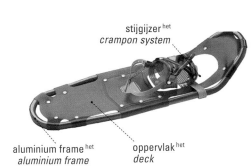

stijgijzer het
crampon system

aluminium frame het
aluminium frame

oppervlak het
deck

LANGLAUFEN
CROSS-COUNTRY SKIING

ski de
ski

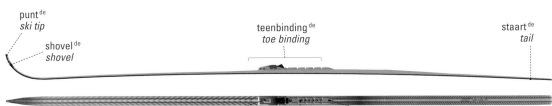

punt de
ski tip

shovel de
shovel

teenbinding de
toe binding

staart de
tail

klem de
clamp

teenplaatje het
toeplate

hielstuk het
heelplate

langlaufer de
cross-country skier

coltrui de
polo neck

skimuts de
ski hat

greep de
pole grip

steel de
pole shaft

skipak het
ski suit

skistok de
ski pole

polslus de
wrist strap

handschoen de
glove

langlaufski de
cross-country ski

shovel de
shovel

langlaufschoen de
boot

langlaufbinding de
binding

step-in binding de
safety binding

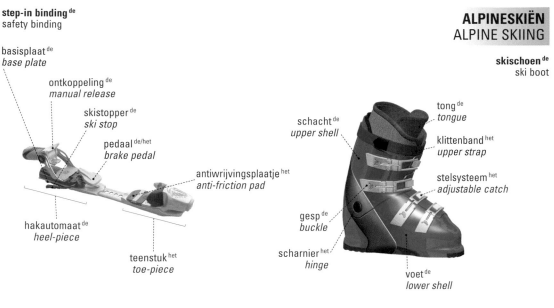

basisplaat de
base plate

ontkoppeling de
manual release

skistopper de
ski stop

pedaal de/het
brake pedal

antiwrijvingsplaatje het
anti-friction pad

hakautomaat de
heel-piece

teenstuk het
toe-piece

skischoen de
ski boot

schacht de
upper shell

tong de
tongue

klittenband het
upper strap

stelsysteem het
adjustable catch

gesp de
buckle

scharnier het
hinge

voet de
lower shell

ski de
ski

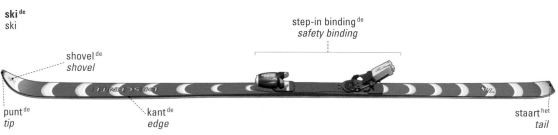

shovel de
shovel

step-in binding de
safety binding

punt de
tip

kant de
edge

staart het
tail

alpineskiër de
alpine skier

skihelm de
helmet

skibril de
ski goggles

skipak het
ski suit

skihandschoen de
ski glove

sneeuwkrans de
basket

skistok de
ski pole

polslus de
wrist strap

greep de
handle

skischoen de
ski boot

groef de
groove

loopvlak het
bottom face

ski de
ski

Balsporten worden meestal in teamverband beoefend. Zowel bij honkbal, basketbal en cricket als bij hockey, voetbal en volleybal proberen de spelers hun tegenstanders sneller en slimmer af te zijn. Daarbij moeten ze zich aan bepaalde spelregels houden. Bij dit soort sporten is het meestal de bedoeling om de bal zo vaak mogelijk in een doel te krijgen.

HONKBAL
BASEBALL

spelersopstelling
player positions

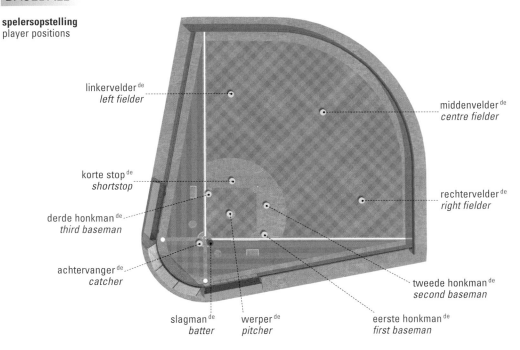

linkervelder^{de}
left fielder

middenvelder^{de}
centre fielder

korte stop^{de}
shortstop

rechtervelder^{de}
right fielder

derde honkman^{de}
third baseman

achtervanger^{de}
catcher

tweede honkman^{de}
second baseman

slagman^{de}
batter

werper^{de}
pitcher

eerste honkman^{de}
first baseman

honkbalveld^{het}
field

linkerveld^{het}
left field

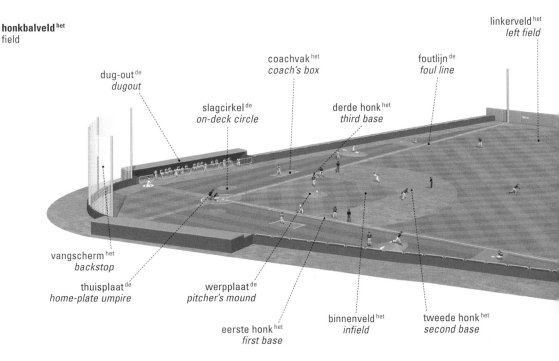

coachvak^{het}
coach's box

foutlijn^{de}
foul line

dug-out^{de}
dugout

slagcirkel^{de}
on-deck circle

derde honk^{het}
third base

vangscherm^{het}
backstop

thuisplaat^{de}
home-plate umpire

werpplaat^{de}
pitcher's mound

binnenveld^{het}
infield

tweede honk^{het}
second base

eerste honk^{het}
first base

SPORT

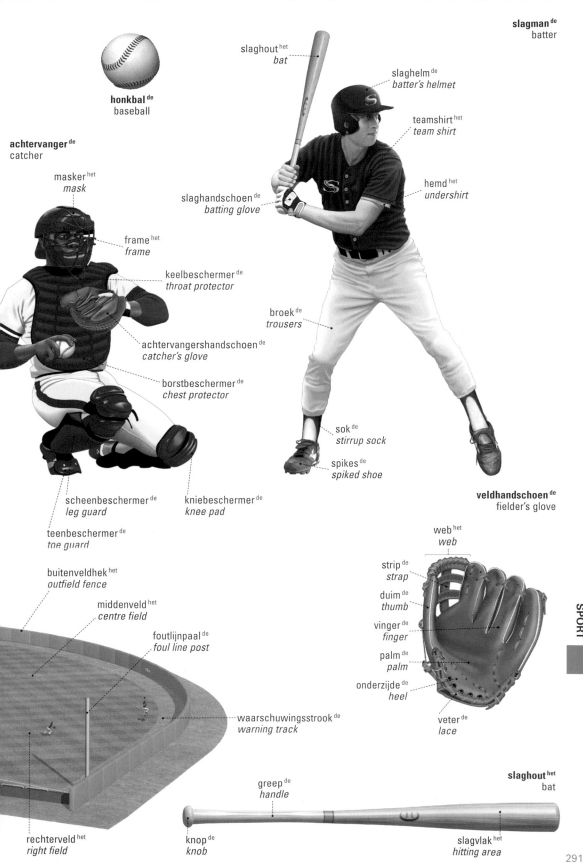

slagman de
batter

slaghout het
bat

slaghelm de
batter's helmet

teamshirt het
team shirt

hemd het
undershirt

honkbal de
baseball

achtervanger de
catcher

masker het
mask

frame het
frame

keelbeschermer de
throat protector

slaghandschoen de
batting glove

achtervangershandschoen de
catcher's glove

borstbeschermer de
chest protector

broek de
trousers

sok de
stirrup sock

spikes de
spiked shoe

scheenbeschermer de
leg guard

kniebeschermer de
knee pad

teenbeschermer de
toe guard

veldhandschoen de
fielder's glove

web het
web

strip de
strap

duim de
thumb

vinger de
finger

palm de
palm

onderzijde de
heel

buitenveldhek het
outfield fence

middenveld het
centre field

foutlijnpaal de
foul line post

waarschuwingsstrook de
warning track

veter de
lace

SPORT

slaghout het
bat

greep de
handle

rechterveld het
right field

knop de
knob

slagvlak het
hitting area

291

CRICKET
CRICKET

cricketspelerde **(batsman)**
cricket player (batsman)

helm de
helmet

gezichtsmasker het
face mask

bat het
bat

handschoen de
glove

beenbeschermer de
pad

cricketschoen de
cricket shoe

noppen de
stud

wicket het
wicket

bail de
bail

stump de
stump

bat het
bat

greep de
handle

slaghout het
willow

cricketbal de
cricket ball

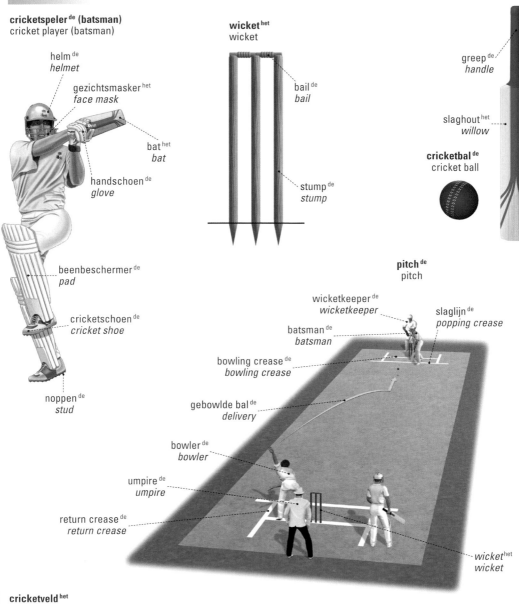

pitch de
pitch

wicketkeeper de
wicketkeeper

slaglijn de
popping crease

batsman de
batsman

bowling crease de
bowling crease

gebowlde bal de
delivery

bowler de
bowler

umpire de
umpire

return crease de
return crease

wicket het
wicket

cricketveld het
field

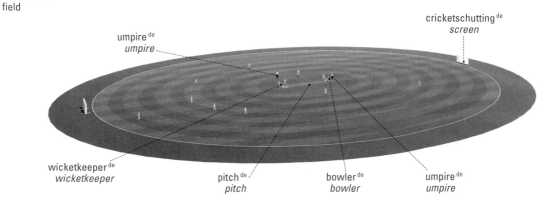

cricketschutting de
screen

umpire de
umpire

wicketkeeper de
wicketkeeper

pitch de
pitch

bowler de
bowler

umpire de
umpire

HOCKEY
FIELD HOCKEY

veldspeler de
field player

teamshirt het
team shirt

hockeybroek de
shorts

hockeystick de
stick

scheenbeschermer de
shin guard

schoen de
shoe

hockeybal de
hockey ball

stick de
stick

greep het
handle

tape het
tape

blad het
blade

hockeyveld het
playing field

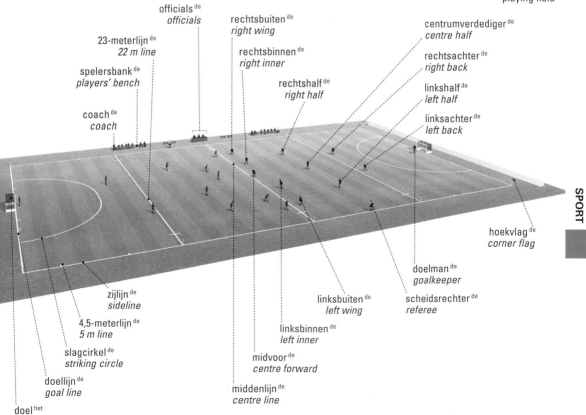

officials de
officials

23-meterlijn de
22 m line

spelersbank de
players' bench

coach de
coach

rechtsbuiten de
right wing

rechtsbinnen de
right inner

rechtshalf de
right half

centrumverdediger de
centre half

rechtsachter de
right back

linkshalf de
left half

linksachter de
left back

hoekvlag de
corner flag

doelman de
goalkeeper

scheidsrechter de
referee

linksbuiten de
left wing

linksbinnen de
left inner

midvoor de
centre forward

zijlijn de
sideline

4,5-meterlijn de
5 m line

slagcirkel de
striking circle

doellijn de
goal line

doel het
goal

middenlijn de
centre line

SPORT

BASKETBAL
BASKETBALL

spelersopstelling ^{de}
player positions

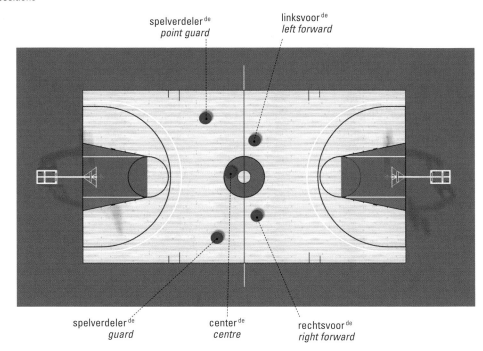

spelverdeler^{de}
point guard

linksvoor^{de}
left forward

spelverdeler^{de}
guard

center^{de}
centre

rechtsvoor^{de}
right forward

basketbalveld ^{het}
court

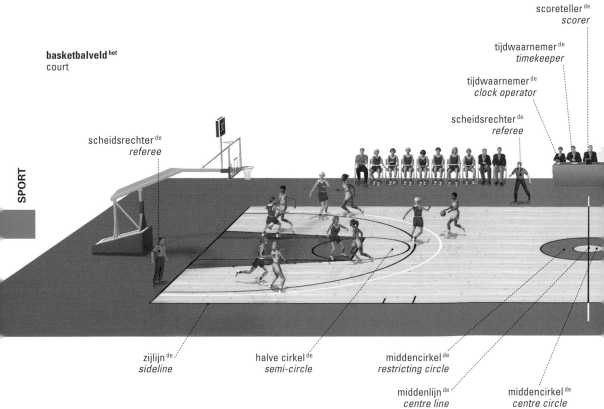

scoreteller^{de}
scorer

tijdwaarnemer^{de}
timekeeper

tijdwaarnemer^{de}
clock operator

scheidsrechter^{de}
referee

scheidsrechter^{de}
referee

zijlijn^{de}
sideline

halve cirkel^{de}
semi-circle

middencirkel^{de}
restricting circle

middenlijn^{de}
centre line

middencirkel^{de}
centre circle

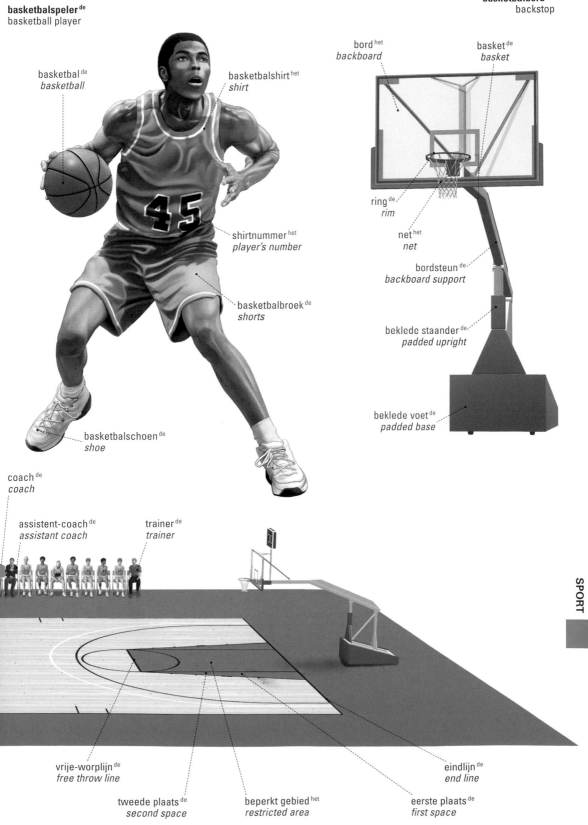

basketbalspeler de
basketball player

basketbalbord het
backstop

basketbal de
basketball

basketbalshirt het
shirt

bord het
backboard

basket de
basket

shirtnummer het
player's number

ring de
rim

net het
net

basketbalbroek de
shorts

bordsteun de
backboard support

beklede staander de
padded upright

basketbalschoen de
shoe

beklede voet de
padded base

coach de
coach

assistent-coach de
assistant coach

trainer de
trainer

vrije-worplijn de
free throw line

tweede plaats de
second space

beperkt gebied het
restricted area

eerste plaats de
first space

eindlijn de
end line

SPORT

295

AMERICAN FOOTBALL
AMERICAN FOOTBALL

scrimmage^{de} (verdediging)
scrimmage (defense)

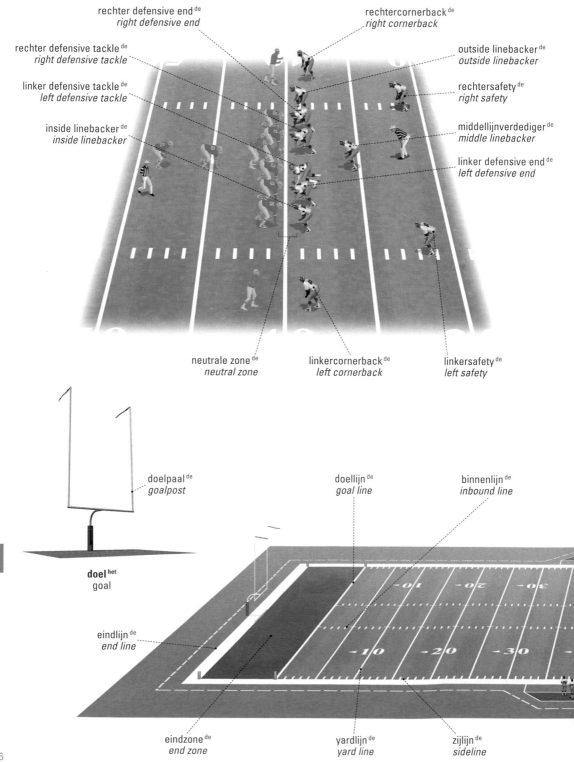

rechter defensive end^{de}
right defensive end

rechtercornerback^{de}
right cornerback

rechter defensive tackle^{de}
right defensive tackle

outside linebacker^{de}
outside linebacker

linker defensive tackle^{de}
left defensive tackle

rechtersafety^{de}
right safety

inside linebacker^{de}
inside linebacker

middellijnverdediger^{de}
middle linebacker

linker defensive end^{de}
left defensive end

neutrale zone^{de}
neutral zone

linkercornerback^{de}
left cornerback

linkersafety^{de}
left safety

doelpaal^{de}
goalpost

doellijn^{de}
goal line

binnenlijn^{de}
inbound line

doel^{het}
goal

eindlijn^{de}
end line

eindzone^{de}
end zone

yardlijn^{de}
yard line

zijlijn^{de}
sideline

SPORT

296

scrimmage de **(aanval)**
scrimmage (offense)

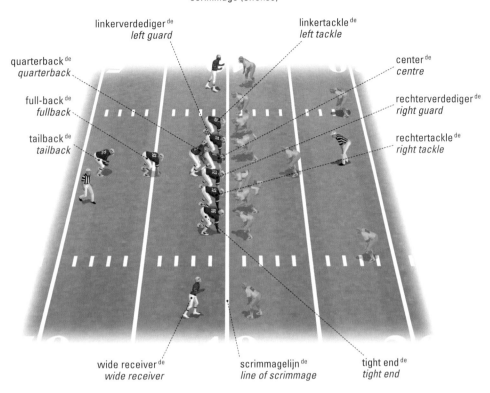

linkerverdediger de
left guard

linkertackle de
left tackle

quarterback de
quarterback

center de
centre

full-back de
fullback

rechterverdediger de
right guard

tailback de
tailback

rechtertackle de
right tackle

wide receiver de
wide receiver

scrimmagelijn de
line of scrimmage

tight end de
tight end

middenlijn de
centre line

achterscheidsrechter de
back judge

tweede lijnrechter de
line judge

hockeyveld het
playing field

grensrechter de
side judge

scheidsrechter de
referee

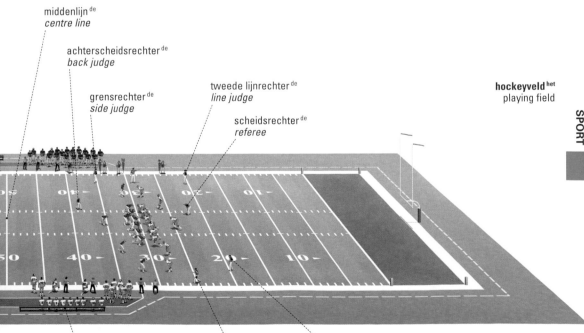

spelersbank de
players' bench

tweede scheidsrechter de
umpire

eerste lijnrechter de
head linesman

footballspeler de
American football player

bescherming
protective equipment

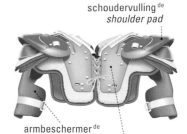

schoudervulling de
shoulder pad

helm de
helmet

kinband de
chin strap

gezichtsmasker het
face mask

shirtnummer het
player's number

teamshirt het
team shirt

armbeschermer de
arm guard

borststuk het
chest protector

polsband de
wristband

broek de
trousers

dijbeschermer de
thigh pad

toque de
protective cup

ribbeschermer de
rib pad

kniebeschermer de
knee pad

kous de
sock

noppenschoen de
cleated shoe

gebitsbeschermer de
tooth guard

heupbeschermer de
hip pad

nekbeschermer de
neck pad

bal de
football

onderarmbeschermer de
forearm pad

elleboogbeschermer de
elbow pad

CANADIAN FOOTBALL
CANADIAN FOOTBALL

hockeyveld het
playing field

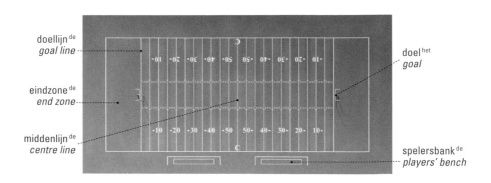

doellijn de
goal line

doel het
goal

eindzone de
end zone

middenlijn de
centre line

spelersbank de
players' bench

volleybalveld het
court

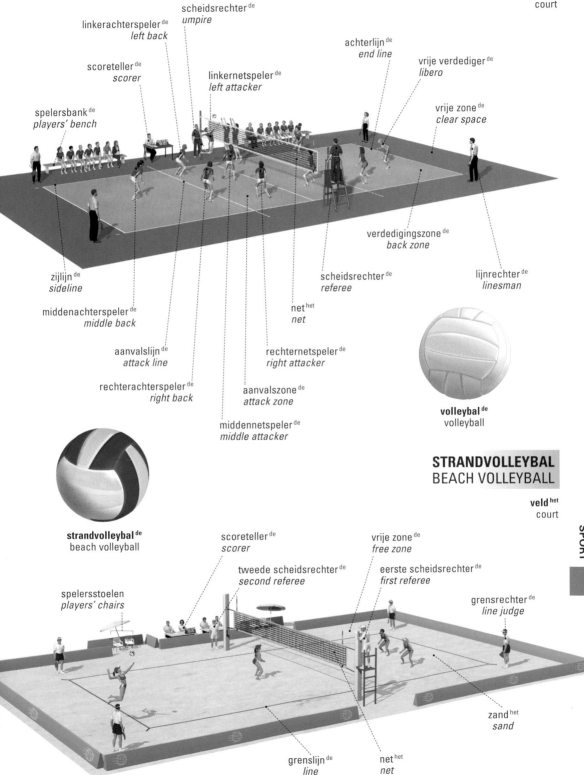

scheidsrechter de
umpire

linkerachterspeler de
left back

scoreteller de
scorer

linkernetspeler de
left attacker

achterlijn de
end line

vrije verdediger de
libero

spelersbank de
players' bench

vrije zone de
clear space

zijlijn de
sideline

verdedigingszone de
back zone

middenachterspeler de
middle back

lijnrechter de
linesman

aanvalslijn de
attack line

scheidsrechter de
referee

net het
net

rechterachterspeler de
right back

rechternetspeler de
right attacker

aanvalszone de
attack zone

middennetspeler de
middle attacker

volleybal de
volleyball

strandvolleybal de
beach volleyball

veld het
court

scoreteller de
scorer

vrije zone de
free zone

tweede scheidsrechter de
second referee

eerste scheidsrechter de
first referee

spelersstoelen
players' chairs

grensrechter de
line judge

zand het
sand

grenslijn de
line

net het
net

SPORT

VOETBAL
ASSOCIATION FOOTBALL

spelersopstelling de
player positions

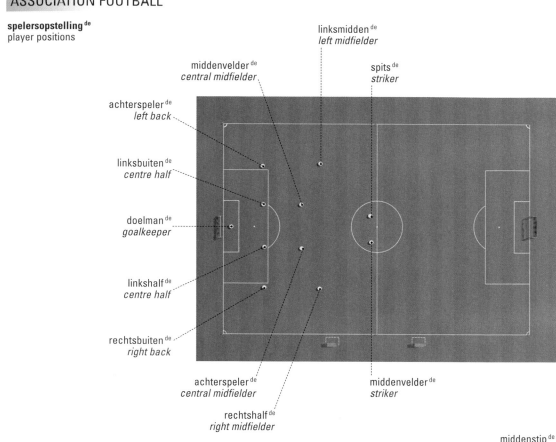

linksmidden de
left midfielder

spits de
striker

middenvelder de
central midfielder

achterspeler de
left back

linksbuiten de
centre half

doelman de
goalkeeper

linkshalf de
centre half

rechtsbuiten de
right back

achterspeler de
central midfielder

middenvelder de
striker

rechtshalf de
right midfielder

voetbalveld het
playing field

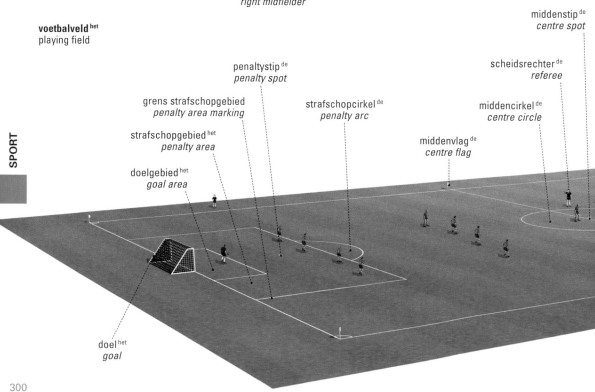

middenstip de
centre spot

penaltystip de
penalty spot

scheidsrechter de
referee

grens strafschopgebied
penalty area marking

strafschopcirkel de
penalty arc

middencirkel de
centre circle

strafschopgebied het
penalty area

middenvlag de
centre flag

doelgebied het
goal area

doel het
goal

voetballer de
footballer

keepershandschoenen
goalkeeper's gloves

clubshirt het
team shirt

voetbalschoen de
football boot

voetbalbroek de
shorts

scheenbeschermer de
shin guard

schroefnoppen
screw-in studs

kous de
sock

voetbal de
football

hoekvlag de
corner flag

hoekschopgebied het
corner arc

zijlijn de
touchline

middenlijn de
halfway line

lijnrechter de
linesman

reservebank de
substitutes' bench

SPORT

In vrijwel alle landen wordt getennist. Het spel wordt gespeeld door twee of vier mensen, op een baan van gravel, gras of kunststof. De spelers slaan de bal met een racket naar elkaar toe, op en neer over een net.

De bal kan snelheden van 200 km/u bereiken. Een aantal grote toernooien trekt jaarlijks vele toeschouwers. Het oudste en beroemdste is het Wimbledon-toernooi, dat in Engeland plaatsvindt.

TENNIS
TENNIS

tennisracket het
tennis racket

hals de
throat

blad het
head

frame het
frame

greep de
handle

steel de
shaft

knop de
butt

schouder de
shoulder

besnaring de
stringing

tennisbal de
tennis ball

tennisbaan de
court

ontvanger de
receiver

netpaal de
pole

middenmerk het
centre mark

scheidsrechter de
umpire

tramrails de
alley

lijnrechter de
service judge

ballenjongen de
ball boy

dubbelspelzijlijn de
doubles sideline

middenlijnrechter de
centre line judge

lijnrechter de
linesman

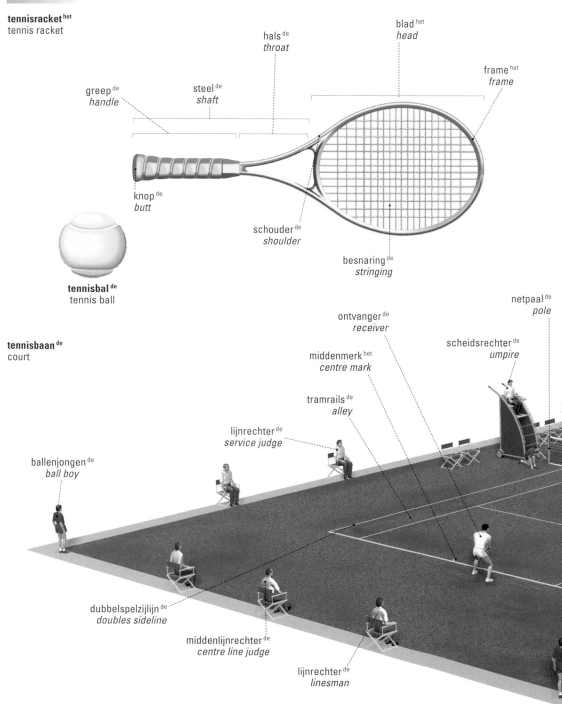

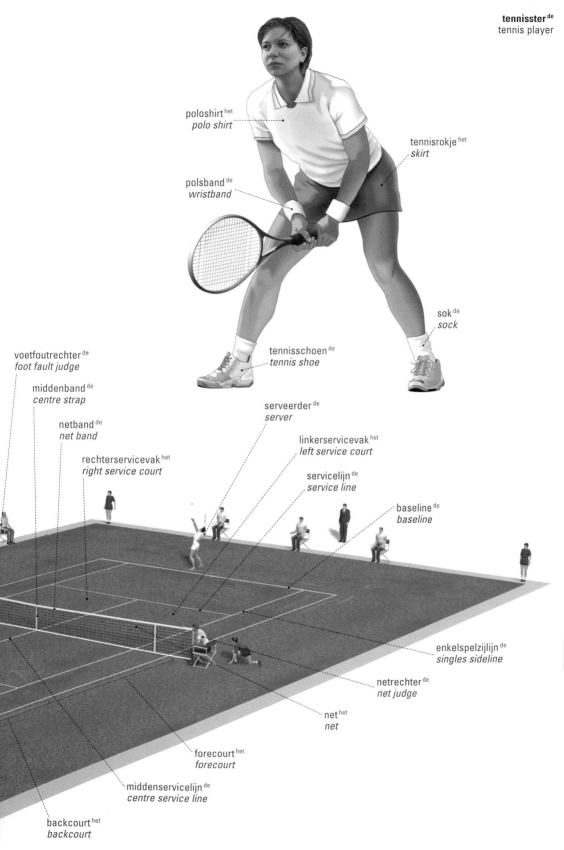

tennisster de
tennis player

poloshirt het
polo shirt

tennisrokje het
skirt

polsband de
wristband

sok de
sock

voetfoutrechter de
foot fault judge

middenband de
centre strap

netband de
net band

rechterservicevak het
right service court

serveerder de
server

linkerservicevak het
left service court

servicelijn de
service line

baseline de
baseline

tennisschoen de
tennis shoe

enkelspelzijlijn de
singles sideline

netrechter de
net judge

net het
net

forecourt het
forecourt

middenservicelijn de
centre service line

backcourt het
backcourt

SPORT

Karate, boksen, worstelen en judo zijn vechtsporten waarbij twee tegenstanders uit dezelfde gewichtsklasse tegen elkaar vechten. Een karateka, ofwel karatebeoefenaar, heeft een optimale lichamelijke en geestelijke conditie nodig, een bokser behendigheid en veel kracht. Sporters die een vechtkunst beoefenen of aan zelfverdediging doen, moeten over een volledige beheersing van hun kracht en bewegingen beschikken.

BOKSEN
BOXING

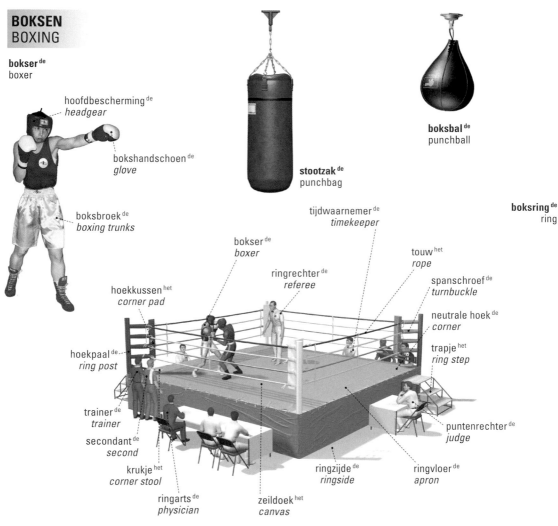

bokser de
boxer

hoofdbescherming de
headgear

bokshandschoen de
glove

boksbroek de
boxing trunks

stootzak de
punchbag

boksbal de
punchball

tijdwaarnemer de
timekeeper

boksring de
ring

bokser de
boxer

ringrechter de
referee

touw het
rope

spanschroef de
turnbuckle

neutrale hoek de
corner

trapje het
ring step

hoekkussen het
corner pad

hoekpaal de
ring post

trainer de
trainer

secondant de
second

krukje het
corner stool

ringarts de
physician

zeildoek het
canvas

ringzijde de
ringside

ringvloer de
apron

puntenrechter de
judge

WORSTELEN
WRESTLING

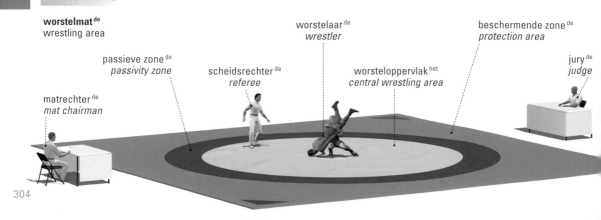

worstelmat de
wrestling area

worstelaar de
wrestler

beschermende zone de
protection area

passieve zone de
passivity zone

scheidsrechter de
referee

worsteloppervlak het
central wrestling area

jury de
judge

matrechter de
mat chairman

SPORT

wedstrijdgebied het
competition area

karateka de
karateka

hoekrechter de
corner judge

tijdwaarnemer de
timekeeper

jury de
arbitration committee

scoreteller de
scorekeeper

scheidsrechter de
referee

JUDO
JUDO

judogi de
judogi

karategi de
karategi

kimono de
jacket

obi de
obi

obi de
belt

karateka de
karateka

broek dc
trousers

tatami de
mat

scoretellers en tijdwaarnemers
scorers and timekeepers

scorebord het
scoreboard

judoka de
contestant

medisch team het
medical team

veiligheidsstrook de
safety area

SPORT

wedstrijdzone de
contest area

scheidsrechter de
referee

lijnrechter de
judge

gevarenzone de
danger area

305

Autoraces spelen zich af op verschillende soorten parcoursen, waar speciaal gebouwde voertuigen het met hoge snelheid tegen elkaar opnemen. De bestuurders van deze voertuigen beschikken, evenals motorcoureurs, over stalen zenuwen en extreem snelle reflexen. Ze mogen geen moment de beheersing over hun krachtige raceauto's verliezen.

AUTORACE
MOTOR RACING

formule 1-wagen de
formula 1 car

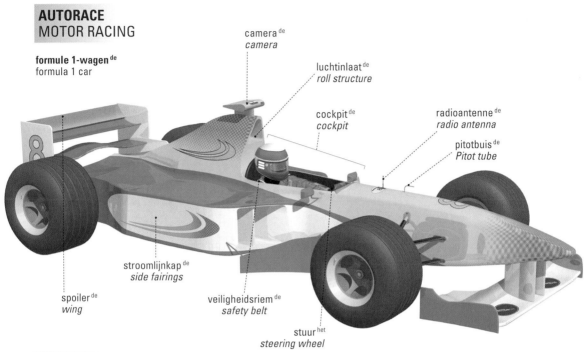

camera de
camera

luchtinlaat de
roll structure

cockpit de
cockpit

radioantenne de
radio antenna

pitotbuis de
Pitot tube

stroomlijnkap de
side fairings

spoiler de
wing

veiligheidsriem de
safety belt

stuur het
steering wheel

MOTORRACE
MOTORCYCLING

crossmotor de
motocross and supercross motorcycle

motorpak het
protective suit

motorhelm de
helmet

handschoen de
glove

motorbril de
protective goggles

broek de
trousers

handbeschermer de
hand protector

laars de
boot

nummerbord het
number plate

profielband de
nubby tyre

vork de
fork

beschermingsplaat de
protective plate

SPORT

Skateboarden en in-lineskating zijn twee sporten waarvoor snelle reflexen, een goede coördinatie en een sterk ontwikkeld evenwichtsgevoel vereist zijn. Skateboarders gebruiken hun creativiteit en techniek om acrobatische figuren uit te voeren op speciale banen. Binnen het in-lineskating onderscheiden we verschillende disciplines, zoals acrobatiek, hardrijden en hockey.

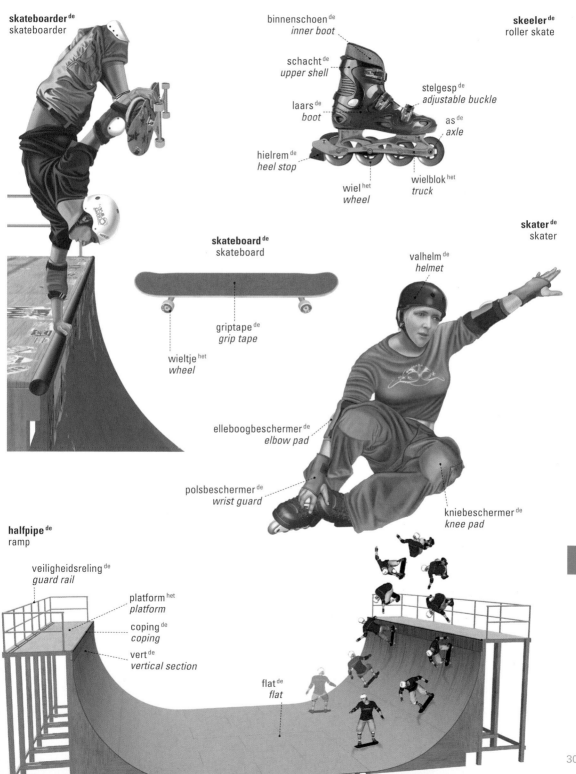

skateboarder de
skateboarder

skeeler de
roller skate

binnenschoen de
inner boot

schacht de
upper shell

stelgesp de
adjustable buckle

laars de
boot

as de
axle

hielrem de
heel stop

wielblok het
truck

wiel het
wheel

skater de
skater

valhelm de
helmet

skateboard de
skateboard

griptape de
grip tape

wieltje het
wheel

elleboogbeschermer de
elbow pad

polsbeschermer de
wrist guard

kniebeschermer de
knee pad

halfpipe de
ramp

veiligheidsreling de
guard rail

platform het
platform

coping de
coping

vert de
vertical section

flat de
flat

SPORT

307

Fietsers moeten over een goed evenwichtsgevoel, snelle reflexen en een groot uithoudingsvermogen beschikken, zowel op oneven terrein als op de wielerbaan. Voor elke fietssport wordt een speciaal model fiets gebruikt. De racefiets is bijvoorbeeld ontworpen voor hoge snelheden, terwijl de terreinfiets gemaakt is om over obstakels te springen en moeilijke paden te berijden.

WIELRENNEN
ROAD RACING

racefiets de **en coureur** de
road-racing bicycle and cyclist

fietshelm de
helmet

fietstrui de
jersey

handschoen de
glove

fietsbroek de
shorts

handrem de en versnelling de
brake lever and shifter

frame het
frame

band de
tyre

rem de
brake

voorvork de
fork

fietsschoen de
shoe

wiel het
wheel

pedaal de/het
pedal

kettingwiel het
chain wheel

derailleur de
derailleur

BMX
BMX

BMX de **en crossfietser** de
BMX and cyclist

voetensteun de
foot pegs

fietshelm de
helmet

fietsstuur het
handlebars

handschoen de
glove

kettingwiel het
single chain wheel

voetensteun de
foot pegs

kettingrad het
single sprocket

VELDRIJDEN
MOUNTAIN BIKING

terreinfiets de **en veldrijder** de
cross-country bicycle and cyclist

achterwielophanging de
back suspension

bril de
goggles

voorvork de
front fork

pedaal de/het
clipless pedal

Kamperen is een ideale activiteit voor reizigers met een beperkt budget die willen genieten van de buitenlucht. Alles wat je nodig hebt, is een slaapzak en enkele gebruiksvoorwerpen. Een complete kampeeruitrusting bevat minstens een tent, een slaapmatje en een koelbox voor het comfort. De eenvoudigste vorm van kamperen is wildkamperen, waarbij je gebieden kunt verkennen die via de gewone weg onbereikbaar zijn.

TENTEN
TENTS

gezinstent ^{de}
family tent

geraamte ^{het}
frame

woongedeelte ^{het}
living room

slaapkamer ^{de}
bedroom

luifel ^{de}
window awning

scheerlijn ^{de}
guy line

vliegengaas ^{het}
screen window

elastiek ^{het}
elastic loop

haringlus ^{de}
peg loop

scheidswand ^{de}
canvas divider

vast grondzeil ^{het}
sewn-in groundsheet

tentzeil ^{het}
wall

kamptent ^{de}
wall tent

tweepersoonstent ^{de}
two-person tent

tunneltent ^{de}
one-person tent

bungalowtent ^{de}
wagon tent

noktent ^{de}
ridge tent

koepeltent ^{de}
dome tent

iglo ^{de}
igloo tent

VRIJETIJDSBESTEDING EN SPEL

SLAAPZAKKEN
SLEEPING BAGS

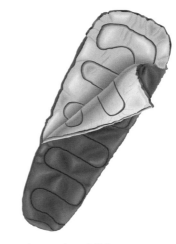

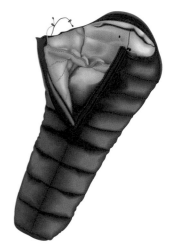

dekenmodel het
rectangular

semi-mummiemodel het
semi-mummy

mummiemodel de
mummy

BEDDEN EN MATJES
BED AND MATTRESS

schuimmatje het
foam pad

zelfopblazend matje het
self-inflating mattress

luchtbed het
air mattress

opblaaspomp de
inflator

blaasbalg de
inflator-deflator

stretcher de
camp bed

KAMPEERUITRUSTING de
CAMPING EQUIPMENT

zakmes het
Swiss army knife

schubmes het
fish scaler

meetlat de
ruler

schaartje het
scissors

nagelvijl de
file

loep de
magnifier

kruiskopschroevendraaier de
cross-tip screwdriver

klein lemmet het
small blade

schroevendraaier de
screwdriver

flesopener de
bottle opener

groot lemmet het
large blade

schroevendraaier de
screwdriver

blikopener de
tin opener

nagelkeep de
nail groove

kurkentrekker de
corkscrew

priem de
awl

fles de
bottle

beker de
cup

stop de
stopper

thermosfles de
vacuum flask

koffiepot de
coffee pot

mok de
cup

steelpan de
saucepan

bord het
plate

handvat het
handle

braadpan de
frying pan

koelbox de
cooler

watertank de
water carrier

stormlamp de
hurricane lamp

veldfles de
canteen

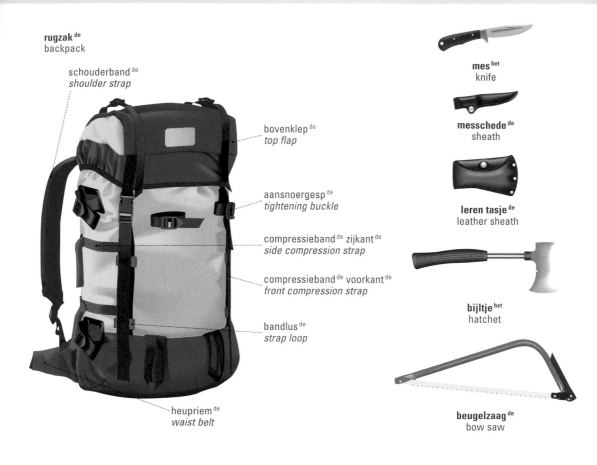

rugzak de
backpack

schouderband de
shoulder strap

bovenklep de
top flap

aansnoergesp de
tightening buckle

compressieband de zijkant de
side compression strap

compressieband de voorkant de
front compression strap

bandlus de
strap loop

heupriem de
waist belt

mes het
knife

messchede de
sheath

leren tasje de
leather sheath

bijltje het
hatchet

beugelzaag de
bow saw

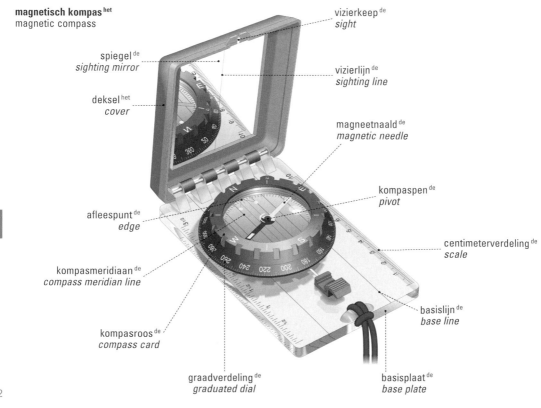

magnetisch kompas het
magnetic compass

vizierkeep de
sight

spiegel de
sighting mirror

vizierlijn de
sighting line

deksel het
cover

magneetnaald de
magnetic needle

kompaspen de
pivot

afleespunt de
edge

centimeterverdeling de
scale

kompasmeridiaan de
compass meridian line

basislijn de
base line

kompasroos de
compass card

graadverdeling de
graduated dial

basisplaat de
base plate

VRIJETIJDSBESTEDING EN SPEL

Men heeft dobbelstenen gevonden in oude Egyptische graven en het schaakspel dateert uit de Middeleeuwen. Tafelspelen zijn waarschijnlijk even oud als de behoefte van de mens om te spelen. Tegenwoordig bestaan er vele diverse spelen voor binnen, waaronder domino, kaartspelen, backgammon, darts en videospelletjes. Zowel individuele spelen als groepsspelen worden meestal voor het plezier gedaan.

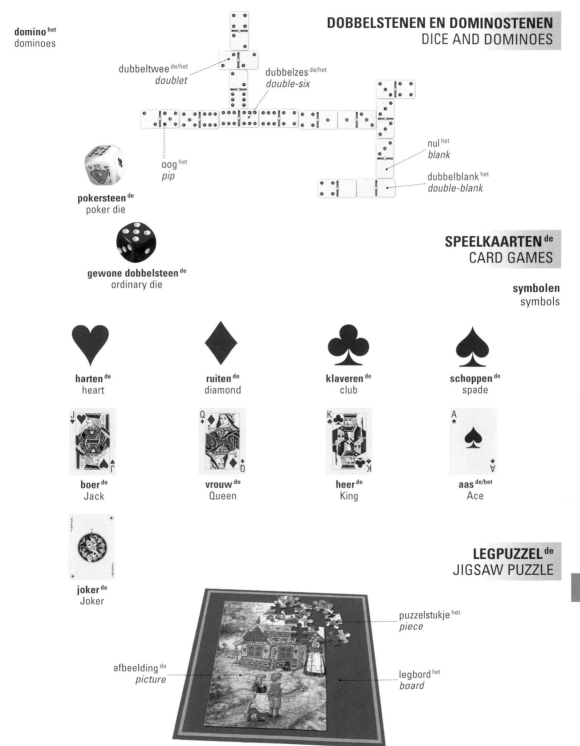

DOBBELSTENEN EN DOMINOSTENEN
DICE AND DOMINOES

domino het
dominoes

dubbeltwee de/het
doublet

dubbelzes de/het
double-six

oog het
pip

nul het
blank

dubbelblank het
double-blank

pokersteen de
poker die

gewone dobbelsteen de
ordinary die

SPEELKAARTEN de
CARD GAMES

symbolen
symbols

harten de
heart

ruiten de
diamond

klaveren de
club

schoppen de
spade

boer de
Jack

vrouw de
Queen

heer de
King

aas de/het
Ace

joker de
Joker

LEGPUZZEL de
JIGSAW PUZZLE

puzzelstukje het
piece

afbeelding de
picture

legbord het
board

VRIJETIJDSBESTEDING EN SPEL

313

SCHAKEN ^{het}
CHESS

schaakbord ^{het}
chessboard

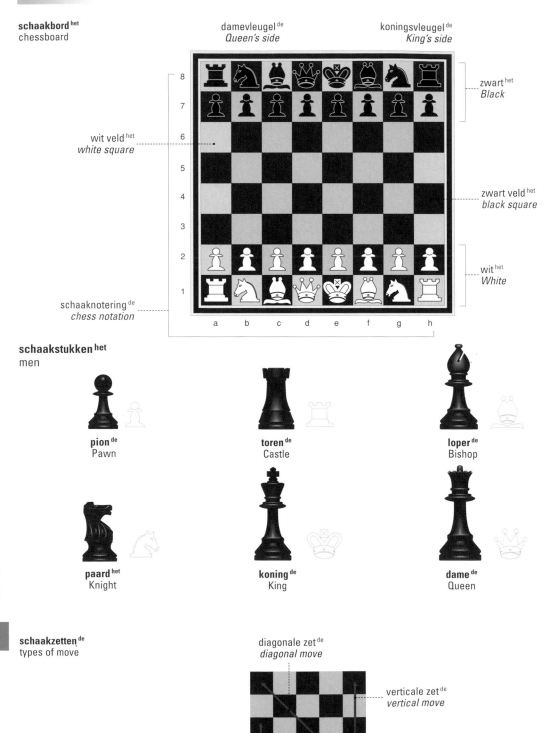

damevleugel ^{de}
Queen's side

koningsvleugel ^{de}
King's side

zwart ^{het}
Black

wit veld ^{het}
white square

zwart veld ^{het}
black square

wit ^{het}
White

schaaknotering ^{de}
chess notation

schaakstukken ^{het}
men

pion ^{de}
Pawn

toren ^{de}
Castle

loper ^{de}
Bishop

paard ^{het}
Knight

koning ^{de}
King

dame ^{de}
Queen

schaakzetten ^{de}
types of move

diagonale zet ^{de}
diagonal move

verticale zet ^{de}
vertical move

paardensprong ^{de}
square move

horizontale zet ^{de}
horizontal move

BACKGAMMON^{het}
BACKGAMMON

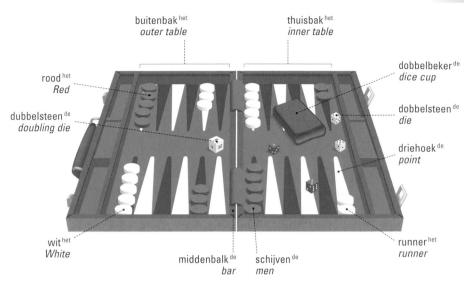

buitenbak^{het}
outer table

thuisbak^{het}
inner table

rood^{het}
Red

dobbelbeker^{de}
dice cup

dubbelsteen^{de}
doubling die

dobbelsteen^{de}
die

driehoek^{de}
point

wit^{het}
White

runner^{het}
runner

middenbalk^{de}
bar

schijven^{de}
men

DAMSPEL^{het}
DRAUGHTS

damschijf^{de}
draught

dambord^{het}
draughtboard

GO^{het}
GO

belangrijkste stellingen^{de}
major motions

keten^{de}
connection

insluiting^{de}
capture

contact^{het}
contact

go-bord^{het}
board

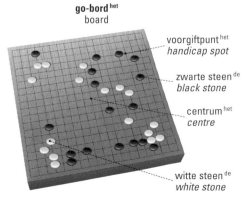

voorgiftpunt^{het}
handicap spot

zwarte steen^{de}
black stone

centrum^{het}
centre

witte steen^{de}
white stone

VRIJETIJDSBESTEDING EN SPEL

315

DARTSSPEL het
GAME OF DARTS

dartsbord het
dartboard

segmentwaarde de
segment score number

roos de
bull's-eye

dubbel de
double ring

triple de
treble ring

25 punten het
25 ring

speelgebied het
playing area

zachtbord het
protective surround

scorebord het
scoreboard

dart de
dart

shaft de
shaft

punt de
point

flight de
flight

barrel de
barrel

werplijn de
oche

SPELCOMPUTER de
VIDEO ENTERTAINMENT SYSTEM

spelconsole de
game console

geheugenkaartaansluiting de
memory card slots

cd/dvd-speler de
CD/DVD player

actietoetsen de
action buttons

richtingstoetsen de
directional buttons

controller de
controller

joysticks de
joysticks

beeldscherm het
visual display

controlleraansluiting de
controller ports

resettoets de
reset button

uitwerptoets de
eject button

De meeste straten zijn voorzien van verkeerstekens ter informatie van autobestuurders. Veel van deze tekens zijn internationaal, wat inhoudt dat bestuurders uit de hele wereld de situatie op een bepaalde weg kunnen begrijpen, zoals de rijrichting en verplichte stoppunten. Sommige verkeerstekens die specifiek zijn voor een bepaalde streek, zijn geïnspireerd op internationale verkeerstekens.

BELANGRIJKSTE INTERNATIONALE VERKEERSBORDEN
MAJOR INTERNATIONAL ROAD SIGNS

stopbord
stop at intersection

verboden in te rijden
no entry

nadering voorrangskruising
give way

verkeerslichten
traffic signals ahead

verplichte rijrichting
direction to be followed

verplichte rijrichting
direction to be followed

verplichte rijrichting
direction to be followed

verboden voor voetgangers
closed to pedestrians

vallend gesteente
falling rocks

overstekend wild
wild animals

verboden voor motorfietsen
closed to motorcycles

verboden voor vrachtauto's
closed to trucks

nadering school
school

voetgangersoversteekplaats
pedestrian crossing

werk in uitvoering
road works ahead

slipgevaar
slippery road

SYMBOLEN

BELANGRIJKE VERKEERSBORDEN IN DE VERENIGDE STATEN EN CANADA
MAJOR NORTH AMERICAN ROAD SIGNS

stopbord
stop at intersection

verboden in te rijden
no entry

nadering voorrangskruising
give way

verboden voor motorfietsen
closed to motorcycles

verboden voor voetgangers
closed to pedestrians

verboden voor fietsen
closed to bicycles

verboden te keren
no U-turn

verboden voor vrachtauto's
closed to trucks

verplichte rijrichting
direction to be followed

verplichte rijrichting
direction to be followed

verplichte rijrichting
direction to be followed

verplichte rijrichting
direction to be followed

nadering school
school zone

voetgangersoversteekplaats
pedestrian crossing

slipgevaar
slippery road

verkeerslichten
signal ahead

vallend gesteente
falling rocks

werk in uitvoering
road works ahead

We worden omringd door vele diverse symbolen. Algemene symbolen zijn eenvoudige afbeeldingen die in één oogopslag allerlei informatie geven. Ze zijn gemakkelijk te begrijpen en kunnen zelfs iemand die niet kan lezen duidelijk maken waar zich een ziekenhuis of het dichtstbijzijnde inlichtingenloket bevindt. De universele boodschappen die deze symbolen overbrengen worden niet gehinderd door taalbarrières.

herentoilet
men's toilet

damestoilet
women's toilet

wisselkantoor
currency exchange

toegang voor mindervaliden
access for physically handicapped

camping (tenten en caravans)
camping (caravan and tent)

picknickplaats
picnic area

café
buffet

camping (alleen tenten)
camping (tent)

pompstation
petrol station

brandblusapparaat
fire extinguisher

camping (alleen caravans)
camping (caravan)

ziekenhuis
hospital

telefoon
telephone

restaurant
restaurant

apotheek
chemist's shop

politie
police

EHBO
first aid

informatiebord
information

informatiebord
information

gevonden voorwerpen
lost property

geen toegang voor mindervaliden
no access for wheelchairs

picknicken verboden
picnics prohibited

kamperen verboden
camping prohibited

taxistandplaats
taxi rank

SYMBOLEN

Veiligheidssymbolen zijn van levensbelang. Ze attenderen mensen op mogelijke gevaren en op schadelijke productingrediënten, en adviseren mensen om een bepaalde veiligheidsuitrusting te dragen. Afbeeldingen van een met een helm bedekt hoofd raden mensen op bouwterreinen bijvoorbeeld aan een veiligheidshelm te dragen.

GEVAARLIJKE STOFFEN
DANGEROUS MATERIALS

bijtende stof
corrosive

hoogspanningsgevaar
electrical hazard

explosieve stof
explosive

brandbare stof
flammable

radioactieve stof
radioactive

giftige stof
poison

BESCHERMING
PROTECTION

veiligheidsbril
eye protection

oorbeschermers
ear protection

veiligheidshelm
head protection

beschermende handschoenen
hand protection

beschermend schoeisel
foot protection

respirator
respiratory system protection

ooglid 66, 67, 79, 102
oogschaduw 133
oogspriet 57
oogvlies 102
ooievaar 75
oor 79, 82, 90, 100, 140
oorbeschermer 320
oorklep 124
oorknop 129
oorplug 245
oorring 129
oorschelp 76, 77, 100, 241
oostelijk halfrond 20
oostelijke meridiaan 20
oosten 23
oostnoordoosten 23
oostzuidoosten 23
opaal 129
opbergmeubels 141
opbergvak 283
opblaaspomp 310
opdruk 121
openbare telefoon 245
openhaard 138, 158
openslaand raam 137
ophaalbrug 220
ophaaltouw 278
ophangdraad 59
ophangkabel 183
ophanglusje 120
ophangoog 131
opknipkam 130
oplegger 192
opleggerkoppeling 192
opleggerwagon 196
opnameleider 273
opnametoets 239, 240, 244
opossum 76
opperarmbeen 92
opperhuid 101
oppervlak 288
oppervlakte 180
opponeerbare duim 83
oprit 135, 182, 250
opslag 257
opslagbassin 177
opslagruimte 268
opstand 138
opstap 203
opstaptrede 192
opstelling 290, 294, 300
opticien 259
optrektouw 163
opwarming van de aarde 43
opzetring 153
opzetvoet 235
orang-oetan 83
oranje 211
oranje-geel 211
oranje-rood 211
orbiter 14, 15
orchidee 50
orgaan, buisvormig 57
organisatie, culturele 249
organisme, afbrekend 41

organisme, eencellig 56
organisme, eenvoudig 56
organisme, plantaardig 47
orgel 226
orka 89
orkaan 37
ornament 223
otter 80
outside linebacker 296
oven 143, 153
ovenknop 153
ovenschaal 144
overdracht 176
overdracht, warmte- 178
overheadprojector 269
overheidsinstelling 249
overhemd 116
overjas 119
overlaat 174
overlaatgoot 174
overlaatschuif 174
overlevingssysteem 17
overloop 139, 154
overslag 116
overspanning 183
overstekend wild 317
overzijde 280
ozonlaag 32

P

paal 198
paalwoning 215
paard 84, 314
paardenbloem 51
paardenhoef 84
paardenrennen 280
paardensport 280
paardensprong 314
paardenstaart 97
paars 211
paars-blauw 211
pachycephalosaurus 71
pad 66, 282
paddestoel 47
paddock 280
pagaai 279
pak 287
pakking, magnetisch 152
paksoi 106
pal 169
paling 65
palissade 220
palletlader 205
palm 54, 123, 291
palm, hand 101
palmbos 29
palrad 169
panama 124
paneel 136
panfluit 224
pannendak 218
pannenkoekmes 148
panter 81
pantoffeldiertje 56
pantograaf 198, 199, 238

pantry 206
panty 119
papaja 113
paperclip 270
papier, vel 271
papierbak 46
papiercontainer 46
papiergeleider 245
papierklem 270
papil 101
paprika 107
paraffine 181
parallellepipedum 172
parallellogram 172
paranoot 113
paraplu 128
paraplubak 128
parasaurolophus 70
parfumerie 258
park 250
parkeerplaats 182, 251, 269
parkeerterrein 205, 252, 282
partje 112
pasfotoautomaat 259
paspoortcontrole 253
passagiersruimte 207
passagiersschip 200
passagiersterminal 200
passagierstrap 252
passagierstunnel 205
passagiersvliegtuig 32
passagierswagon 198, 199
passieve zone 304
passievrucht 113
pasta 114
pastinaak 104
patch-paneel 237
Pathfinder 13
patiënt 266
patisson 107
patrijs 74
patrijspoort 201
patroontas 265
pauk 232, 234
pauw 74
pauzetoets 239
pc 246
peakmeter 237
pecannoot 113
pedaal 194, 227, 232, 289, 308
pedaallier 226
peddel 279
pedicellus 109, 110, 111
pedipalp 59
peer 111
pelikaan 75
peluw 142
pen 26, 270
penaltystip 300
pendeltrein 252
penis 90
pennenhouder 126
penseel 212
peper, Spaanse 107
pepervat 144

pepperspray 265
perforatiegaatje 125
pericarp 112
peristylium 218
peroxisoom 56
perron 252, 253, 255
Pers 79
persluchtcilinder 263, 279
persluchtreservoir 197
personal computer 246
personeelsingang 260, 269
personeelskleedkamer 264
personeelsruimte 260, 264
personeelstoilet 264
personeelsvertrek 219
personentrein 196, 253
personenweegschaal 170
perzik 110
pet 124, 265
petrischaal 166
petrochemicaliën 181
peul 108
peulvrucht 108
Phobos 6
piano, elektronische 233
piccolo 231, 234
pick-up 186, 229
pick-up-keuzeschakelaar 228
picknicken 319
picknicken verboden 319
picknickplaats 319
piek 28
pijl 281
pijler 30, 221
pijlerdam 174
pijlinktvis 57
pijlkoker 281
pijlstaartrog 64
pijlstelling 206
pijlvleugel 206
pijnappelklier 97
pijnboom 55
pijnboompit 55, 113
pijp 231
pijpbeen 84
pijpleiding 181
pikhaak 263
pilaar 26
pilaster, Corinthische 218
pin 156, 262, 281
pinakel 221
pinautomaat 257
pincet 267
pinda 108
pinfitting 156
pinguïn 75
pink 101
pinkhaak 230
pinopstelling 281
pintoboon 108
pion 314
Pioneer 13
piramide 172, 217
piramide-ingang 217
pistachenoot 113

X

Y

Z

ENGLISH INDEX

module, Russian 14
module, U.S. habitation 14
molar, cross section 94
molars 94
mole 76
mole wrench 162
molluscs 57
mongoose 80
monitor lizard 69
monitor speaker 237
monocle 128
Moon 6, 8, 9
moon dial 168
Moon's orbit 8, 9
Moon, phases 10
moons 6
mop 159
moped 191
moraine, end 29
moraine, terminal 29
mordent 223
morphology of a bat 82
morphology of a bird 72
morphology of a butterfly 62
morphology of a cat 79
morphology of a dog 78
morphology of a dolphin 88
morphology of a frog 66
morphology of a gorilla 83
morphology of a honeybee (worker) 60
morphology of a horse 84
morphology of a kangaroo 76
morphology of a lobster 58
morphology of a perch 65
morphology of a rat 77
morphology of a shark 64
morphology of a snail 57
morphology of a spider 59
morphology of a turtle 67
morphology of a venomous snake (head) 67
mosaic 218
mosque 219
mosquito 63
moss 47
motocross and supercross motorcycle 306
motor 162, 165
motor bogie 199
motor car 199
motor racing 306
motor scooter 191
motor sports 306
motor unit 150, 198
motor vehicle pollution 45
motor yacht 202
motorcycle 191
motorcycle, off-road 191
motorcycle, touring 191
motorcycles, examples of 191
motorcycling 306
motorway 23, 182, 250
motorway number 23
mouflon 86
moulding, bumper 184
mountain 28

mountain biking 308
mountain range 9, 22, 24
mountain slope 28
mountain torrent 28
mounting foot 235
mounting plate 156
mouse pad 246
mouse, field 77
mouse, wheel 246
mouth 57, 66, 88, 90, 102
mouthparts 60
mouthpiece 230, 231, 233
mouthpiece receiver 230
mouthpipe 230
mouthwash 133
movable bridges 183
movable jaw 162
movable maxillary 67
movable stands 268
movement, horizontal ground 26
movement, vertical ground 26
Mt Everest 32
mud flap 185, 192
mud hut 215
mudguard 194
muffler felt 226
multigrain bread 114
mummy 310
mung bean 108
muscles 95
museum 251
mushroom 47
mushroom, structure 47
music 222
music rest 233
music room 268
musical instruments 224
musical notation 222
muskmelon 113
mute 230
muzzle 78, 79, 85
mycelium 47

N

nacelle 179
nail 161
nail cleaner 132
nail clippers 132
nail groove 311
nail scissors 132
name, domain 248
naos 217
nape 72, 91
narwhal 89
nasal bone 93
nasal cavity 97
national park 23
natural 223
natural arch 31
natural greenhouse effect 43
natural sponge 132
nautical sports 278
navel 90
navigation light 207
NEAR 13

near/far dial 240
neck 67, 85, 91, 94, 146, 227, 228, 229
neck end 116
neck guard 263
neck pad 298
neckroll 142
necktie 116
nectarine 110
needle 29
negative contact 173
negative pole 175
Neptune 7
nerve 101
nerve fibre 101
nerve termination 101
nervous system 97
nest 72
net 295, 299, 303
net band 303
net judge 303
nettle 106
neutral zone 284, 296
névé 29
new crescent 10
new moon 10
newsagent's shop 259
newt 66
next call 245
nib 270
niche, safety 182
nictitating membrane 79
nightshot switch 240
nimbostratus 35
nipple 90
no access for wheelchairs 319
no entry 317, 318
no U-turn 318
non-biodegradable pollutants 44
non-reusable residue waste 46
nonagon, regular 172
North 23
North America 18
North American road signs 318
North Pole 0, 20
North Sea 19
North-Northeast 23
North-Northwest 23
Northeast 23
Northern hemisphere 20
Northern leopard frog 66
Northwest 23
nose 77, 85, 90, 102, 206, 287
nose landing gear 206
nose leaf 82
nose leather 79
nose of the quarter 125
nose, droop 125
nosepiece, revolving 167
nostril 64, 65, 66, 67, 72, 85
notch 170
note values 223
notebook 271
nozzle 14, 16
nubby tyre 306
nuclear energy 177
nuclear membrane 56
nuclear power station 177

nuclear waste 45
nucleolus 56
nucleus 10, 11, 56
number of tracks sign 198
number plate 306
number plate light 187
number, player's 284, 295
number, pump 261
numeric keyboard 170
nurse 266
nut 227, 228, 229
nutcracker 147

O

oak 54
oar, sculling 278
oar, sweep 278
oasis 29
Oberon 7
obi 305
objective 167
objective lens 12
oboe 231
oboes 234
observation deck 253
observation window 15
observation, astronomical 12
obtuse angle 171
occipital bone 93
ocean 9, 22, 42
ocean weather station 38
Ocean, Pacific 18
Oceania 19
oche 316
octagon, regular 172
octave 222
octave mechanism 231
octopus 57
oesophagus 96, 97
off-road motorcycle 191
office 253, 260, 261
office building 200, 251
office tower 250
office, administrative 263, 264
office, chief officer's 264
office, complaints 264
office, gymnasium 268
office, head teacher's 269
office, junior officer's 264
office, post 259
office, proctors' 269
office, school secretary's 269
officer, chief's 263
officer, police 265
officer, safety 279
officers' dormitory 262
officers' toilet and shower 262
official, penalty bench 284
officials 293
officials' bench 284
offshore prospecting 180
oil 180
oil paint 212
oil pastel 212
oil pollution 45
oil spill 45

X

Y

Z